L'Ours bleu

LYNN SCHOOLER

L'Ours bleu

Dans les contrées sauvages de l'Alaska
à la recherche d'un animal mythique

Traduit de l'anglais (États-Unis)
par Philippe Delamare

PLON

Titre original
The Blue Bear

ISBN original Harper Collins, New York : 0-06-621085-2
ISBN Plon : 2-259-19510-5

Pour Michio Hoshino

NOTE DE L'AUTEUR

Par souci de brièveté, j'ai pris une liberté de romancier avec plusieurs épisodes de cette histoire : certains, qui s'étaient déroulés au cours de plusieurs voyages, ont été condensés en un seul ; et j'ai reconstitué de mon mieux des conversations dont le contenu exact s'est effacé de ma mémoire.

PROLOGUE

J'habite un bateau à Juneau. Tandis que j'écris ces mots, la radio du bord marmonne les prévisions météo pour les trois prochains jours. Dehors, un vent froid se presse contre les hublots et descend en murmurant dans le conduit du poêle. Nous sommes en décembre, quelques jours avant le solstice d'hiver, et une pellicule de glace vert-noir recouvre la surface du port. Il neige depuis plusieurs jours, et la voix monotone à la radio annonce un coup de tabac imminent qui va amener des bourrasques, un réchauffement de l'air, et de la pluie.

Juneau, moins de trente mille habitants, est plus que simplement isolée. Tassée entre mer et montagne, elle n'est accessible que par air ou par mer. Aucune route ne la relie au monde extérieur ; les montagnes se dressent abruptement du rivage jusqu'à la limite de la forêt, puis ce sont les alpages, et par-delà leurs teintes pâles les pics de pierre nue. Derrière les pics s'étend un vaste paysage de glace tourmentée, sur des centaines de mètres de profondeur.

La plaine de glace n'est pas visible du centre de la ville, mais elle est toujours là, tapie juste au-delà des crêtes, soufflant son haleine froide en rafales qui tourbillonnent parmi les maisons et les immeubles de bureaux – rappel constant que la glace est à l'Alaska ce que Shiva est au panthéon hindou : le dieu qui crée et le démon qui détruit. Par leurs allées et venues incessantes au cours des millénaires, les glaciers ont creusé le socle rocheux du continent, traçant sur seize cents kilomètres une côte sinueuse de montagnes sculptées par la glace et trouées d'anses, dont le tracé évoque la suture serpentine, compliquée, qui joint les os du crâne.

Les montagnes sont revêtues de forêts vert sombre qui protègent un sous-bois dense d'airelles, d'aulnes et de gourdins du diable [1]. Les vents humides soufflant de l'océan Pacifique et du golfe de l'Alaska noient souvent le pays de nuages épais. Les fjords escarpés entaillent profondément le corps du continent à intervalles réguliers, et tout au fond les longues langues bleues des glaciers lèchent la mer. Un chapelet d'îles décore le littoral et divise l'océan hostile en un labyrinthe de longs chenaux étroits. L'attraction de la lune fait parfois monter le niveau de la mer de quelque huit mètres en six heures, soumettant ces goulots à certains des courants et des marées les plus extrêmes du monde.

Le long de la côte qui s'incurve entre les îles Aléoutiennes à l'ouest et l'embouchure du Stikine, près de Wrangell, plus de soixante-cinq mille kilomètres carrés de terres sont encore enfouis sous la glace, formant huit glaciers principaux et de nombreux plus petits, d'où des douzaines de larges coulées bleu pâle descendent lentement vers la mer, précipitant des icebergs dans les flots avec un grondement de tonnerre. Ici la période glaciaire se prolonge encore.

Le journal d'hier rapportait à la une l'histoire d'un chasseur disparu, un Indien tlingit de vingt et un ans, du village de Hoonah, perdu quelque part à l'ouest dans les îles aux forêts denses. Encore maintenant des bateaux scrutent le rivage, une expédition de secours passe les taillis au peigne fin, un hélicoptère a été envoyé fouiller le ciel à travers les lambeaux de nuages gris. Le nom du disparu me dit quelque chose mais je n'arrive pas à mettre un visage dessus. J'ai presque certainement entendu parler de lui. Les gens sont très dispersés en Alaska, mais nos chemins font des boucles et se croisent de manières étranges et prévisibles.

1. *Oplopanax horridus.*

Nous nous reconnaissons par nos relations avec des amis et des familles, par l'endroit où un homme chasse et avec qui. Nous nous connaissons par nos bateaux – leur silhouette, leur couleur et leur nom – et nous savons où demeure chaque enfant. C'est un quartier de mille six cents kilomètres de long.

Ma relation avec le chasseur disparu s'éclaire soudain. Je revois son père – voix douce et torse puissant, épaisse chevelure noire soigneusement peignée, les gestes lents et attentifs d'un homme qui vit beaucoup dehors. Nous avions sué ensemble au sauna de la piscine municipale, pour tâcher d'oublier l'hiver glacial, en écoutant les pêcheurs se plaindre des prix bas offerts pour le saumon royal d'hiver.

J'imagine le père se frayant un chemin dans les halliers, l'odeur de laine humide et d'inquiétude tandis qu'il cherche son fils. S'il pleut, le garçon mourra sans doute, à supposer qu'il ne soit pas déjà mort. Le mélange de la pluie et du vent est infiniment plus meurtrier que la neige, parce qu'un homme trempé, privé de nourriture et d'abri se refroidit vingt fois plus vite que s'il est simplement exposé au froid. Le garçon a disparu depuis deux jours, et ses chances de survie baissent aussi inexorablement que l'aiguille du baromètre.

La légende tlingit reproche parfois ces disparitions au Kushtaka, esprit cruel mi-humain mi-loutre qui prend la forme d'une sirène ou d'un être aimé pour entraîner l'imprudent à sa perte. Le Kushtaka est un insatiable escamoteur d'âmes, et son ombre sinueuse se faufile en vacillant à travers les bois pour aller se fondre dans la brume.

L'homme-loutre se jette à l'eau aussi volontiers qu'il parcourt la terre, et quand il nage il lui vient parfois un appétit à avaler un bateau d'une seule bouchée. De quoi faire paraître la mer, comme la forêt, bien grise et bien effrayante.

Récemment, une tempête fulgurante s'est abattue sur un bateau de pêche de Haines – petit port au nord de Juneau –, qui jetait ses filets à quelques kilomètres du rivage. Quelques jours auparavant, il y a peut-être un mois, j'avais vu le *Becca Dawn* filer vers le sud par temps calme, « un os entre les dents », comme disent les marins – la lame de l'étrave s'évasant, pleine et blanche, de sa proue, un filet de fumée suspendu dans l'air immobile au-dessus de son sillage. Je faisais cap vers le nord à bord de mon bateau, le *Wilderness Swift*, et quand nous nous croisâmes, une main sortit de la dunette en un salut désinvolte.

Mais il y a quinze jours, de mauvaises nouvelles arrivèrent – il faisait mauvais temps et les gardes-côtes avaient envoyé un hélicoptère. Au crépuscule, la mer avait encore grossi – des creux de douze mètres –, et un vent de soixante-dix nœuds lacérait en hurlant les crêtes écumeuses. Tandis que les pâles lueurs hivernales achevaient de s'estomper au couchant, des murs d'eau noire se brisaient et se bousculaient d'un horizon à l'autre, enveloppant le monde dans un chaos de tonnerre et d'embruns. Sans relâche, des vagues furieuses surgissaient des ténèbres pour s'écrouler en avalanche sur le *Becca Dawn*, tordant ses membrures. Malmené et affaibli, le bateau s'inclina et commença à couler.

Dans la confusion, une balise radio d'alarme et un radeau de sauvetage furent jetés par-dessus bord avant d'avoir été attachés au navire. Le radeau ne s'étant pas déployé, le meilleur nageur de l'équipage – un jeune pêcheur athlétique amateur de kayak en eau vive – se noua un filin autour de la poitrine, arrima l'autre bout au bateau et nagea vers le radeau pendant que ses deux frères aînés, sous le pinceau argent d'un projecteur, s'efforçaient frénétiquement de se maintenir à flot. Martelé par les énormes paquets de mer, le *Becca Dawn* donna de la gîte, fit une brusque embardée et s'enfonça plus vite – les écoutilles avaient cédé et la cale se remplissait d'eau. Trois fois les frères aînés tentèrent de trancher le cordage qui liait le nageur au bateau ; trois fois une lame balaya le pont et leur arracha le couteau de la main.

Quand le *Becca Dawn* sombra finalement sous leurs pieds, les laissant se débattre au milieu d'un enchevêtrement de lignes flottantes et de matériel de pêche pour gagner le fragile abri du minuscule radeau, le nageur – leur frère et ami – resta accroché au bateau. Les survivants racontèrent ensuite que la lueur des projecteurs du *Becca Dawn* demeura longtemps, longtemps visible, tandis qu'il s'engloutissait toujours plus profondément sous les eaux sombres [1].

Le *Becca Dawn* gît dans sa tombe marine près de la baie de Lituya, endroit riche en histoires et que je connais très bien. C'est un fjord en T qui repose directement sur une mine géologique appelée la faille de Fairweather, et qui, selon les légendes des Indiens tlingit, est la demeure de Kah-Lituya, un grand dieu-ours furibond qui déteste l'intrusion des étrangers. Quand il se met en colère, Kah-Lituya envoie l'un des énormes grizzlys noirs qui errent sur la côte des glaciers, et celui-ci saisit le pays dans ses terribles mâchoires et le secoue jusqu'à ce que ce que les montagnes s'écroulent par pans entiers et que la mer se mette à bouillonner.

Il y a une quarantaine d'années, l'un des séismes de Kah-Lituya, dont l'épicentre se situait dans la baie, provoqua un raz de marée qui anéantit plus de six cents hectares de forêt. La vague frappa avec une telle force qu'elle arracha les moules et les bernacles de la grève et qu'elle escalada le versant de la montagne jusqu'à une altitude de cinq cent vingt-cinq mètres, balayant tout ce qui vivait sur son passage et écorchant le mince humus acide jusqu'à la roche. Elle détruisit également deux bateaux de pêche ancrés dans la baie [2].

---

1. L'équipage de l'hélicoptère des gardes-côtes qui procéda au sauvetage reçut par la suite la plus haute décoration de l'armée de l'air américaine en temps de paix pour que ce que l'amiral Tom Barrett, commandant des gardes-côtes, appela « une maîtrise de l'air et une ténacité extraordinaires ». Le capitaine de corvette Robert Yerex, le lieutenant James O'Keefe, le maître principal Christian Blanco et le second maître Noel Hutton reçurent ainsi la Distinguished Flying Cross pour l'héroïsme avec lequel ils arrachèrent les survivants à la mer, malgré les ténèbres, la nausée, la neige, les bourrasques d'embruns et le carburant qui diminuait à vue d'œil.

2. Le naufrage est une constante de la région depuis que l'explorateur français La Pérouse, premier Occidental à s'engager dans la baie, perdit à l'entrée du goulot vingt et un de ses hommes dans un maëlstrom de violentes déferlantes et de forts courants. Au cours des deux siècles suivants, plus de cent marins ont été victimes des eaux glacées du

Quand j'y suis allé pour la première fois il y a une douzaine d'années, la baie de Lituya pansait encore ses plaies. La plage était jonchée de débris de fibre de verre, de madriers éclatés et de pièces métalliques rouillées, éparpillées parmi les blocs de granite et de schiste. Un grossier cénotaphe de pierres avait été dressé près de l'entrée de la baie. Un imperméable jaune en loques, marqué du nom d'un bateau de pêche, pendait les bras en croix sur un crucifix de bois flotté, et des offrandes – toutes sortes d'épaves : plumes d'aigle et flotteurs, planches de caisses ornées de caractères asiatiques à demi effacés, bouts de filet et de ficelle – s'étalaient au pied du monument. Sur le dos de l'imperméable, en lettres maladroites d'un rouge pâlissant, étaient inscrits les noms de quatre marins.

C'était une journée paisible. Oiseaux de mer et phoques se dandinaient joyeusement sur des plaques de glace détachées du front d'un glacier à l'embouchure du fjord. En traversant une langue de sable mou pour entrer dans la forêt, je tombai sur l'empreinte de la taille d'un plat, laissée par l'un des serviteurs de Kah-Lituya. Les bords étaient francs, profonds et tout récents. Je me baissai pour mesurer la trace de l'ours de mes doigts écartés : un bon empan de large et un et demi de long.

J'observai la lisière de la forêt pendant quelques minutes, guettant les cris d'alarme d'écureuils ou de geais. Mon odeur me précéderait dans les bois, portée par la brise fraîche qui jouait sur ma nuque et me rebroussait les cheveux sur les oreilles. N'entendant que mon cœur battre à grands coups dans le silence, je finis de traverser la bande de sable et m'enfonçai parmi les arbres.

Une ligne de démarcation nette séparait les secteurs de la forêt ravagés et épargnés par la vague. Sous le baldaquin de la végétation indemne, les rayons du soleil tombaient en taches diffuses à travers des arbres de tailles et d'âges divers.

---

fjord et du traîtreux goulet barré par la pointe de galets que La Pérouse a baptisée La Chaussée et que les pêcheurs du coin appellent « The Chopper » (le hachoir).

De vieux géants couturés dominaient de souples arbrisseaux vert tendre, et le sol était couvert des riches débris pourrissants de branches mortes ou brisées par le vent. En un enchevêtrement impénétrable, à hauteur de poitrine, airelles et gourdins du diable se disputaient la suprématie avec exubérance dans les lambeaux de lumière qui ruisselaient entre les ramures.

Quel contraste avec les jeunes arbres qui colonisaient le terrain ravagé par le raz de marée : uniformes et réguliers, chacun semblable par la taille et le diamètre à ses voisins. Les branches hautes se mêlaient en un épais toit vert qui interceptait toute lumière directe. Le sol était à l'ombre et le sous-bois clairsemé. Auprès de l'ouragan de vie végétale qui bouillonnait sous la forêt ancienne, c'était un désert, sans rien de la débauche luxuriante d'arbustes, de fougères et de plantes rampantes qui poussent à profusion au pied des vieux troncs.

Mais la vie, comme il se doit, imposait son retour, lent et opiniâtre, sous des formes parfaitement adaptées. Des cornouillers tordus s'efforçaient de former un tapis de végétation et les premiers surgeons grimpants de lycopodes avaient entrepris de se hisser en travers des pierres basses et des racines protubérantes. Avec le temps – dans cinquante ou cent ans, peut-être plus –, un arbre ou deux dépasseraient leurs voisins, accrocheraient le vent et s'abattraient, creusant une trouée dans le dais uniforme. La lumière entrerait et les formes les plus hautes, les plus denses de la vie végétale exploseraient dans une frénésie de croissance.

Une bouffée de vent frais fit frémir la forêt autour de moi. Immobile, j'écoutai attentivement le moindre bruit qui pût m'annoncer le retour du grizzly. L'écho unique d'une violente détonation dévala la montagne abrupte au-dessus de ma tête : le glacier à la naissance du fjord avait fait basculer un nouveau bloc de glace dans la baie.

Le vent hurle, la terre tremble, les marées montent et descendent. Les gens s'enfoncent dans le paysage et disparaissent sans laisser de trace. Et pendant ce temps, la glace est là – massive, stérile et froide –, qui attend de revenir.

Mais quand la glace fait une pause, la vie afflue de nouveau dans les vallées et les criques, se glisse jusque dans les montagnes et pousse des racines dans la terre, comme au lendemain du raz de marée cataclysmique. Les forêts croissent, les animaux se reproduisent, les oiseaux se souviennent des chemins aériens migratoires qui les ramènent saison après saison. À mesure que la glace recule, saumons et truites arc-en-ciel découvrent les rivières nouvellement jaillies qui accueilleront leurs alevins et deviendront des lieux de frai traditionnels pour les générations à venir. Un écosystème entier évolue, tissant les fils élémentaires du soleil, de l'énergie et de la pluie pour accomplir le jeu réciproque dynamique, tourbillonnant, de la création et de la procréation, du prédateur et de la proie.

C'est pour ça que j'adore cet endroit. Je l'aime ardemment pour son pouvoir de guérison après avoir été scalpé jusqu'à la roche par les glaces ou de violents raz de marée, pour le jeu complexe des forces en action lorsque la terre convalescente déploie la richesse de sa vie indomptable. Je l'aime pour la puissance qu'il nous manifeste dans ses pluies massives (qui en bien des endroits de la côte approchent cinq mètres par an). Je l'aime follement pour les chants qu'il entonne dans le souffle d'une baleine ou les coups de trompettes rauques et rouillés d'un vol de grues. Je l'aime pour sa turbulence et son impatience, et je l'aime par tempête comme par temps calme. Parfois au printemps, quand les nouvelles feuilles vertes et les premières fleurs délicates peinent à s'épanouir, je l'aime comme un chien aime se faire chahuter à l'arrière d'un pick-up, et j'ai envie de courir d'un bord à l'autre en aboyant et en claquant la langue.

Le printemps est aussi le moment de l'année où les ours émergent de leurs antres hivernaux, et puisque je gagne ma vie comme guide, aidant les photographes animaliers à les trouver et à capturer leur image, ce moment marque le début de mon année plus précisément qu'aucune fête du calendrier. En avril les jours rallongent rapidement, et la neige profonde en haut des pentes commence à se désagréger dans les flots de lumière. Goutte à goutte, l'eau de fonte se faufile sous la couverture de neige et la croûte s'affaisse. Les grizzlys qui dorment sous la surface sursautent et s'agitent, alertés par l'intrusion d'odeurs neuves dans leurs cavernes tapissées de mousse.

Les premiers à sortir sont les ours solitaires, mâles et femelles qui cillent dans le soleil et lèvent le nez vers le monde nouveau autour d'eux. Les femelles qui ont des oursons à allaiter apparaîtront plus tard, lorsque la nourriture sera plus abondante. Indécis et engourdis de sommeil, ils font quelques pas devant l'entrée, souillant la neige de la boue de leur repaire. Avec de bonnes jumelles, de la plage en contrebas on peut distinguer les taches qui se dessinent dans les alpages, signe que l'hiver relâche finalement son emprise sur le pays.

Plus bas, dans la forêt, les cousins plus petits des grizzlys pointent le nez entre les racines et sous les souches. *Ursus americanus*, l'ours noir américain, préfère hiverner dans les cavités de la forêt, se glissant dans de petites ouvertures sous les arbres vivants ou dans une fente entre les rochers, où il laisse passer la saison du froid et de la faim en se retirant profondément dans ses rêves.

Ici un troisième animal revient à la vie au printemps, circonspect et fuyant, enveloppé de mystère, mais qui semble s'attarder à la périphérie de ma vision comme une survivance de l'ère glaciaire. Il est de la couleur des cieux d'hiver, du même bleu-gris pâle que les blocs de granite nu que les glaciers abandonnent en se retirant, et n'existe nulle part au monde ailleurs que dans cette bande littorale de huit cents kilomètres entre le Prince William Sound au nord-ouest et Ketchikan au sud. L'unique recensement officiel jamais entrepris estime qu'ils sont moins d'une centaine à errer sur ce bout de carte follement enchevêtré. Les populations aborigènes, qui y voyaient le fruit d'une union entre le clan des ours et celui des chèvres de montagne, l'appelaient *klateutardy-tseek* : l'ours « blanc » ou « neigeux ». Mais on l'appelle aussi l'ours bleu ou l'ours des glaciers, et l'on peut passer une vie entière à courir les fjords et les champs de glace de l'Alaska sans jamais en apercevoir un seul.

En écrivant ces lignes, je me suis arrêté plusieurs fois pour regarder une photo épinglée sur la cloison près de la couchette où je suis assis. Le sujet de la photo est debout de profil dans la lumière ombreuse du crépuscule. C'est à tous égards une image médiocre – plate, floue, mal composée –, et pourtant elle compte parmi les plus précieuses de mes possessions matérielles.

Cette photo m'est précieuse non parce que c'est celle d'un ours des glaciers (et il y a en ce monde beaucoup moins de photos d'ours des glaciers que de diamants jaune canari de vingt carats) ou parce que j'espère que sa rareté m'apportera argent ou célébrité. Il n'a fallu qu'un soixantième de seconde pour que la lumière traverse la lentille, les prismes et les miroirs et saisisse l'image à jamais. Mais j'ai dû traquer l'ours des glaciers pendant près de dix ans avant que l'obturateur se ferme, et une vie tout entière s'était déjà écoulée avant que j'arrive à l'endroit où la chasse pouvait commencer. Enfin et surtout, à l'instant où l'appareil photo captura l'ours, une dizaine d'années d'une amitié avec un homme exceptionnel se condensa en une fraction de seconde.

Tout ce récit est résumé dans cette photo.

1

COUPURE

Je suis né en 1954 à la lisière du Llano Estacado dans l'ouest du Texas, désert si vaste et si monotone que les premiers explorateurs espagnols y plantèrent une ligne de pieux pour éviter de se perdre. Les immigrants allemands, hollandais et russes qui s'éparpillèrent dans la région au début du XXe siècle, tendant des barbelés et forant des puits à éoliennes pour tâcher d'apprivoiser la terre brûlée par le soleil, étaient généralement des têtes de mule qui ne supportaient pas d'interrompre quoi que ce fût une fois engagés, mais les choses commençaient à changer pendant la jeunesse de mon père. Il fut le premier de la famille à quitter la maison ancestrale – petit ranch niché dans les collines rocailleuses couvertes de prosopis près de Robert Lee, où son père et son grand-père n'avaient cessé d'être accablés par d'interminables sécheresses et de se faire rouler par des marchands de bestiaux rapaces. À ma naissance, il prit la route comme un rocker d'aujourd'hui, parcourant le Texas et le Nouveau-Mexique – quelque mille cinq cents kilomètres par semaine dans sa Plymouth Fury bleue – pour tâcher de vendre du matériel électrique aux industries du pétrole et du bâtiment en déclin.

Un après-midi de 1969 (j'avais quinze ans), la Plymouth de papa déboucha dans la cour calcinée. Dans un nuage de poussière alcaline corrosive, la portière du conducteur s'ouvrit à la volée tandis que la voiture s'arrêtait en dérapant, et un pied botté se posa sur le sol. Mon père carra sa mince carcasse dans son siège, entoura le volant de son bras puis me dévisagea un moment avant de me faire signe d'approcher.

« Regarde-moi ça, dit-il en dépliant un journal devant mes yeux. Qu'est-ce que t'en dis ? »

Il passa une main dans ses cheveux clairsemés, pendant que j'examinais le journal.

« Eh bien, qu'en penses-tu ? reprit-il en souriant. On a trouvé du pétrole en Alaska. Des quantités et des quantités de pétrole. »

Je ne savais pas exactement où était l'Alaska, mais c'était loin. De ça j'étais sûr. Bien plus loin que El Paso ou même que le Colorado, où mon copain Jimmy allait chasser l'élan avec son père. Jimmy disparaissait une semaine quand il partait dans le Colorado. S'il y avait du pétrole en Alaska, cela voulait probablement dire que papa s'absenterait beaucoup plus longuement.

« Tu vas être parti plus longtemps ? »

Papa me donna une légère tape sur l'épaule avec le journal, et un petit filet de rides se forma au coin de ses yeux rieurs.

« On dirait », fit-il en se dirigeant vers la maison. Il avait l'air pressé et ne referma même pas la portière de la voiture, d'où me parvenait l'odeur tenace des Camel qu'il fumait.

« Tu vas être parti très longtemps ? criai-je derrière lui.

– T'inquiète pas, fiston. » Il était déjà dans le garage ouvert et disparaissait dans l'obscurité fraîche pour gagner la cuisine au plus vite. « Tu viens avec moi. »

Je parcourus du regard notre domaine en grimaçant sous le soleil : un demi-hectare de dure latérite avec une maison de parpaings en plein milieu ; une raffinerie de pétrole à moins d'un kilomètre, dont la torchère brûlait si fort que la nuit on pouvait lire sans allumer la lampe ; des buissons de prosopis et de la poussière de caliche qui s'étendaient platement jusqu'à l'infini ; les pales d'une éolienne dans le lointain. « Ça me va parfaitement », me dis-je à voix haute. N'importe où, pensais-je, valait probablement mieux que ce trou.

À force de marchandages et de cajoleries, papa obtint d'un foreur indépendant en faillite un camion Chevrolet de troisième main de deux tonnes, qu'il entreprit de transformer en fourgon de déménagement improvisé. Des réservoirs cylindriques flanquaient la cabine de part et d'autre.

« Le carburant coûte cher, surtout au Canada, dit papa en dévissant le bouchon d'un réservoir pour regarder dans le trou sombre. Ces machins vont nous donner une fameuse autonomie. La route est sacrément longue jusqu'en Alaska. »

Une grue pivotante que le précédent propriétaire avait fabriquée avec des tubes d'acier soudés en forme de A et montée au-dessus du plateau pour soulever des soudeuses, des trépans et d'autres objets lourds, s'effondra bruyamment sur le sol lorsque papa en fit sauter les fixations à coups de masse. Il monta à la place une armature de lames de bois destinée à soutenir une coque d'aluminium en forme de caisse, et me montra comment découper et glisser entre les panneaux des feuilles de polystyrène en guise d'isolation. « Il se peut qu'on doive y vivre », expliqua-t-il, et je me demandai s'il plaisantait. Filer en Alaska était une idée tellement folle que vivre à l'arrière d'un camion ne semblait pas si insensé.

Maman, qui regardait la scène les bras croisés, hochant la tête et souriant, retourna faire les bagages. Sa meilleure amie nous apporta un pot de beurre de cacahuète gros comme un seau, puis la mère de Jimmy téléphona pour demander où nous allions trouver des légumes quand nous serions en Alaska. Mes parents s'étreignirent en riant, mais la bouche de maman se pinça quand elle crut que personne ne la voyait.

Une fois toutes nos affaires soigneusement réparties, empilées et capitonnées à l'arrière du gros camion, la porte fut verrouillée. Mes yeux dansaient, fascinés et éblouis par la flamme bleue du chalumeau avec lequel un ami de mon père soudait et une barre de remorquage à l'avant de notre vieux pick-up Ford. Le pick-up en remorque derrière le camion Chevrolet, papa conduisait prudemment son convoi surchargé, multipliant les doubles débrayages pour gravir lentement les côtes interminables. J'étais assis à côté de lui, plongé dans une pile de magazines (*Argosy*, *Outdoor Life*, *True Tales of the West*) pour tromper l'ennui incessant des grandes plaines. Maman et deux de mes sœurs suivaient dans la voiture familiale, en passant inlassablement « (Sittin' on) The Dock of the Bay » d'Otis Reading (seule musique sur laquelle elles arrivaient à se mettre d'accord) sur le magnétophone à huit pistes. C'est ainsi que nous fîmes nos adieux au Texas.

Notre lente caravane obliqua vers le nord pour traverser les montagnes du Colorado, rivée à l'étoile Polaire sous les vastes cieux du Montana, et franchit la frontière canadienne en cahotant.

Trois semaines après avoir quitté le Texas, nous atteignîmes la fin du bitume pour nous engager sur la route Alcan, piste de gravier serpentant sur plus de quinze cents kilomètres jusqu'à la frontière de l'Alaska, parmi les interminables forêts de bouleaux et d'épicéas rabougris du Yukon. Dans les modestes motels où nous passions la nuit, j'entendais à travers les minces parois de contre-plaqué mon père répondre dans un murmure aux questions que ma mère lui posait d'une voix de plus en plus forte. L'inquiétude d'avoir quitté tout ce que nous connaissions grignotait, rongeait, taraudait le voyage, morsure aussi acérée que le froid ambiant, toujours plus cuisant.

Nous étions en janvier et nous n'avions jamais imaginé qu'un tel froid fût possible. Blanc et scintillant, le givre étreignait la moindre surface, et la fumée de mon haleine restait suspendue dans l'air. La température tombait à moins quarante, et le matin papa devait réchauffer la boîte de vitesses et les axes du pick-up au chalumeau pour que nous puissions nous mettre en route. Plus nous avancions, plus les rides se creusaient sur son front.

Au bout de trente jours de route, nous pénétrâmes en Alaska. Une large trouée taillée à la tronçonneuse dans la forêt dense de part et d'autre de la route délimitait la frontière entre les États-Unis et le Canada, et une ligne de souches serties de glace s'enfonçait dans les bois à perte de vue. Quelques kilomètres après la frontière, papa écrasa le frein pour éviter un loup surgi au grand galop des taillis bordant la route. Le camion et le loup s'immobilisèrent dans un brusque écart simultané. Les yeux jaunes et bridés, qui paraissaient immenses dans la maigre face noire, plongèrent sans ciller dans les miens pendant une longue seconde médusée avant que le loup ne tourne les talons pour s'enfoncer dans les broussailles.

Nous restâmes silencieux et pétrifiés, tandis que le moteur tournait au ralenti, à fixer le bouquet d'arbustes qui avait avalé le loup. Je me rendis soudain compte que j'avais cessé de respirer. Papa se pencha en avant, posa les deux bras sur le volant. Puis il se tourna vers moi, avec une curieuse expression sur le visage.

« C'est ça qu'il fallait faire, non ? », dit-il.

Je n'ai rien répondu, mais je comprenais exactement ce qu'il voulait dire.

*

Je lui tenais la main quand il est mort. Ce cancer fut comme une exécution : il y eut d'abord le verdict et toutes les petites humiliations de ne plus pouvoir se débrouiller seul ou prendre les décisions quotidiennes. Puis vinrent les sursis pleins d'espoir de la chimiothérapie, des changements de régime et des rayons, jusqu'à ce que l'on comprenne finalement que tout cela n'avait jamais eu grand sens et que le temps passé à lutter contre la sentence avait laissé des choses plus importantes en suspens.

La main que je tenais était durcie par le travail et puissante, pareille à du chêne sculpté sous le cuir de la peau. Même quand le cancer eut fini de dévorer les muscles et les organes de mon père, ses mains ne cessèrent jamais de donner l'impression qu'elles pouvaient agripper un boulon rouillé et le dévisser sans l'aide d'une clé.

Et je rageais de penser qu'il avait fallu ce désastre pour

placer sa main dans la mienne. La seule occasion à mon souvenir où il avait pris ma main avant cela (en dehors d'une poignée de main) fut le jour où les médecins diagnostiquèrent chez moi une scoliose congénitale. C'est une maladie qui tord et dévie la colonne vertébrale, et qui, si elle est suffisamment grave, peut provoquer des troubles organiques, des douleurs constantes et atroces, et vous rendre bossu.

C'était notre deuxième année en Alaska. J'avais à peine seize ans et je commençais cette croissance par à-coups qui fait paraître les mains et les pieds des garçons trop grands et encombrants. Le gène du bossu pesait sur mes épaules et essayait de me contenir au moment même où mon corps grandissait, comme une herbe s'efforçant de croître sous une planche abandonnée dans un champ. Ma grand-mère avait souffert d'une déformation de la colonne vertébrale, et manifestement la mienne, à son tour, avait l'intention de pousser dans n'importe quelle direction en dehors de la verticale.

Un médecin corpulent et bourru, aux cheveux grisonnants, me proposa ce choix : « Nous pouvons prélever sur tes fémurs des fragments d'os, dit-il en faisant le geste de fendre sa cuisse de ses doigts, qui seront greffés sur ta colonne vertébrale pour empêcher la courbure de s'aggraver. » Il croisa les bras, puis les chevilles, et s'appuya contre la table d'examen, près de moi, avant de continuer.

« Évidemment, quand ce sera fait, tu seras un peu raide. Et il te faudra rester plâtré un certain temps après l'opération. » Il me considéra de sous ses sourcils froncés.

« Plâtré ? demandai-je.

– Du cou jusqu'à la taille. » Il jeta un coup d'œil vers mes parents, en hochant la tête. « Il sera au lit, allongé sur le dos, pendant à peu près un an. Il faut ça pour que les os se soudent. »

Je m'imaginai étendu sur le dos pendant un an, emmailloté dans un cocon de plâtre. Pas d'école. Pas de football. Pas de filles. La perspective de contempler un plafond toute une année durant, tandis que mes os pousseraient l'un autour de l'autre, était intolérable, et rien que d'y penser je me sentais devenir dingue.

Papa alluma une cigarette et en offrit une au docteur, qui la prit et l'examina, en évitant mon regard.

« Il y a... », commença le médecin, qui s'interrompit pour allumer sa cigarette à l'allumette que mon père lui tendait dans sa main en coupe. Il souffla une bouffée de fumée bleue vers le plafond. « ... Une autre solution. »

Dans un atelier au sol en béton, le docteur me fit monter sur une caisse en contre-plaqué et placer les avant-bras le long du corps, puis il m'enduisit le torse de plâtre pour le moule qui servirait à fabriquer les pièces de cuir du corset. Je devais être sanglé dans une structure de barres d'acier chromé m'étirant le corps entre le cou, les aisselles et les hanches. Mon cou et mes hanches seraient enserrés par les gaines de cuir qu'on moulait à mes mesures de mince adolescent. Les barres pouvaient être allongées, pour que la tension continue d'écarter mes épaules de ma taille, chevalet de l'Inquisition redressant les égarements de ma colonne. Ce supplice durerait deux ans, et j'aurais le droit d'enlever l'appareil une fois par semaine, le temps d'un bain rapide. Il fumait une cigarette en travaillant, essuyant le plâtre de ses doigts avec une serviette avant chaque bouffée.

Mon père était debout à mes côtés, le docteur penché sur sa tâche, et ma mère, silencieuse, était assise au fond de la pièce sur un siège au dossier droit. Je sanglotais, les yeux perdus dans le lointain.

« À pleurer et à t'agiter comme ça, tu vas fendiller le plâtre avant qu'il ne prenne ! » Le docteur essuya une tache sur la poitrine de sa blouse à petits coups de serviette avant de prendre sa cigarette. « S'il faut que je recommence, tes parents vont devoir payer deux fois... »

Papa se dandina d'une jambe sur l'autre, puis tendit le bras et dénoua doucement l'étreinte de mes doigts sur l'accoudoir. Il prit ma main dans la sienne, la serra, et ne la lâcha plus. Trente ans après, quand vint son tour de perdre ses yeux dans le lointain et d'essayer de ne pas éclater en sanglots devant le cancérologue, les jointures dures comme des noix et les cals râpeux de sa main dégageaient la même chaleur et la même force dans mon étreinte.

L'appareil redressa effectivement ma colonne au bout des deux années suivantes – dans une certaine mesure. Sous n'importe quel angle, mon corps manque toujours de symétrie. De face, ma tête paraît montée de guingois sur des épaules tombantes. De la droite, j'ai l'air plus massif que vu de gauche. Mon corps reflète la topographie de ma vie : tous deux normaux à première vue, mais à mieux y regarder fourbis par les cataclysmes et les révolutions, les raz de marée et les tornades.

Quand je regarde en arrière, dévidant mon existence comme un rouleau de tissu usagé – les taches et le reste –, je peux marquer le jour où l'on me sangla dans ce corset comme le moment où commença à se désagréger toute l'innocence que je pouvais avoir. Il m'apparaît aujourd'hui que aussi sûrement que le cuir et le métal autour de mon cou et de mon corps rivaient ma tête et mon regard droit devant, mon avenir était bloqué sur son cap. Les neuf livres d'acier chevillées et sanglées autour de mon corps, aussi magnétiques qu'une aiguille de boussole, m'orientaient vers les régions sauvages de l'Alaska, et vers une aliénation toujours présente, telle une dent douloureuse qu'on a sans cesse l'envie taraudante de mordiller. Dès l'adolescence, j'ai eu un étrange angle d'approche envers le reste du monde.

Le jour de février, deux ans après, où je dépouillai l'appareil fut une déception. J'attendais de cette émancipation qu'elle me délivre de tout ce qui n'allait pas dans ma vie, m'imaginant que – naturellement –, dès que je m'écarterais de la coque de métal et de cuir pourrissant de mon bannissement, le monde s'ouvrirait à moi : les filles allaient se précipiter pour me prendre dans leurs bras, et les garçons venir me taper dans le dos, pleins d'admiration pour la torture prolongée que j'avais endurée.

Je me trompais. La silhouette engoncée, penchée en avant du corset, que j'avais essayé de cacher sous des manteaux trop larges, qui parvenaient mal à dissimuler l'odeur d'un corps adolescent lavé seulement une fois par semaine, et l'étrange démarche saccadée, déjetée lourdement vers le haut, qui m'était devenue habituelle, ne me quittèrent pas, même après avoir ôté l'appareil. Mon étrangeté m'avait isolé des autres adolescents, et j'allais découvrir que mon isolement était permanent, mon ermitage définitif. Ces années à me cacher m'avaient rendu différent des autres jeunes, et ôter le corset ne changea rien à ma situation. C'était le deuxième semestre de ma première, et il ne restait tout simplement pas assez de temps à ma jeunesse pour apprendre à s'adapter.

Me débarrasser du corset me permit, en revanche, de m'accrocher un fardeau d'un autre genre – un sac à dos – et de m'échapper dans la liberté de la nature. Pendant que les dernières belles journées d'août jaunissaient les feuilles des peupliers et des trembles le long des rivières, j'entrepris d'explorer la route qui descend vers le sud, d'Anchorage jusqu'à la pointe de la péninsule de Kenai. Une demi-heure après avoir quitté la maison, j'étais seul, loin de la ville. La grand route longeait sur soixante kilomètres les eaux bourbeuses du Turnagain Arm, creusant un chemin sinueux dans le flanc rocheux des monts Chugach avant d'obliquer vers le sud et de s'enfoncer dans la péninsule, abandonnant le tohu-bohu de la ville pour pénétrer dans un monde de beauté.

Il y avait de larges espaces le long de la route tortueuse où je pouvais m'arrêter au-dessus de l'épaulement pour observer les bélougas blancs qui fouillaient les eaux boueuses à la recherche de saumons et d'eulachons, éperlans venus frayer dans les torrents glaciaires vaseux qui se précipitent dans le bras de mer. Une heure d'escalade et je regarderais d'en haut le dos blanc des mouflons de Dall. En parcourant les collines à la jumelle, j'appris à voir les orignaux en repérant la tache obscure de leurs énormes corps sur la muraille olive pâle des saules nains et des aulnes.

Une fois, assis sur le gravier au bord d'un petit lac, j'écoutais les voix plaintives d'un vol de grues canadiennes haut dans le ciel, quand je sentis une présence derrière moi. Je me retournai pour m'immobiliser devant une paire d'yeux jaunes et profonds plantés dans les miens. Un lynx était assis à quelques pas de moi, complètement immobile en dehors des pupilles en losanges qui semblaient se dilater à mesure que nous nous regardions. Un motif argent et gris lui mouchetait la face. Le grand chat révélait un bas-ventre de fourrure blanche qui se muait sur la poitrine en une nuance de brun si délicate que ma main brûlait de la caresser.

Le fauve allongea légèrement la tête, enfonçant délicatement son nez dans mon odeur. Les yeux jaunes, toujours sans ciller, parurent soudain s'ouvrir encore avant que le lynx se tasse sur lui-même et tourne la tête. Il se leva sans me jeter un regard et s'éloigna au trot le long de la rive, se faufilant entre les saules et les fougères ; il fut un instant une flamme grise parmi les feuilles puis il disparut. Je n'avais pas entendu un bruit, ni pendant l'approche, ni au moment du départ.

Je marchais et escaladais à chaque occasion, cherchant les endroits où je risquais le moins de rencontrer d'autres humains. J'appris à distinguer le keta du saumon rouge à la forme de leurs marques et à la couleur de la chair sous leur peau claire. Les trous d'eau qui recelaient des saumons royaux longs et épais comme ma cuisse étaient de profonds secrets que je gardais pour moi. La nuit je campais dans des prairies de graminées ou je déroulais un sac de couchage à l'arrière du Ford.

À l'automne je chassais le lièvre à raquettes et le lagopède à la 22 long rifle. La viande maigre d'un lapin était plus tendre cuite lentement dans une casserole avec du beurre et du sel, mais je préférais embrocher le petit corps sur une souple baguette d'aulne et le faire rôtir doucement au-dessus du feu. Le résultat était souvent filandreux, cru près de l'os et desséché en surface, mais il correspondait à une image que j'avais de la vie au grand air. Et quand j'étais dehors, sous l'immensité du ciel et dans l'étreinte du vent, je trouvais la solitude dont j'avais si soif, sans me sentir seul.

2

PREMIÈRES RENCONTRES

L'oiseau couleur ardoise s'aplatit sur le sol et déploya ses ailes en une posture menaçante. L'une des corneilles faisant cercle autour du martin-pêcheur estropié bondit en avant, lui frappa la tête de son bec et recula, pendant que l'oiseau blessé se retournait pour faire face à l'attaque. Le bec grand ouvert, le martin-pêcheur se tassa et se détendit brusquement. En vain. D'autres corneilles se précipitèrent pour l'assaillir de côté.

Je me penchai pour ramasser une pierre, dans l'intention de la jeter sur les corneilles, mais mon compagnon m'arrêta d'un geste. J'hésitai, esquissant une esquive machinale tandis qu'une corneille, puis une autre s'avançaient pour décocher un coup à leur proie faiblissante. Il leur faudrait peut-être des heures pour achever le martin-pêcheur en l'assommant et en le déchirant – cruauté trop cuisante à regarder.

« Ils ne font que se conduire en corneilles, Lynn », dit-il.

Le martin-pêcheur niche dans des fissures, se creusant un terrier dans les berges escarpées ou tapissant une cavité existante de plumes et d'herbe pour y loger ses œufs. C'est un oiseau à l'allure particulière – la tête semble trop grosse pour le corps et les pieds trop petits –, et pourtant son col d'un blanc pur, son cri rauque, son bec en rapière et le reflet d'obsidienne dans ses yeux lui confèrent la dignité éclatante et pompeuse d'un sénateur du Sud d'avant la guerre de Sécession – une sorte de John C. Calhoun aux plumes grises. Le martin-pêcheur se perche sur un rocher ou une branche au bord d'une rivière sinueuse ou sur la rive d'une crique paisible, et plonge la tête la première à la poursuite de menu fretin et de têtards. C'est un spectacle habituel le long des torrents boisés où j'aime à me promener, et il était étrange d'en trouver un dans un environnement si hostile : tout autour de nous le sol était nu et lunaire, à l'exception d'une étroite bande d'ajoncs qui se cramponnaient au rivage et d'une poignée d'herbes et de jeunes aulnes arc-boutés au fond d'une ravine. Mon bateau, le *Wilderness Swift*, était à l'ancre dans une petite anse à moins d'un kilomètre, et, de la hauteur où nous nous trouvions, il avait l'air d'un jouet minuscule pelotonné contre la côte.

D'un coup de pied, mon compagnon fit dévaler à grand fracas une cascade de petits galets ronds le long de la pente, puis il déplaça le poids de son corps dans la nouvelle prise. C'était un petit Asiatique au visage rond et ouvert, le sourire facile, le teint haut en couleur d'un homme qui passe beaucoup de temps au grand air. Son sac pesait moitié plus lourd que le mien. Tout en regardant le drame entre le martin-pêcheur et les corneilles, il redressa son bonnet groenlandais puis tendit la main pour désigner quelque chose derrière moi avec un petit cri d'alarme.

Pivotant sur moi-même, j'aperçus une grande forme d'un brun moucheté qui plongeait du ciel et me baissai instinctivement quand elle fila au-dessus de moi. L'aigle immature surgi de nulle part s'abattit en une attaque glissée, pour se rejeter en arrière, serres tendues, en arrivant sur la crête. Rapt fulgurant et fluide, il arracha le martin-pêcheur au cercle de corneilles. Peut-être l'une des serres acérées perça-t-elle le cœur de l'oiseau ou le choc soudain de l'agression le tua-t-il instantanément, mais lorsque l'aigle s'éleva en cercle pour regagner son aire, le martin-pêcheur pendait, sans vie et flottant comme un ruban, entre ses griffes.

Je grimaçai, imaginant le transpercement des serres. Le cercle de corneilles croassa et discuta, puis se dispersa en voletant çà et là [1]. Michio (ainsi s'appelait mon compagnon) regarda l'aigle disparaître et resta pensif un moment avant de déclarer : « Tout obtient toujours ce dont il a besoin » – voulant dire, j'imaginai, que le ravisseur avait été nourri, le martin-pêcheur délivré de son tourment, et les corneilles... eh bien, les corneilles devraient se remettre en quête de leur pitance.

Se tournant vers moi l'air sérieux, il poursuivit : « Nous n'avons que tant de temps. Je crois que c'est ce que la nature essaie toujours de nous dire – que nous allons mourir un jour, nous aussi, et c'est ce qui nous pousse à *vivre* vraiment. »

C'était un thème sur lequel je l'entendrais souvent revenir au cours des années suivantes, mais sur le moment je n'y prêtai guère attention. J'étais encore troublé par le lynchage du martin-pêcheur et par les souvenirs désagréables que la scène faisait resurgir. En frissonnant, j'équilibrai le poids de mon sac sur mes hanches et commençai à descendre la falaise.

J'avais fait la connaissance de Michio un mois auparavant, lorsqu'il m'avait téléphoné pour louer mes services sur-le-champ à l'occasion d'un film qu'il tournait pour une télé de Tokyo. Et maintenant nous étions dans le Parc national de Glacier Bay, à quelques jours de la fin d'un périple de cinq semaines. Nous nous étions arrêtés dans cette petite crique pour filmer un phénomène mis au jour par le recul de l'ère glaciaire, et étions tombés sur le petit drame sombre de la nature et de la vie.

En contrebas, une aigrette sacrée plana le long de l'abrupt pour, d'un coup de rein rasant, atterrir au bord de l'eau, où elle déploya ses ailes avant de se replier en une pose élégante. Des pierres et des graviers cascadaient sous nos pieds tandis que nous descendions l'escarpement de biais. Tout

1. En vieil anglais, le terme exact pour une troupe de corneilles était « murder » (meurtre), mais en l'occurrence peut-être « unkindness » (méchanceté) – comme on appelait un groupe de corbeaux – aurait été plus juste et plus poétique.

autour de nous des souches et des troncs d'arbres, couleur de bois flotté, surgissaient de la moraine friable.

Michio s'arrêta pour s'essuyer le visage de la main. « On a peine à croire que c'est si vieux, non ? », dit-il en palpant la surface douce d'une souche.

Au pied du versant, les trois membres de l'équipe de tournage se dirigeaient vers une petite langue de terre pour faire une prise de vue. Yamanushi Fumihiko, le benjamin du trio, suivait précautionneusement les deux autres, courbé sous un sac immense surmonté d'un trépied massif et encombrant, tandis que Maeda Yasujiro, le cameraman, suggérait des cadrages et discutait des angles d'éclairage avec un homme grand et mince, le producteur Eiho Otani.

« Le bois interstadiaire a été daté de sept mille ans au carbone quatorze, expliquai-je, utilisant un terme de glaciologue pour désigner les débris dévastés de la forêt préglaciaire autour de nous. Ces arbres étaient en pleine croissance deux mille ans avant que Chéops ne commence à ébaucher ses projets de Grande Pyramide. »

Michio tâtonna devant lui avec son trépied plié, s'en servant de canne pour stabiliser son assise, puis s'arrêta près d'un tronc brisé et, s'y appuyant de la main, fit basculer son lourd sac à dos sur le sol.

« Redites-moi comment c'est arrivé », demanda-t-il, tout en dépliant le trépied qu'il enfonça de niveau dans le sol. C'était, avais-je rapidement découvert, le genre de question préféré de Michio : très compliquée à expliquer (du moins pour moi), mais posée avec une innocence et une simplicité d'enfant. J'arrondis les épaules pour remettre en place les courroies de mon sac et posai les mains sur mon genou en amont de la pente avant de répondre. L'occasion de faire un peu le malin en étalant mon savoir chassa les corneilles de mon esprit.

« Eh bien, pendant la dernière période glaciaire, les glaciers ont avancé très vite, commençai-je en balayant l'espace d'un grand geste de la main pour figurer le flot de glace envahissant le Muir Inlet à nos pieds. Et une prodigieuse quantité d'eau se déversait sur les côtés, entraînant tout ce gravier et ce sable depuis le fin fond des vallées. La coulée a simplement enseveli la forêt vive. Les cailloux l'ont recouverte jusque-là – je désignai le haut du tronc fracassé, à hauteur de ma tête – et la glace s'est ruée sur la surface nouvelle, rasant les arbres sur son passage. »

Michio sortit un boîtier d'appareil photo de son sac et l'enclencha sur le trépied. « Et quand le glacier a commencé à fondre, l'eau a tout lavé, tout emporté ?

– Exactement. A emporté tout le sable et tout le gravier jusque dans le fjord, ne laissant que la forêt. Elle n'est pas pétrifiée, juste conservée pour des milliers d'années par l'absence d'oxygène pendant le temps où elle a été enfouie. »

Un moment songeur, Michio caressa la surface de la souche, lisse comme du platine. « Sept mille ans, soupira-t-il. Cela fait paraître la vie bien brève. »

Le temps était l'un des sujets favoris d'Hoshino. Il paraissait toujours s'écouler en flamboyant sous ses yeux, créant une conscience de l'importance des instants, des heures et des siècles. Ce matin-là, en contemplant les crêtes et les montagnes nouvellement déglacées qui défilaient par la fenêtre du *Swift*, tandis que nous nous enfoncions de plus en plus profondément dans la baie du Glacier, il m'avait dit que nos vies étaient « comme une pile de calendriers ».

« On en reçoit tant à la naissance. » Il tendit les mains, l'une au-dessus de l'autre, comme s'il me passait un tas de calendriers d'une trentaine de centimètres. « Nous sommes déjà au milieu de notre vie et il ne nous en reste plus que tant. » Il rapprocha ses mains jusqu'à ce qu'elles ne soient plus qu'à quinze centimètres.

« Ou peut-être seulement de *tant.* Cinq centimètres. On ne sait jamais. »

L'ensevelissement et la réapparition de la forêt interstadiaire semblèrent alors le fasciner. Il disposa l'appareil photo pendant que nous parlions, épousseta l'objectif avec une petite brosse, effectua un minuscule réglage de la mise au point, et vissa un cordon déclencheur. « Ainsi, conclut-il, la forêt est comme l'ours ; elle s'endort l'hiver pour s'éveiller à nouveau. »

J'approuvai de la tête et arquai ma colonne pour que la brise me rafraîchisse la peau sous le sac à dos. Au fil des jours et des semaines depuis notre départ de Juneau, j'avais fini par comprendre pourquoi ce petit homme à la voix douce était un photographe aussi talentueux. Il avait une manière intense de regarder les choses, remarquant souvent des détails qui m'avaient échappé. Une goutte de sueur me démangea en ruisselant le long de mes côtes et je respirai à fond.

« Michio... » J'hésitai, en tripotant une courroie de mon sac. Je voulais lui demander quelque chose, une faveur que je ruminais depuis des jours, mais les mots étaient mal à l'aise dans ma bouche. Demander quoi que ce soit à autrui m'avait toujours paru un viol du traité distant que je maintenais avec le reste du monde.

Mais il y avait quelque chose dans l'attitude d'Hoshino qui mettait en confiance, qui engageait à se jeter à l'eau. Peut-être sa façon aimable d'envisager des questions et des images plus vastes (comme l'effet du temps sur le paysage), ou le sentiment qu'il n'avait pas, ou presque pas, ce genre d'ego qui menace les autres de son ombre. D'ailleurs la fin du voyage approchait rapidement, et l'une des réalités les plus dures du métier de guide, avais-je découvert, c'est que la plupart des amitiés sont temporaires. Les contacts avec les clients, si sociables soient-ils, se dissipent vite après le dîner, les libations et les poignées de main qui concluent rituellement l'expédition. Parfois une carte postale ou deux. Ce pourrait être ma dernière occasion.

Je tendis la main vers l'appareil photo, en essayant d'avoir l'air dégagé. « M'apprendriez-vous un petit quelque chose sur la photographie ? »

Sans répondre, Michio prit la photo, fit avancer le film, jeta un coup d'œil au soleil qui descendait et déclencha de nouveau l'obturateur.

Il m'ignore, pensai-je. J'étais blessé, j'imagine. Au cours de ce mois, j'avais fini par l'admirer énormément, et cela rendait l'affront d'autant plus douloureux. Mais on ne peut pas décemment demander à quelqu'un de donner ses secrets pour rien...

Michio lorgna encore quelques instants dans le viseur, hocha la tête puis s'écarta, me désignant l'appareil d'un geste : « *Dozo*. S'il vous plaît, vous voulez voir ? »

Un peu abasourdi, je me penchai vers l'appareil photo et posai l'œil contre le viseur. Je reculai – stupéfait – et regardai la souche, puis j'approchai de nouveau la tête de l'appareil. Ce que je voyais dans le viseur n'avait *rien* à voir avec ce que j'avais vu de mes yeux. Le tronc, cadré pour descendre depuis le haut de l'image, formait un équilibre parfait avec une composition de pierres multicolores entassées à son pied. Les lignes élancées des racines entraînaient l'œil le long du grain de l'arbre antique jusqu'à l'extrémité du cadre, semblant suggérer que quelque chose à l'extérieur de l'image – peut-être l'âme de l'arbre – se tenait là et contemplait d'en haut l'immobilité parfaite, en expectative, des pierres blotties dans la courbe de ses racines comme un petit enfant dans les bras de sa mère. Là où je n'avais vu qu'un arrangement disparate de rochers et de bois mort, Michio avait découvert un motif qui racontait une histoire.

« Comment avez-vous vu ça ? demandai-je en secouant la tête. Comment l'avez-vous *trouvé* ?

– L'appareil photo est... » Michio haussa les épaules et pinça les lèvres en signe de profonde réflexion. « L'appareil ne voit qu'un petit bout de ce que voit l'esprit. » Il me jeta un coup d'œil de côté, pour vérifier si je comprenais.

J'écarquillai les yeux et levai les épaules, perplexe. « Quand vous regardez dans l'appareil, essaya-t-il de nouveau, votre esprit trompe votre vision. Et si... et si vous regardiez ce que l'appareil voit *réellement*.

– Mais là vous avez fait quelque chose à partir de *rien*.

– Non, non. C'est... » Il parut chercher les mots justes, puis il dit, prononçant soigneusement chaque syllabe : « Une photo doit vous faire penser à une histoire. »

Un soupçon de ce qu'il voulait dire commença à se frayer un chemin dans ma compréhension : trouver les éléments d'une histoire – en l'occurrence, les restes d'un arbre paraissant étreindre les pierres mêmes qui l'avaient tué –, puis regarder consciemment ce qui apparaissait *effectivement* dans le viseur plutôt que ce que mon esprit, avec son idée préconçue de ce à quoi *devrait* ressembler la scène, supposait que l'objectif verrait. C'était une conception simple qui expliquait le nombre de très mauvaises photos que je sortais régulièrement du révélateur – chaînes de montagnes qui semblaient imposantes, écrasantes, devenues banales et ennuyeuses ; élans et ours, proches à en trembler d'excitation quand la photo avait été prise, réduits à des taches minuscules et indiscernables qui auraient aussi bien pu être des chiens de berger ou des souches.

Plus tard, je compris que l'explication de Michio était un simple prolongement d'une méthode utilisée pour repérer des animaux camouflés ou partiellement dissimulés : regarder ce qui *est* là, non ce qu'on espère voir. Des tas de gens partent dans la forêt en s'attendant à tomber sur un cerf ou un ours entier prenant la pose comme sur les calendriers. Au bout d'un certain temps, néanmoins, on apprend à chercher la ligne saugrenue d'une patte immobile derrière un rideau de broussaille, une tache de couleur légèrement différente du reste d'une ombre, ou le frémissement d'une oreille dans l'herbe haute. La capacité à discerner la faune sauvage s'accroît prodigieusement à mesure que l'on renonce à chercher une image préconçue.

Michio se baissa vers son sac, hochant la tête en rangeant le boîtier. Le soleil descendait rapidement à l'ouest et la lumière diminuait. Je stabilisai le sac qu'il venait de hisser sur ses épaules avec un grognement, puis, oscillant un instant pour conserver son équilibre, il se tint bien droit, le trépied au creux de ses bras.

Je me penchai pour ramasser un bout d'emballage de film qui avait voleté de sa poche. Les images qu'il créait en parcourant le paysage, absorbé dans l'origami rose tendre d'un épicéa de Sitka ou dans les motifs de lumière inondant une cathédrale de pics et de crêtes, pouvaient être magnifiques, mais devoir récupérer les gants, les boîtes de film et même les coûteux objectifs que ce génie distrait oubliait dans son sillage devenait un brin exaspérant.

« Regardez, Michio », dis-je, en montrant une légère empreinte dans un creux de sable formé par le vent derrière un rocher.

Michio s'inclina pour examiner le sol. « Un ours noir, je pense. »

J'approuvai de la tête. C'était la trace, petite, presque humaine, d'une patte arrière d'ours noir, et les indentations laissées par les griffes étaient proches du coussinet. L'empreinte d'un grizzly a davantage la forme d'une pelle, et les griffes, plus allongées, sont mieux conçues pour fouir.

« Drôle d'endroit pour un ours, fis-je remarquer. Rien à manger dans le coin. »

Michio haussa les épaules sous le poids de son sac et sourit. « Peut-être simplement qu'il *se trimbale*, dit-il, étirant le mot, puis riant d'avoir parlé argot.

– Ouais, comme nous, répondis-je. Il est monté voir les glaciers. »

Michio regarda de l'autre côté de la vallée, vers les stoûpas de roc déposés par le passage du glacier, puis fit signe à Otani et aux autres, qui attendaient sur la plage près du bateau. Avant de se lancer dans la descente cascadante de la pente de gravier, il se tourna vers moi et, d'un ton qui soulignait la plaisanterie, lança : « Oui. Les ours savent vraiment vous *arnaquer*. »

Je souris et dévalai derrière lui, qui riait en agitant frénétiquement les bras pour rattraper son équilibre dans le loess fuyant, en une interminable glissade incontrôlable jusqu'à la plage tout en bas.

*

Ma première rencontre avec Michio Hoshino eut lieu au printemps de 1990. Le solstice était passé, sans l'habituel fracas de tempêtes, et le temps s'était installé dans une succession de journées radieuses, sans pluie, un temps à faire de la peinture, se disent les propriétaires de bateau. Le port bourdonnait de ponceuses et de perceuses, et le ship-chandler commençait à manquer de papier de verre et de térébenthine tandis que les pêcheurs s'affairaient aux corvées longtemps négligées avant que juillet n'engorge les rivières de saumons.

J'effectuais un petit réaménagement de la cuisine du *Wilderness Swift*, briquant le mobilier en place et construisant quelques tiroirs. Le téléphone sonna au moment même où je commençais à vernir la porte d'un placard. Je glissai un bout de journal sous la porte, posai le pinceau humide en travers de la boîte, et me hâtai d'ôter un gant pour saisir le combiné avant que le répondeur se déclenche.

« Allô ? » La voix était hésitante et étrangère. « Mon nom... euh... je m'appelle... »

Mes clients viennent du monde entier – Allemagne, Singapour, Argentine, France, une fois même de Mongolie –, mais je n'étais pas encore arrivé à saisir le rythme chancelant de son discours lorsqu'il donna son nom. En fait, je n'étais même pas sûr que ce fût un nom ; ça ressemblait à un éternuement et j'ai dû lui demander de le répéter. La seconde fois, j'ai compris : *Michio Hoshino*.

Je l'entendais presque chercher ses mots pour essayer de clarifier ses pensées : « Je suis... pho*tog*raphe. » Et d'expliquer dans un anglais heurté qu'il travaillait avec un producteur de TV-Asahi, à Tokyo, à un film sur l'Alaska, avec des séquences sur les baleines à bosse et sur la baie du Glacier, et qu'il leur fallait un guide disposant d'un bateau. Il demanda à louer mes services pour un mois.

Je commençai par hésiter. Le *Wilderness Swift* fait à peine dix mètres sur trois. C'est un bateau de travail, construit sur le modèle du « cueilleur de proue », comme les pêcheurs appellent ces bateaux du Pacifique nord-ouest dont on relève les filets par l'avant pour recueillir les saumons. Le rouf, à l'arrière, se réduit à une petite cabine unique, avec une large couchette au-dessus du moteur, surmontée d'une étagère étroite et basse qui peut servir de lit à une personne de petite taille (non claustrophobe), et une table qui peut être dépliée en troisième couchage. Il y a une minuscule enclave close – les toilettes pour le terrien – à bâbord, une cuisinière à pétrole et un évier de l'autre côté, et la barre devant. Tout cela compressé dans un espace de quatre mètres sur deux et demi.

Le *Swift* a été conçu pour assurer le transport et la logistique des alpinistes, chercheurs, amateurs de kayak et autres, qui partent en expédition avec plus de matériel que ne peut en acheminer un hydravion. Avec le rouf à l'arrière, le poste extérieur de timonerie à l'avant et le pont entièrement dégagé, le bateau est idéal pour s'approcher précautionneusement d'une plage ou d'une paroi rocheuse inconnue et y débarquer passagers et équipement, mais pas pour balader quatre personnes pendant un mois. Je n'avais jamais envisagé de fournir le gîte et le couvert à mes clients pour une longue période ; j'aimais être seul ; rien ne me plaisait plus que de dire au revoir à mes touristes en m'éloignant à la recherche d'un mouillage tranquille pour la nuit.

Mais il me fallait également payer un impressionnant crédit immobilier, des primes d'assurance absurdement élevées et des coûts de fonctionnement qui ne semblaient jamais diminuer. Et le nombre de pages vides dans mon carnet d'affrètement me donnait des crises d'angoisse. La perspective d'un mois complet de travail avait de quoi séduire.

« Venez voir mon bateau, vous me direz ce que vous en pensez, finis-je par répondre. Je peux dormir sur le pont. »

Le lendemain matin, alors que j'attendais au soleil sur le pont, jouissant de la chaleur et de la lumière sur mon visage, tout en épissant un nouvel œil à l'extrémité du câble de l'ancre (on a toujours de quoi s'occuper à bord d'un bateau), je vis quatre Asiatiques descendre la rampe du port. J'ajustai le dernier toron de l'œilleton et roulai l'épissure entre mes paumes pour la lisser, en regardant le quatuor approcher.

Le premier à se hisser à bord fut un petit homme qui portait un pull informe tricoté lâche et un jean qui commençait à s'effilocher aux genoux. Sa tête paraissait un peu grosse pour son corps, et quand il enjamba maladroitement la rambarde, son poids fit rouler le bateau et il dut chercher une prise à tâtons pour ne pas perdre l'équilibre. Il se présenta avec une poignée de main douce et un large sourire qui découvrit deux canines saillantes.

« Je suis, dit-il, ôtant sa casquette en tricot et révélant du même coup une tignasse rebelle qui bouillonnait en écheveaux noirs, Michio Hoshino. »

Le suivait un grand gaillard à la longue musculature d'alpiniste, qui franchit sans effort la hauteur d'un mètre entre le quai et le bateau. Hoshino, le bonnet entre ses mains croisées dans le dos, s'inclina légèrement en nous présentant.

« Et voici Eiho Otani. »

Une intelligence vive se lisait dans les yeux d'Otani tandis qu'il me considérait de haut en bas derrière des lunettes à la monture sombre, me jaugeant comme je le jaugeais. Sa parka était délavée et fatiguée par un rude usage, comme les bottes à ses pieds – bon signe, pensai-je. Je le reconnus aussitôt pour le patron, Hoshino devant être un homme de main, engagé parce qu'il parlait anglais.

« Capitaine-san », dit Otani, inclinant la tête en un semblant de révérence. Je commençai maladroitement à rendre le salut, me contentai finalement de secouer la tête et, serrant sa main tendue, tentai d'adoucir ce début formel en lui demandant de ne pas m'appeler capitaine.

Le nom d'Eiho Otani m'était vaguement familier, et il me fallut un moment pour le situer : c'était un alpiniste et un cinéaste accompli qui avait réalisé l'ascension de certains des sommets les plus difficiles du monde, notamment la face ouest du K2, dans l'Himalaya, en 1981. Il avait alors été contraint de bivouaquer dans un petit trou dans la neige à 8 300 mètres d'altitude, sans oxygène, sac de couchage, tente ni nourriture. En février 1984, le plus grand explorateur japonais, Naomi Uemura, avait disparu dans une tempête de neige sur le mont McKinley, en Alaska, après être devenu la première personne à vaincre seule l'hiver le géant de 6 194 mètres. Otani, qui produisait un film sur l'expédition d'Uemura, campait plus bas sur la montagne quand la tempête avait éclaté. Otani s'était montré « infatigable » d'un bout à l'autre de la tentative infructueuse pour retrouver le disparu, raconta par la suite Jim Wickwire, alpiniste américain qui avait participé aux recherches.

Maeda (prononcé Maïda, avec un i long) Yasujiro, le cadreur, apparemment rompu à l'étiquette nautique, attendait sur le quai d'être invité à monter à bord. C'était un homme trapu, l'air vigoureux ; des lunettes à monture d'acier barraient un visage carré, respirant l'honnêteté. Il portait un léger pantalon de jogging en nylon, un anorak en tissu coupe-vent et une casquette qui avait manifestement beaucoup servi. Il jeta un coup d'œil à la nouvelle épissure sur le câble de l'ancre et eut un hochement approbateur avant de me donner une poignée de main, ferme mais sans l'ostensible démonstration de force qu'y impriment tant d'Américains.

Yamanushi Fumihiko, jeune homme mince au visage lisse qui faisait office d'assistant opérateur et de technicien, fut le dernier à monter à bord – Lévi's à l'air neuf et chemise de coton bien repassée. Il me serra timidement la main, et fit aussitôt un pas en arrière pour se placer modestement derrière les autres.

Tous les quatre avaient le visage tanné par le vent.

« Où avez-vous pris ce beau bronzage ? » demandai-je, espérant rompre la glace.

Michio s'épanouit aussitôt. « Nous avons filmé dans le Parc national de Denali avant de venir ici, et nous avons eu très beau temps. Et avant, ils ont passé presque un an en Amazonie, ajouta-t-il, désignant l'équipe de tournage d'un geste ample. En partageant la vie des Indiens yanomamis. »

Michio était à juste titre enthousiasmé par le fait que ses trois compagnons avaient vécu parmi les Yanomamis primitifs de l'Amazonie – Indiens féroces et belliqueux qui se rasent la tête avec des éclats de bambou tranchants comme des rasoirs, avant de se peindre le crâne en rouge et de partir combattre avec des sarbacanes et des flèches empoisonnées les chercheurs d'or et les bûcherons armés de fusils.

J'étais impressionné, moi aussi.

Après un silence embarrassé, je fis un pas de côté et, d'un geste de la main, les invitai à visiter le bateau. Michio se porta aussitôt vers le pont avant, mais trébucha en sortant du panneau d'écoutille, pour se rattraper *in extremis* au garde-corps. Le petit doigt de sa main droite était raide, formant légèrement saillie, et sembla le gêner pour saisir la rambarde. Il posa plusieurs questions sur la place disponible dans la cale et sur les divers espaces de rangement, et traduisit mes réponses à ses compagnons. Puis il entra dans le rouf et y fourragea quelques minutes.

« Réfrigérateur ? », finit-il par demander.

Je fis non de la tête. « J'emmène deux ou trois glacières. Ce n'est pas la glace qui manque dans les glaciers.

– Les légumes OK dans la cale ? » Il jeta un coup d'œil furtif dans un tiroir. « Vous avez assez de casseroles et de poêles ? »

Je le rassurai d'un signe de la tête, étonné par son obsession de la nourriture et de sa préparation. Après qu'il m'eut interrogé attentivement sur la cuisinière à pétrole, sans oublier d'inspecter le four, je compris enfin pourquoi il était si préoccupé.

« Alors vous êtes le *cuisinier*, en plus de l'interprète ? »

Maeda eut un rire léger en entendant ma question ; il comprenait mieux l'anglais que je ne le croyais. Le cameraman hocha la tête et entreprit d'expliquer dans un anglais hésitant et incorrect : « Hoshino-san est... euh... sujet.

– Sujet ? demandai-je. *Sujet à quoi ? à des attaques ?* »

Michio rougit et s'intéressa ostensiblement au fonctionnement d'un petit réchaud à gaz, à un seul feu, monté sur balancier sur la tablette du rouf.

« Sujet du film, précisa Otani. *Shashinka-doboutsou.* Célèbre photographe de la nature.

– Non, non, corrigea Michio. Le sujet du film est l'A*las*-ka. »

Je m'étais complètement planté. Michio n'était pas un photographe indépendant engagé pour traduire, faire la cuisine et les corvées : il était la pièce centrale du film auquel nous allions travailler tout un mois durant, et j'avais eu la balourdise de ne pas m'en rendre compte.

« Alors, les baleines, Lynn-san ? » Michio voulait détourner la conversation de lui-même. « Pouvons-nous trouver des baleines à bosse à photographier ? »

La baleine à bosse est une espèce menacée qui a bien failli être exterminée avant qu'une convention internationale n'en interdise la pêche commerciale en 1986. Aujourd'hui la population mondiale oscille autour de dix mille individus et peut-être augmente même – lentement – à mesure que le moratoire sur le massacre produit son effet. Quelque deux mille baleines à bosse ont élu domicile dans le Pacifique nord, et seulement un quart d'entre elles passent l'été en Alaska, attirées hors de leurs quartiers d'hiver d'Hawaii ou du Mexique par l'énorme banquet de harengs, d'équilles et de plancton que leur offrent chaque année les eaux boréales.

Moins d'une semaine auparavant, j'avais croisé prudemment autour d'un groupe d'une demi-douzaine de ces mégaptères qui se nourrissaient dans les eaux du canal Seymour, long chenal qui s'enfonce dans l'île de l'Amirauté à quatre-vingts kilomètres au sud de Juneau. C'était une journée claire et calme, et les geysers de leurs exhalaisons salées se voyaient à des milles de distance. Je mis le *Swift* au ralenti pour regarder un baleineau s'entraîner à se tenir sur la tête, dressant la queue bien droite au-dessus de la surface et battant de ses nageoires pectorales, jusqu'à ce que le sombre récif du large dos de sa mère surgisse de l'eau dans un jaillissement d'écume et que tous deux s'éloignent paresseusement vers le sud.

« Absolument », acquiesçai-je. J'étais sûr de moi, mais je n'aime pas m'engager trop définitivement non plus. « Nous allons trouver des baleines. »

Je déroulai une carte sur la table du rouf, posai sur le bord une tasse de café vide pour l'empêcher de se replier, et désignai une étendue d'eau à cent trente kilomètres au sud de Juneau. « Le Frederick Sound est probablement notre meilleure chance. C'est un important lieu de chasse pour les baleines. »

Le Frederick Sound est un bassin d'eau salée de deux kilomètres carrés et demi, profond de trois cent cinquante mètres, enserré entre les corps massifs de l'île de l'Amirauté au nord, des îles Kuiu et Kupreanof au sud et du continent à l'est. Il est entouré de chaînes de montagnes couvertes de forêts qui s'élèvent en vagues vertes couronnées de névés et de glaciers scintillants.

Je fis courir mon doigt sur la carte, en expliquant que la marée montante pénètre dans le Frederick Sound entre la pointe Kingsmill sur l'île Kuiu (prononcé *kiouyou*) et la pointe Gardner à l'extrémité sud de l'île de l'Amirauté. De là, elle s'engage vers le nord-est, vers le continent, où elle se divise au cap Fanshaw, soit en direction du nord sur cent vingt kilomètres jusqu'à Juneau, soit vers l'est sur une soixantaine de kilomètres, pour se heurter aux eaux du Stikine, qui se jette au fond du détroit.

« Là où elle franchit les crêtes et les vallées sous-marines, la marée bout, dis-je en roulant les mains pour mimer le mouvement. Cela projette à la surface une prodigieuse quantité de nourriture arrachée au fond de la mer. » J'expliquai brièvement comment cette riche soupe se combine à la lumière presque interminable de l'été pour alimenter une magnifique biomasse de plancton et de minuscules crustacés, qui nourrit à son tour un million de tonnes de hareng.

Je m'interrompis après avoir décrit comment les harengs coulent, argentés et luisants, sur les reliefs du fond, pour que Michio traduise, puis, ramenant les mains sur la poitrine, illustrai la manière dont les gigantesques bancs de harengs attirent par millions les saumons, les oiseaux de mer, les épaulards, les aigles et les marsouins. Les yeux de Yamanushi s'écarquillèrent quand je dis que plus de trois cents baleines à bosse, affamées par des mois de jeûne dans les mers subtropicales, se gorgent de harengs de l'Alaska pour accumuler les huiles et les protéines nécessaires à la constitution du lard qui leur permettra de surmonter les disettes saisonnières de leur existence.

« Les baleines plongent sous le banc de harengs et se mettent à tourner autour, dis-je en traçant de la main une large spirale vers le bas. Puis l'une des baleines lâche un long jet d'air de son évent, au sommet de la tête. »

Mon auditoire était poliment attentif tandis que je mimais les bulles montant du haut de ma tête. Maeda dessina avec une cuiller des cercles illustrant la manière dont les baleines cernaient leur proie. Otani examina la carte, toucha du doigt l'endroit où tout cela était censé se passer, puis m'engagea à poursuivre d'un geste de la tête.

« Les bulles forment autour du poisson un " filet " qui l'empêche de s'échapper, continuai-je. Et quand les harengs se sentent menacés, leur première réaction est de se cacher l'un derrière l'autre, en espérant que le prédateur attrapera d'abord le voisin. Comme chaque poisson essaie de se réfugier au cœur du banc, celui-ci se condense en une masse compacte. Cible facile pour les baleines. »

Michio traduisit, formant une boule avec les mains.

« Puis les baleines se ruent vers la surface, la gueule grande ouverte. » Je joignis les poignets, écartant les doigts le plus possible pour imiter l'assaut de gueules béantes.

« Nous pourrions faire quelques prises de vue spectaculaires, » dis-je, imaginant l'attaque coordonnée de cinq cents tonnes de baleines explosant hors de l'eau. « Mais l'essentiel, ajoutai-je, c'est de se trouver hors de leur chemin [1]. »

Je m'extirpai de mon sac de couchage avant cinq heures le lendemain matin, et m'assis à la table de la cabine avec une tasse de café pour regarder le ciel à l'est virer au blanc, puis au bleu, tandis que le lever du soleil accomplissait sa promesse. À six heures, la vaisselle du petit déjeuner expédiée, j'étais dans la salle des machines en train de retendre la courroie d'une pompe à eau et de vérifier l'huile. À sept heures, première leçon de japonais. J'entendis frapper sur la

1. Les accidents sont extrêmement rares, mais en 1998 un voilier a été endommagé et coulé alors qu'il était ancré près de Sitka. Il n'y avait personne à bord, mais après l'avoir renfloué, on découvrit des fanons de mégaptère incrustés dans la coque.

coque : Michio attendait sur le quai, debout à côté d'un énorme tas de matériel.

« *Ohayo*, Lynn-san ! » Comme l'État d'Ohio. Ça ne pouvait signifier qu'un *bonjour* enthousiaste. Derrière lui, sur le parking, les autres continuaient de décharger des sacs d'une camionnette de location.

L'équipement fut disposé à bord en piles et en monceaux. Un petit frigo à bière – sec, étanche et insensible aux écarts de température extrêmes – fit un parfait réceptacle protecteur pour les paquets de films et de vidéos. Maeda installa maternellement la caméra vidéo – solide bloc mécanique qui utilisait des cassettes Betamax, la qualité télé, et coûtait à peu près le prix de mon bateau – sur la couchette, et lui aménagea un rempart d'oreillers. Yamanushi s'échina à hisser à bord une génératrice d'électricité pour recharger les batteries de la caméra. Un kayak à deux places fut sanglé sur le toit du rouf et un canot gonflable arrimé sur le pont. Chaque membre de l'équipe descendit dans la soute un sac marin de vêtements et d'imperméables, en plus d'une douzaine de grandes caisses qui contenaient l'essentiel de notre nourriture. Les effets personnels de Michio se composaient d'un tas de vêtements en désordre, d'un sac de couchage, de carnets, d'un walkman et de cassettes de musique, sans compter tout un bric-à-brac jeté au petit bonheur dans un sac à dos. Son matériel photo, en revanche, arriva à bord soigneusement rangé dans des sacoches matelassées [1].

---

1. Les photographes professionnels transportent un équipement d'une prodigieuse variété : grands angles pour les plans larges, téléobjectifs pour rapprocher les sujets lointains ; deux boîtiers supplémentaires ou davantage pour recevoir les objectifs ; des centaines de rouleaux de film ; un lourd trépied rigide à la tête savamment agencée pour que l'appareil soit bien fixe pendant les longues poses ; outre toutes sortes de filtres, accumulateurs, pare-soleil, courroies, outils et produits de nettoyage pour maintenir l'ensemble en état de marche.

La panoplie de Michio était plus vaste que la plupart. Pour photographier les animaux, il préférait le format populaire 24 × 36 pour sa relative facilité de maniement, mais emportait aussi une collection complète d'équipement de moyen format. La photographie de moyen

Sur le quai des carburants, un homme revêche en salopette grise s'essuya les mains sur un chiffon huileux et versa sept cent cinquante litres d'essence dans les réservoirs du *Swift* – assez pour parcourir six cent cinquante kilomètres tous les cinq avec notre équipement. Nous ne disposions que de cent litres d'eau pour boire et nous laver, mais le sud-est de l'Alaska est recouvert par la forêt humide tempérée la plus vaste du monde, aux sources, ruisseaux et rivières innombrables, et nous ne risquions pas d'en manquer.

Maeda vint m'aider sur le pont quand je larguai les amarres du *Swift*. En voyant les mouvements nets et sûrs avec lesquels il hâla et enroula l'aussière (seul un terrien parlerait de corde), je fus ravi de savoir que je n'étais pas le seul matelot à bord. Les marins ont une culture bien à eux, où la compréhension de la physique spécifique à un monde de vent, d'eau et de marées est plus importante que les paroles. Si l'enfer nautique devait se déchaîner pendant le voyage – mauvais temps, tempête, panne mécanique, incendie ou n'importe quel autre fléau maritime –, il valait bien mieux avoir un autre marin à bord – ne parlât-il que le japonais – qu'un terrien sans expérience maîtrisant parfaitement l'anglais.

De Juneau au Frederick Sound le temps et les marées nous furent favorables et le *Swift* courut sur une mer lisse comme un miroir. À cent kilomètres au sud, nous laissâmes sur bâbord la tour blanche du phare de Five Finger pour embouquer le Frederick Sound.

Je réduisis les gaz et mis le moteur au point mort pour sortir sur le pont avec une paire de jumelles. Yamanushi me suivit et, s'appuyant contre la timonerie, mit sa main en visière.

« *Koudjira ?* Baleine ? demanda-t-il.

---

format nécessite des films plusieurs fois plus grands que son cousin le 24 × 36 pour mieux saisir les menus détails d'une scène. Cela permet d'agrandir la photo sans sacrifier la netteté et est idéal pour les cadrages posés et les paysages, mais ces appareils sont lents, encombrants et peu maniables.

– Là bas », répondis-je en désignant le sud, où un léger panache de vapeur venait de pointer au ras de l'horizon, avant de se dissiper rapidement. Je portai les jumelles à mes yeux et eus juste le temps d'apercevoir l'éclair noir d'une baleine à bosse qui s'arquait pour plonger.

« Ça m'a tout l'air d'un bon début », dis-je avec un sourire.

3

L'ÉRUPTION

« Pour photographier la nature, dit Michio en haussant les épaules, toujours beaucoup d'attente. »

Au soir de notre deuxième journée de mer, nous n'avions fait qu'entrevoir fugitivement quelques baleines isolées, et le manque d'activité commençait à m'inquiéter. Maeda dit quelque chose à Otani, qui me sourit en hochant la tête. *Ne vous faites pas de souci.*

La cuisine était jonchée d'épluchures, et l'odeur réjouissante d'un rôti de porc sortait du four. Tout autour de nous la mer reflétait les premières lueurs du soir, pâles et dorées. Une chaîne de montagnes vertes et blanches défilait patiemment devant les vitres de la cabine, tandis que le *Swift* dérivait en un cercle lent avec la marée. Yamanushi sortit une pile d'assiettes d'un placard, les rangea soigneusement l'une auprès de l'autre, puis plia des serviettes en papier en parfaits triangles isocèles avant de disposer sur chacune d'elles un couteau et une fourchette en un alignement impeccable.

Devant la cuisinière, Michio fourgonnait dans une poêle avec une cuiller. « Une fois j'ai attendu l'aurore boréale pendant presque un mois. »

Je décapsulai une bouteille de bière, que je tendis à Maeda, puis en ouvris une autre pour Otani. Michio ne buvait jamais d'alcool.

« Vous étiez à Fairbanks ?

– Non, non. répondit Michio en remuant la cuiller, qui

fit jaillir des gouttelettes dans la cuisine. Au glacier de Tokotsina. » La raideur de ses doigts était due aux gelures subies en passant ce mois tout seul par des températures de moins trente-cinq sous une tente dressée sur un fleuve de glace au flanc du mont McKinley – tout cela pour avoir l'occasion de photographier une nuit la danse de l'aurore boréale au-dessus du pic de plus de six mille mètres.

« On doit se sentir seul là haut, tout ce temps sans voir personne ? demandai-je, largement pour plaisanter.

– Plutôt, répondit-il d'un ton neutre. Le vent... » Il tendit les mains et les fit vibrer pour imiter une tente secouée par les bourrasques. « Parfois je me suis senti vraiment seul.

– Ça valait le coup ? Tout ce froid pour une seule nuit d'aurore boréale ?

– Oh oui, s'exclama-t-il sans hésitation, en frottant ses doigts gelés contre sa cuisse. Ça a été une *très belle* expérience.

– Eh bien, je suppose qu'à ce compte-là on peut être patient avec les baleines. Tôt ou tard, elles vont arriver. »

Il y eut des hochements de tête et des sourires rassurants, puis tout le monde se serra autour de la petite table de la cuisine pour attaquer le rôti de porc. Tout en mangeant, nous ne cessions de guetter à travers la vitre – l'apparition de baleines dans la lumière rouge et or du couchant serait un rêve de photographe. De temps à autre, un chalutier ou un yacht surgissait dans le lointain, traversait l'horizon à une allure régulière et majestueuse, puis disparaissait à nouveau, mais la plupart du temps nous étions seuls à monter la garde, avec parfois la compagnie discrète de mouettes planant dans le ciel sans nuages et qui s'obscurcissait peu à peu.

Scintillant de projecteurs, un navire de croisière de la taille d'une petite ville fit lourdement son apparition, et changea de cap pour passer par notre arrière. Le paquebot chargea, fendant les flots de la falaise noire de sa proue et lançant une énorme vague sombre vers le *Swift* à la dérive.

Michio, Yamanushi et Otani se penchèrent à la fenêtre, s'extasiant à grands cris sur la superbe masse et l'atmosphère joyeuse du navire illuminé, tandis que Maeda et moi nous précipitions sur le dîner (« Cramponnez-vous ! *Tsukete !* »), empoignant le rôti, les assiettes et les bouteilles juste au moment où la lame frappait le *Swift* et le faisait rouler follement d'un plat-bord à l'autre. Une cuvette dégringola sur le pont, la réserve d'épices de Michio se renversa dans l'évier, un livre bascula de l'étagère sur le sol. Mais le repas était sauvé [1].

« On ferait mieux de chercher un mouillage, dis-je en allumant les feux de position. Je suis sûr qu'on trouvera des baleines demain. »

Les jours suivants nous croisâmes dans le Frederick Sound, en espérant repérer les jets de vapeur étroitement groupés qui sont le premier signe de jubartes chassant de concert. Je fouillai l'horizon miroitant de mes jumelles jusqu'à ce que mes yeux nagent dans ma tête et que ma vision se trouble. J'avais de plus en plus de mal à rester concentré, à ne pas sombrer dans la rêvasserie pour fuir l'exaspération et la frustration de visions chimériques qui nous lançaient dans des poursuites vaines à travers des milles d'un océan désespérément vide.

---

1. J'appris par la suite que Maeda avait eu amplement l'occasion de roder ses instincts salvateurs, lorsqu'il raconta (Michio lui servant d'interprète) qu'il avait été équipier lors d'une course de voiliers au large qui fut prise dans une terrible tempête. À l'époque, l'anglais de Michio n'était pas assez bon pour restituer tous les détails donnés par Maeda, mais d'après la description de la tempête et la période où elle eut lieu, je me suis toujours demandé si ce n'était pas l'édition 1979 de la régate du Fastnet dans la mer d'Irlande, où des prévisions météorologiques défectueuses précipitèrent les concurrents (dont bon nombre de professionnels) dans l'un des plus violents coups de tabac (force 12, plus de cent vingt kilomètres à l'heure, vagues de douze à quinze mètres) qui se soit abattu sur ces côtes au cours de ce siècle. Ce fut un désastre : voiliers chavirés, disloqués, démâtés et coulés ; dix-neuf participants se noyèrent dans ce qui fut la plus grave tragédie de la navigation de plaisance au XXe siècle. Si tel est le cas, le fait que Maeda Yasujiro était parmi nous à bord du *Wilderness Swift* attestait son habileté, son courage et – surtout – sa chance.

Nous errâmes des heures durant, écoutant les cris aigus des mouettes de Bonaparte, des alques marbrées et des guillemots colombins, tout en épiant à la jumelle un signe des baleines. Je surveillais le sondeur du coin de l'œil, longues et infructueuses sections transversales des fonds marins, à la recherche d'échos en grappes qui pouvaient signaler un grand banc de harengs. Pendant ce temps, mes passagers nettoyaient et arrangeaient leur matériel, et lorsqu'ils n'eurent plus rien à faire, ils se mirent à échanger des plaisanteries et des blagues pour passer le temps. C'étaient tous de formidables rieurs. Quand Otani souriait, son visage se fendait si largement que ses yeux disparaissaient dans ses joues, et le gloussement timide de Yamanushi dégénérait souvent en explosions de rire qui le secouaient tout entier. Michio s'efforçait toujours de m'inclure dans la conversation, traduisant de son mieux les subtilités de l'humour d'une autre culture. Je lui étais reconnaissant de tenir compte de mon isolement ; j'appris d'ailleurs par la suite qu'il comprenait très bien ce genre de situation, étant venu pour la première fois en Alaska sans parler du tout anglais.

Il me raconta qu'en 1971 – il avait dix-neuf ans – il avait vu une photographie aérienne de Shishmaref, petit village perdu dans la plaine arctique de l'Alaska, et s'était immédiatement passionné pour cette immensité sauvage et pour l'existence de ses habitants. Il écrivit aussitôt une lettre, adressée simplement au « Maire du village de Shishmaref, Alaska, USA », dans laquelle il demandait s'il pouvait venir passer un mois dans une famille afin de découvrir le mode de vie esquimau. Le maire, Clifford Weyiouanna, l'invita à s'installer chez lui.

« Des gens vraiment gentils, commenta Michio avec un large sourire. Des gens merveilleux. Je prévoyais de passer un mois et j'y suis resté trois mois. »

Après avoir obtenu un diplôme d'économie au Japon, Michio devint l'assistant du plus grand photographe animalier japonais, Kojo Tanaka, pour perfectionner sa technique. Puis, en 1978, il retourna en Alaska et s'installa à Fairbanks, dans une cabane en rondins minuscule et délabrée, pour étudier la gestion de la faune sauvage à l'université locale. Pendant les vacances, il parcourait les routes désertes de la région dans un minibus Volkswagen brinquebalant, explorant le pays et cherchant des animaux à photographier : ses premiers pas dans sa nouvelle carrière.

Dans un anglais approximatif, Maeda et Otani m'expliquèrent que Michio était sans doute le meilleur photographe animalier du monde. Il avait remporté le prestigieux Anima Award pour son livre sur les grizzlys, publiait ses photos et ses articles dans des dizaines de grandes revues, y compris le *National Geographic* et *Audubon* ; et était respecté dans son propre pays comme aucun photographe américain (à l'exception peut-être d'Ansel Adams ou d'Edward Curtis) ne l'avait jamais été dans le sien.

Opiniâtre, voire obsessionnel, quand il s'agissait de ses photos, il était prêt, semblait-il, à endurer n'importe quelle épreuve – attendre des jours entiers au milieu de nuages de moustiques ou dans un froid à poignarder les poumons pour réaliser une belle image, comme lorsqu'il avait passé un mois seul sur le glacier Tokotsina pour une unique occasion de photographier la danse de l'aurore boréale au-dessus du mont McKinley –, et cela souvent au risque d'y perdre la vie ou d'y sacrifier un membre.

Il aggrava ses gelures aux doigts en 1988, lorsque trois baleines grises furent piégées dans un minuscule trou d'eau libre dans la banquise au large de la pointe de Barrow, le cap le plus septentrional de l'Alaska, à six cent cinquante kilomètres au nord du Cercle polaire.

L'opinion mondiale se passionna bientôt pour le sort des cétacés pris au piège, et Barrow fut envahi de journalistes et d'équipes de télévision venus du monde entier, tandis qu'on s'efforçait de libérer les animaux de leur prison. Michio s'était tellement dépêché de quitter Fairbanks pour prendre le premier avion à destination de Barrow qu'il négligea de se munir de gants adaptés. Quand il découvrit à son arrivée sur place qu'il ne restait plus le moindre hélicoptère ou motoneige à louer, plutôt que de renoncer et de rentrer chez lui, il chargea sur son dos ses trente à trente-cinq kilos de matériel et entreprit de parcourir à pied les quelque cinq kilomètres de banquise qui le séparaient des baleines.

« À mi-chemin, sourit Michio, je commençai à penser aux ours polaires, à me demander combien il pouvait y en avoir aux alentours de Barrow [1]. La première fois que j'avais vu un ours blanc, c'était au Canada, avec mon amie. Nous avions cherché des ours polaires toute la journée. Rien. » Michio tendit ses deux mains ouvertes pour montrer à quel point la chance peut être mesquine.

« La nuit, la caravane où nous dormions s'est mise à remuer violemment, dit-il en poussant avec ses mains d'avant en arrière. Nous avons pris les lampes torches et nous sommes sortis voir. Et là – il désigna ses pieds –, juste là, un ours blanc secouait notre caravane.

– Que s'est-il passé ?

– L'ours est parti. Il était magnifique.

– Et à Barrow ? Qu'avez-vous fait quand vous avez pensé aux ours blancs en plein milieu de la banquise ?

– J'ai été *shimpai shite*... j'ai eu vraiment peur.

– Trop peur pour continuer ?

– Oui, trop peur. Mais j'ai continué à marcher. » Michio eut un sourire désabusé. « J'étais à mi-chemin. »

J'admirais la persévérance de Michio face aux ours polaires et aux tempêtes de neige à haute altitude, mais j'étais extrêmement frustré par l'insuccès de notre recherche. Jour après jour, les baleines continuaient leur partie de cache-cache, dissimulant leurs quarante tonnes dans le labyrinthe d'îles autour de nous, et tout en scrutant l'horizon sans fin, accablé de voir la mer devenue aussi vaste et aussi vide, j'écoutais d'une oreille les conversations incompréhensibles de mes passagers.

---

1. En décembre 1990, Carl Stlaker, vingt-huit ans, fut tué en défendant sa femme enceinte contre un ours polaire qui les avait attaqués dans une rue de Point Lay, petit village au sud-ouest de Barrow. Trois ans après, un autre ours s'introduisit dans le dortoir d'une station de radar en brisant la fenêtre et blessa grièvement un employé.

Que peuvent-ils bien se raconter ? Comment cet abruti qui se prétend guide se débrouille-t-il pour ne pas trouver quelque chose d'aussi gros qu'un troupeau de baleines ?

Avec une implacable équanimité asiatique, Otani et les autres paressaient comme des vacanciers pendant que je me rongeais les sangs. Ils avaient la patience du professionnel, une attente bouddhiste que je ne parvenais pas à trouver en moi à mesure que le temps s'étirait, devenait élastique, variable, cessait d'être une mesure significative.

Notre réserve de carburant, à l'inverse, était limitée, matérielle, et après tant de journées infructueuses de navigation les réservoirs d'essence commençaient à sonner le creux. Je sortis une carte, fis le point et estimai l'autonomie qui nous restait. Au départ de Juneau, les nourrices contenaient près de sept cent kilos d'essence, alors que maintenant le bateau donnait au barreur une impression de légèreté et de souplesse et que la ligne de flottaison était remontée d'une bonne douzaine de centimètres. Il nous restait juste assez de carburant pour gagner Angoon, un village tlingit à cinquante kilomètres de là.

Angoon est le seul endroit de l'île de l'Amirauté (cinq mille kilomètres carrés) qui soit habité toute l'année. Ce village de six cents habitants se trouve à l'embouchure du fjord de Kootznahoo, réseau de chenaux et de criques qui s'enfonce depuis le détroit de Chatham jusqu'au pied de la chaîne de montagnes qui forme sur cent soixante kilomètres l'épine dorsale de l'île. La tradition orale assure que les Indiens tlingits occupent le site depuis la dernière période glaciaire, et l'archéologie confirme que l'endroit est habité presque sans interruption par une société de chasseurs-cueilleurs depuis plus de dix mille ans, ce qui fait d'Angoon l'un des établissements permanents les plus anciens du Nouveau Monde. Le sentiment d'identité d'une tribu ancienne est souvent inséparable de la notion de territoire, et les aborigènes de l'Amirauté s'appelaient Hutsnuwus, comme leur île : « la forteresse des ours ».

Les Hutsnuwus s'étaient approprié quelque trois cents kilomètres du détroit de Chatham au nord et au sud du village, y compris toutes les baies, îles, criques et rivières tributaires, ainsi que les terres de part et d'autre, à l'exception du territoire des Kuyus, sur la rive ouest de l'île Kuiu, au sud. Les Hutsnuwus revendiquaient tous les poissons, phoques, otaries et loutres qui nageaient dans les eaux ; tous les arbres, baies et plantes comestibles qui poussaient dans les forêts ou sur les grèves ; et tous les animaux, à plume et à poil, qui parcouraient les montagnes, les vallées et le littoral.

Sur le quai des carburants un mince Tlingit d'une vingtaine d'années – allure rebelle, lunettes de soleil aux verres miroirs et casquette de base-ball vantant une grande marque de tronçonneuse – ne fit pas un geste pour m'aider avec les amarres tandis que je manœuvrais le long des pompes flottantes. Un fort courant latéral mit le *Swift* en travers ; je sautai sur le quai et enroulai une haussière autour d'une bitte, laissant la marée achever de drosser le bateau.

« Est-ce que je peux avoir de l'essence ? »

Il tourna vers moi le reflet argenté de son regard et haussa dédaigneusement les épaules.

Son indifférence étudiée commençait à m'irriter ; puis je sursautai en entendant une voix désincarnée claironner depuis un interphone monté sur une perche au-dessus des pompes : « La pompe est branchée. Payez au bureau quand vous aurez terminé. »

Les tuyaux gisaient en tas graisseux sur le quai flottant. Démêler les tuyaux raides et huileux était un peu comme batailler avec un anaconda boueux, tandis que le flemmard continuait de m'ignorer. M'approchant pour défaire un nœud à ses pieds – « *excusez*-moi » – un nuage âcre d'exhalaisons éthyliques me sauta au visage. Les vapeurs d'alcool et l'animosité silencieuse jaillirent de l'ivrogne comme une vague de chaleur quand il tendit le menton, pour grogner une unique syllabe glottale, avant de recommencer à fixer quelque chose sur la droite de mon épaule [1].

1. L'ébriété est extrêmement rare à Augoon, la possession ou la consommation d'alcool étant strictement interdites à la suite d'un référendum municipal.

L'alcool est un problème dans les villages de l'Alaska depuis qu'un trafiquant de Boston escroqua pour la première fois un canot chargé de fourrures à un trappeur indien contre une bouteille de mauvais whiskey. C'était une pratique courante que d'abreuver d'alcool un village tout entier, et quand les habitants étaient complètement ivres, de se mettre à marchander d'arrache-pied jusqu'à ce que toutes les fourrures disponibles aient été chargées à bord. Les Indiens se réveillaient le lendemain pour découvrir invariablement que la goélette des trafiquants avait disparu en emportant toutes les richesses du village et en ne laissant qu'un arrière-goût de mauvais alcool, quelques colifichets inutiles et des maladies vénériennes.

Tous les premiers visiteurs ne méprisaient pas les habitants de l'Alaska ni ne profitaient de leur naïveté. Dans la relation de son voyage autour du monde, le capitaine Nathaniel Portlock disait en 1789 des Tlingits : « Ils possèdent toutes sortes de curiosités [peut-être faisait-il allusion au travail exquis de leurs sculptures et de leurs coffres façonnés à la vapeur], dont bon nombre témoignent qu'ils sont un peuple d'une grande ingéniosité et d'une grande invention. »

Mais l'alcool exerçait un grand attrait sur les peuples de la côte, et dès que les ustensiles en fer se répandirent chez eux, créatifs et inventifs qu'ils étaient, ils ne tardèrent pas à mettre au point leurs propres méthodes de distillation, à partir des ingrédients qu'ils pouvaient se procurer : mélasse, sucre brun, pommes de terre et houblon. Lorsqu'ils ne disposaient pas de serpentins en tube de cuivre ou d'étain pour leurs alambics artisanaux, les villageois manifestaient leur ingéniosité innée en utilisant une longue tige creuse de varech enveloppée de neige tassée en guise de réfrigérant.

Les premiers Blancs à se rendre en Alaska prononçaient Hutsnuwu – village renommé pour son alcool et ses alambics artisanaux – « Hootchenoo » (Houtchenou). Ils ne tardèrent pas à l'abréger en « Hootch », et ainsi, par l'entremise des marchands et des marins revenant des mers boréales, enrichirent l'argot américain d'un nouveau mot pour un alcool fort et de mauvaise qualité.

Le fruit de cette technique nouvellement acquise, nota en 1867 le capitaine Howard sur le livre de bord du *Lincoln*, qui faisait une démonstration de force le long des côtes orientales de l'Alaska, était une eau-de-vie claire et forte qui « rendait les indigènes furieux et causait donc nombre de querelles et de meurtres pendant les fêtes où elle était consommée ».

La description du capitaine Howard n'évoque en rien le village d'aujourd'hui, dont les habitants m'ont toujours paru presque sans exception généreux et aimables. Je gardai néanmoins les yeux fixés sur le pistolet en remplissant le réservoir de tribord, puis halai le tuyau en travers du pont pour remplir le réservoir de bâbord. Après avoir ainsi embarqué six cent quatre-vingts litres de carburant, je reposai le tuyau sur le quai, contournai l'ivrogne furibond et grimpai la longue volée de marches bordée de troncs moussus qui menait au bureau. L'air était gorgé de l'odeur piquante de la sève d'épicéa, et l'ombre des arbres était un bonheur après toutes ces journées à scruter l'eau miroitant sous le soleil.

Tandis que le pompiste tapotait une calculatrice et préparait la note, j'examinai l'emblème sérigraphié sur son tee-shirt rouge. Inscrits dans un cercle qui faisait toute la largeur de sa poitrine figuraient les dates 1882-1982 et quelques mots commémorant le centenaire du « bombardement », comme on appelle ici une visite de la marine américaine qui a laissé un goût amer aux habitants d'Angoon et, depuis plus d'un siècle, à leurs descendants.

Frank H. Clark, commissaire de la Marine à bord du navire de guerre *Adams*, qui faisait alors escale à Sitka, décrivit l'incident dans une lettre à sa famille, sans faire mystère de ce qu'il pensait de l'arrogant commandant du vaisseau responsable de la tragédie. Le capitaine E. C. Merriman était, disait-il, « un parfait jean-f... » et « un infernal menteur ». Et de relater comment le jeune officier assoiffé de gloire entreprit de réprimer une prétendue insurrection des indigènes :

> Il y a quelques jours, un homme est arrivé de Kelasnoo [Killisnoo, un îlot juste au sud d'Angoon], en annonçant que les Indiens de l'endroit s'étaient emparés de leur chaloupe à vapeur, de filets et de baleinières, ainsi que de deux hommes, et les gardaient comme caution du paiement de deux cents couvertures, en réparation de l'éclatement accidentel d'un harpon explosif à bord de l'un des bateaux des compagnies baleinières. Il faut savoir que lorsqu'un Indien est tué, volontairement ou par accident, ils comptent recevoir un dédommagement, sinon ils tuent quelqu'un pour solder cette mort – fût-ce deux ans après et à trois cents kilomètres de là. L'affaire se présentait ainsi : la Compagnie commerciale du Nord-Ouest, qui dispose à Kenasloo d'un comptoir et d'un établissement de pêche à la baleine, a envoyé des bateaux capturer des baleines qui passaient non loin de là. Pendant la poursuite, un harpon explosif a éclaté à bord d'une des baleinières, tuant un Indien qui se trouvait à l'avant. Ils ont immédiatement gagné un lagon, où se trouve le village indien, et les indigènes, sachant probablement par expérience que la compagnie n'est pas très libérale, ont saisi la chaloupe, les baleinières, les filets, etc., et les deux hommes blancs à bord. Puis ils ont fait savoir à Vanderbilt, l'agent de la factorerie, qu'ils voulaient deux cents couvertures (une couverture vaut trois dollars, et tout est calculé en couvertures). Au lieu de conclure un accommodement avec eux – il aurait probablement pu transiger pour vingt ou trente couvertures –, il a pris un remorqueur dont ils disposent là-bas et est venu ici [à Sitka] chercher du secours. C'était la première occasion de gloire qui était donnée à notre commandant de toute cette croisière, et elle était trop belle pour qu'il la laissât passer. Après avoir placé quarante hommes sous les ordres du lieutenant Bartlett et vingt fusiliers marins sous ceux du lieutenant Gilman, il est monté à bord du *Corwin*, un garde-côte des douanes qui se trouvait là, en se faisant accompagner de l'inspecteur des douanes et de deux fusiliers marins comme ordonnances. Le lieutenant Bartlett est parti sur un remorqueur à vapeur

de la Compagnie commerciale du Nord-Ouest. Outre ses soixante hommes armés de fusils, il avait embarqué un mortier et une mitrailleuse Gatling. Tous ces préparatifs contre une bande d'Indiens dont la moitié étaient sans armes.

À leur arrivée à Hoochenoo [Hutsnuvu/Angoon], le village indien où les bateaux avaient été saisis, ils ont trouvé les deux Blancs libérés et tous les biens restitués. Le capitaine a alors signifié aux Indiens qu'ils devaient lui payer quatre cents couvertures comme sanction de leur conduite illégale, et leur a donné jusqu'au lendemain midi pour les réunir. Le lendemain matin, ils n'en avaient rassemblé qu'un peu plus d'une centaine et à midi seulement cent vingt, qu'il a brûlées, avant de bombarder quelques maisons de notre côté du village, et en même temps il a porté son exigence à huit cents couvertures, c'est-à-dire deux mille quatre cents dollars. Comme ils refusaient d'obéir, il a donné ordre de canonner la ville. Après avoir tiré trente ou quarante obus, il a envoyé les marins et les fusiliers marins, qui ont brûlé une quarantaine de maisons, qui ne peuvent être remplacées pour moins de trois mille dollars, ne laissant que cinq maisons debout. Outre les habitations, il y avait un grand nombre de magasins remplis de saumon fumé et d'autres vivres pour l'hiver. Tout cela a également été incendié. La plupart des Indiens se trouvaient à la mine de Harrisburg [Juneau], et leurs maisons, qui contenaient toutes leurs possessions, ont été brûlées aussi. Naturellement, les Indiens présents ont sauvé tout ce qu'ils pouvaient avant l'incendie. Mr. Vanderbilt, qui est prévenu contre les indigènes, estime le préjudice subi par la tribu à trente ou quarante mille dollars. Cela ne tient évidemment pas compte des souffrances des femmes et des enfants qui vont cruellement manquer d'abri et de nourriture pendant l'hiver. Le froid étant là-bas beaucoup plus sévère que chez nous, cela va sans aucun doute causer beaucoup de souffrances. La plupart des officiers, y compris moi, considèrent que c'est un acte brutal et lâche, et entièrement injustifié. Il aurait largement suffi d'arrêter les meneurs et de les punir, tandis que, en l'occurrence, une foule d'innocents ont souffert plus que les coupables, et en particulier un grand nombre de femmes et d'enfants. On estime qu'environ huit cents personnes habitent le village.

> Nous sommes tous impatients de voir le récit qu'en donneront les journaux et le rapport que fera le capitaine. Autrement dit, quel énorme mensonge va-t-il raconter pour se justifier.

Six enfants moururent dans le bombardement. On ignore combien de Hutsnuwus périrent pendant l'hiver par manque de nourriture, de médicaments et de protection contre les intempéries [1].

L'Angoon Oil and Gas Company recouvrait maintenant ce qu'elle pouvait du prix des couvertures dues aux Hutsnuwus pour le massacre d'il y a un siècle, en pratiquant une forme raisonnable de piraterie à la pompe du dock : l'essence coûtait quarante cents de plus le gallon qu'à Juneau. Le gérant sourit en me tendant la note, me donna un tuyau sur un endroit où le saumon royal mordait bien – « J'en ai pris un gros comme ma cuisse hier » – et me souhaita une bonne journée.

De retour sur le quai, j'eus la surprise de voir que Michio avait fait copain-copain avec l'ivrogne revêche : tous deux étaient accroupis au-dessus d'une brochure étalée sur le pont, tandis que Maeda et Otani regardaient la scène. *Alaska Geographic* est une revue trimestrielle qui consacre chaque numéro à une facette particulière de la géographie, de la faune ou des diverses cultures de l'Alaska, et tout en parlant l'ivrogne frappait du doigt une page d'un numéro intitulé « L'Amirauté, une île en litige ».

« C'est exact, je l'ai vu moi-même cent fois ! » Le nouvel ami de Michio hocha la tête, d'un geste emphatique, exagéré. « Des *centaines* de fois. » La page sous son doigt montrait la photo d'un ours sculpté dans la pierre.

---

1. Un jugement de 1973-1974 accorda à Angoon quatre-vingt-dix mille dollars – valeur estimée du village en dollars de 1880 – et la Marine reconnut par écrit que l'incident avait eu lieu, mais sans présenter d'excuses. Les anciens d'Angoon eurent beau faire le siège du gouvernement Clinton pour obtenir des excuses, ils se virent invariablement ignorer et éconduire.

Pendant que nous suivions les indications embrouillées du pochard – tourner à gauche après le comptoir de la Compagnie commerciale, puis s'avancer vaguement vers le sud-est pendant un moment ou deux, jusqu'à une sculpture d'épaulard fichée en haut d'un petit poteau, où il faut tourner à droite, et quand on est perdu, il faut demander de nouvelles indications à une grand-mère debout devant la porte grande ouverte d'une petite maison qui n'est pas peinte –, Michio essaya d'expliquer pourquoi il voulait photographier la statue.

« L'ours est un... *shosho*... un symbole. » Il plissa entièrement les yeux pour essayer de trouver les mots justes. « L'ours s'endort chaque hiver, puis il ressort au printemps. »

Michio ferma ses mains l'une sur l'autre contre sa poitrine, puis les déploya comme une fleur qui s'ouvre. « C'est comme la vie. Les graines... ou... » Son explication resta suspendue. L'image m'empoigna – l'ours émergeant triomphant dans un monde virginal de neige immaculée, après avoir survécu aux furieuses tempêtes de l'hiver ; le passage des ténèbres à la lumière ; l'inéluctabilité du cycle traçant un cercle parfait de renaissance et de vie –, et, d'un bond logique, j'avançai cette conclusion : « Vous voulez dire la résurrection ? La vie et la mort, l'ours entrant en hibernation, puis émergeant de nouveau ?

– Oui, dit-il, l'air pas très convaincu. Peut-être. »

Plus notre voyage avançait, plus la communication entre Michio et moi prenait ce cours – l'exploration de grandes idées en phrases brèves qui catalysaient parfois des pensées et des images restées vagues jusqu'alors. L'étroitesse de notre vocabulaire commun exigeait des choix précis, explicites, et n'autorisait guère le bavardage sans but qui sert trop souvent d'échappatoire pour contourner les difficultés de l'échange véritable.

La statue disparaissait sous un tourbillon de broussailles et de framboisiers. Après avoir écarté un matelas d'herbe et inspecté la sculpture – un ours assis, au nez retroussé, qui nous arrivait à la taille –, Michio décida qu'aucune photo valable n'était possible. Sur le chemin du retour, la grand-mère se tenait toujours dans l'embrasure de sa porte ouverte, et elle nous fit un sourire chaleureux et ébréché, appuyé d'un grand salut de la main, quand nous passâmes devant elle.

Le *Swift* se glissa hors du port, se cabrant sur la marée montante. L'onduleuse vague blanche de notre sillage s'évasait derrière nous dans le lointain lorsque nous doublâmes la balise gainée de varech de la pointe Danger, puis nous virâmes à gauche jusqu'à ce que la ligne de foi du compas indique cent soixante degrés, mon cap pour la pointe Caution. De là nous piquerions au sud vers la pointe Gardner pour entrer de nouveau dans le Frederick Sound.

La mer était d'huile, si unie et si lisse qu'elle reflétait les ventres blancs des cumulus qui déboulaient lentement de l'ouest. Le grésillement de la radio attira notre attention : la station des gardes-côtes de Juneau invitait les bateaux à se mettre à l'écoute du canal VHF 22 – « deux-deux alpha », qui diffusait à intervalles réguliers bulletins météorologiques, messages aux marins et autres alertes.

Je tournai le bouton jusqu'à ce que le chiffre « 22 » s'illumine sur le cadran de la radio, puis je pris un crayon et un bloc pour noter les prévisions.

Sous la surface, le sondeur révélait des nappes de ce que les pêcheurs appellent la « pâtée » – minuscules crustacés, plancton et harengs amalgamés en une substance épaisse dont la vertu principale est d'attirer les saumons affamés. Sous la pâtée il n'y avait pas de fond ; le sonar ne semblait fonctionner que jusqu'à trois cent cinquante mètres, ensuite il devenait aveugle, bondissant erratiquement d'un chiffre à l'autre, de un à mille. La carte contredisait la lecture démente de l'instrument, indiquant un fond incliné qui descendait rapidement de soixante-quinze à bien plus de six cent cinquante mètres – assez profond pour bloquer toute lumière et grouiller de formes de vie aveugles et inconnues.

Je notai les détails des prévisions météo tandis que la voix poursuivait : vents faibles et variables, s'orientant au nord à quinze nœuds, houle de moins d'un mètre – parfait pour naviguer. J'allais reposer le crayon et ranger le carnet, mais les derniers mots suspendirent mon geste.

« Très en retard sur son horaire prévu, le bateau de pêche *Gretel*[1] a été porté disparu alors qu'il faisait route de Sitka à Petersburg. Le *Gretel* est de couleur blanche, fait quatorze mètres de long, et il y a trois personnes à bord. Les navires croisant dans les parages sont priés de guetter attentivement les signaux de détresse et de signaler toute anomalie à la Comstat de Juneau.

« C'était un message de la Station de communications de Juneau des gardes-côtes des États-Unis, terminé. »

Je griffonnai *Gretel* sur le bloc et le soulignai. *En retard* et *disparu* sont des mots inquiétants en mer dans n'importe quelle situation, mais à bien des égards le temps calme et stable rendait l'appel plus alarmant. S'il y avait eu de la houle ou une tempête, il y aurait eu une chance raisonnable que le bateau se soit simplement mis à l'abri dans un coin hors de portée de la radio, pour attendre que la tourmente s'apaise. Quand le baromètre est au beau, avec plus qu'assez de trafic maritime pour repérer rapidement un navire en difficulté, toutes les causes possibles d'une disparition soudaine sont mauvaises : une explosion, un incendie, un chavirement soudain dû à une cargaison mal disposée – peut-être une collision nocturne avec un gros bâtiment ou un vraquier.

Faisant route vers le sud depuis Angoon par les Icy Straits, le *Swift* allait suivre le trajet probable du bateau disparu entre Sitka et Petersburg. Je sentis mes cheveux se hérisser et mon estomac se retourner en songeant à ce que j'allais en réalité chercher, plutôt qu'un bateau de pêche blanc de quatorze mètres : des débris, des flotteurs de pêche dérivant au milieu d'éclats de fibre de verre ou de bois ; une tache d'huile ; un bout de néoprène orange flottant juste à la surface qui se révélerait être un « costume de survie » ou le gilet

1. Ma mémoire m'abuse peut-être ; je ne suis pas absolument certain du nom du bateau.

de sauvetage qu'un pêcheur malchanceux n'avait pas eu le temps d'enfiler, surpris par quelque accident soudain.

Les annonces de ce genre s'entendent régulièrement en Alaska. Le pire n'est pas tant la régularité de ces tragédies que l'ignorance, trop fréquente, de leur issue : si, comme dans ce cas, je ne connaissais pas le bateau ou les personnes concernées, je risquais fort de toujours ignorer le dénouement. Les gardes-côtes diffuseraient l'appel pendant un jour ou deux, puis le silence retomberait. La rumeur et les conversations de dock s'attacheraient peut-être encore quelques semaines au bateau disparu, à moins que ne paraisse dans la presse un bref article consacré à l'événement si l'épave ou un corps était retrouvé, mais souvent c'était à croire que le bateau avait cinglé vers une autre dimension, ne laissant derrière lui que des souvenirs, les pleurs des familles, et le léger fumet rance du Kushtaka escamoteur d'âmes [1].

Tandis que le *Swift* semblait raser les flots lisses vers le sud, faisant défiler le rivage sur bâbord, j'examinai l'horizon, où un lambeau de nuage se tordait dans les ascendances thermiques engendrées par un coteau jonché des débris tailladés d'une forêt entièrement fauchée. Depuis une vingtaine d'année que je parcours le Passage du Nord-Est entre Seattle et l'Alaska, la coupe à blanc-estoc systématique des arbres a dénudé près de deux cent trente mille hectares de la forêt nationale de Tongass. Une superficie égale sinon plus vaste du territoire attribué aux indigènes de l'Alaska par la loi de 1971 liquidant leurs revendications – décision du Congrès qui rendait nulles et non avenues les valeurs traditionnelles ancestrales en « réorganisant » les villages en sociétés dont les habitants devenaient « actionnaires » – a

1. Dans le centre de Juneau il y a un mur commémoratif où sont inscrits les noms des marins disparus. Chaque printemps a lieu une cérémonie au cours de laquelle les noms sont lus à haute voix et les nouvelles victimes ajoutées à la liste. Cette année il a fallu sept longues minutes pour lire les noms du mémorial – et déjà de nouveaux disparus attendent d'y figurer.

été rasée de même. Dès 1990 nombre de villages du sud-est de l'Alaska étaient environnés de champs de souches, et leur population se partageait également entre ceux qui déploraient l'abandon des anciennes coutumes et ceux qui s'efforçaient de tirer parti d'un système dans lequel des expressions comme « gestion de la trésorerie » et « exploitation des actifs » avaient soudain plus d'importance que les torrents limpides et une bonne remontée de saumons [1].

Comme Michio observait la montagne dévastée à la jumelle, l'inquiétude traçait une petite ride verticale entre ses sourcils. « Combien de temps avant que la forêt revienne ? » Question rhétorique à laquelle je ne pus répondre que par un hochement dubitatif.

À quatre-vingts kilomètres derrière nous la pointe Couverden fendait la mer en deux à la jonction des Icy Straits et du canal de Lynn. En 1794, lorsque George Vancouver (dont le nom hollandais complet, van Couverden, désigne désormais cette langue de terre) avait embouqué les Icy Straits, la baie du Glacier n'existait qu'à peine : une muraille de glace haute de cinquante mètres barrait le détroit qui y donne aujourd'hui accès et débordait largement sur les deux rives, déversant d'énormes icebergs dans les bien nommés Icy Straits (détroits de glace).

Les Tlingits de Hoonah appellent encore la baie du Glacier « notre terre » et racontent que leurs ancêtres vivaient « là-haut dans la baie » jusqu'à ce qu'une femme eût la folie d'insulter le glacier, lequel, furieux, dévala la montagne, chassant les Indiens de leurs terrains de chasse et les obligeant à se réfugier de l'autre côté du détroit sur le site actuel de leur bourgade. Depuis lors la glace s'est apaisée pour se retirer, bon gré mal gré, de plus de cent kilomètres dans les montagnes, tandis que le riche écosystème de ce qui est aujourd'hui un parc national tirait tout le parti des

1. C'est une présentation très simpliste d'une situation extrêmement complexe, que les Tlingits eux-mêmes sont beaucoup mieux qualifiés pour décrire en détail.

forces de guérison qui suivent le flux et le reflux d'une période glaciaire.

J'allais répondre à Michio que si la forêt est capable de reconquérir le pays avec une telle luxuriance après le lent cataclysme d'une ère glaciaire, nul doute qu'elle ait assez de vitalité pour survivre aux ravages de l'exploitation forestière industrielle. Mais après y avoir songé un instant, je préférai tenir ma langue. La renaissance prendrait longtemps, très longtemps – peut-être plusieurs générations –, et entre-temps les blancs-estocs resteraient autant d'horribles cicatrices sans vie.

Tard le soir nous mîmes en panne au large de la baie de Pybus tandis que j'examinais la carte, en essayant de tourner mon imagination vers l'objet de notre recherche. Je me représentai une horde de poissons argentés dérivant avec la marée, formant des tourbillons dans les courants contraires entre les îles et les chenaux, remplissant la mer de leur odeur. Je tentais d'imaginer le goût riche et huileux des harengs projetant dans l'eau ses vrilles onduleuses comme une fumée, titillant un groupe de baleines et leur nappant la langue, et je me figurais l'excitation des cétacés qui remontaient l'odeur jusqu'à sa source scintillante et commençaient à tourner autour, barattant les flots en écume de leurs nageoires et de leurs queues massives.

Je passai la main sur la mer en deux dimensions de la carte comme si je pouvais percevoir par radiesthésie la localisation des baleines à travers ma peau. « Elles sont certainement quelque part par là », grommelai-je.

Yamanushi leva les yeux de l'objectif qu'il nettoyait, approuva de la tête, et regarda par la fenêtre comme si un troupeau de baleines affamées allait choisir ce moment pour surgir. Otani, las du guet interminable, s'était tourné vers des tâches administratives et triait des reçus en prenant soigneusement des notes dans un classeur. Maeda et Michio paressaient sur le pont, en contemplant le soleil qui s'abaissait sur l'horizon.

Une loutre solitaire apparut à une cinquantaine de mètres

à bâbord, respira bruyamment puis replongea en roulant sur le côté, laissant un anneau lumineux d'eau troublée comme seul signe de son passage. Des bribes de conversation de la flottille de pêche au saumon qui remontait les courants à soixante kilomètres de là, près de la pointe de Kingsmill, grésillèrent dans le poste de radiotéléphonie marine, fragmentées en parasites par la distance.

La voix d'un pêcheur hélant un autre bateau hors de la portée de mon récepteur interrompit ma rêverie. Je n'y avais d'abord prêté aucune attention : de nombreux pêcheurs travaillent seuls tout l'été et les ondes bourdonnent de bavardages constants, tandis qu'ils s'efforcent de lutter contre l'ennui et la solitude de leur existence.

Je poursuivais ma divination sur la carte, en écoutant d'une oreille distraite, lorsque la voix dit : « Arne a regagné Petersburg [1]. »

Des craquements et des grésillements inintelligibles accueillirent la nouvelle par-delà l'horizon.

« Non, il va bien, mais il a eu un peu la trouille quand les baleines ont embarqué ses lignes. »

Je bondis sur la radio pour augmenter le volume. La voix gloussa avant de se lancer dans une description des ennuis survenus à Arne quand « une bande de foutues baleines » s'était emmêlée dans le matériel de pêche qu'il traînait derrière lui [2].

À en juger par l'intensité du signal radio, le pêcheur que j'entendais devait se trouver à moins de quarante kilomètres de notre position. La suite de la conversation unilatérale m'apprit que plusieurs baleines (« Y en avait bien une dou-

1. Surprendre ainsi les conversations radio n'est pas considéré comme indiscret. Au contraire, la plupart des marins branchent leur émetteur-récepteur en permanence, pour pouvoir répondre à une urgence ou à l'appel d'un de leurs amis.

2. Les pêcheurs à la cuiller traînent des lignes de fils d'acier inoxydable munis de leurres et attachés à une batterie de perches. Le fil n'est pas assez fort pour blesser une baleine mais est suffisamment résistant pour qu'une baleine qui s'y prend brise une ou plusieurs des cannes, arrachant au malheureux pêcheur une partie de son coûteux matériel.

zaine ! ») se nourrissaient du même banc de harengs qui avait attiré l'infortuné Arne.

Je sortis sur le pont pour examiner le couchant, évaluai le temps qui nous restait avant que le soleil ne disparaisse derrière l'arête en dents de scie de l'île de l'Amirauté, puis mesurai sur la carte la distance séparant l'endroit où se trouvaient les baleines de notre mouillage de la nuit. Il était trop tard pour suivre cette piste aujourd'hui, mais la conversation surprise m'avait donné une bonne indication de notre destination du lendemain.

Une formation effilochée de goélands cendrés rasa l'eau devant nous, en échangeant des sifflements stridents pour s'encourager, pendant que je halai l'ancre à grandes brassées. Une rosée froide était tombée sur le *Swift* à la fin de la nuit et l'air de l'aube me caressait agréablement la peau. Dans la cabine, une bouilloire siffla. Quand j'eus fini d'enrouler l'amarre et de la ranger dans son casier, Michio versait le café dans une Thermos et préparait des bols de céréales pour un petit déjeuner rapide.

Se frottant les yeux, Otani sortit sur le pont pour voir quel temps il faisait. Des nuages roses allongés comme des doigts rayaient le ciel au levant, et la surface de la crique que ne venait rider aucun souffle d'air formait un miroir vert sombre qui reflétait une ligne vacillante d'obsidienne : la silhouette dentelée de la forêt. Fredonnant un air simple, diatonique, Otani s'approcha de la rambarde et, s'extrayant de son pantalon, salua le matin d'un jet d'eau par-dessus bord. À l'intérieur du rouf, je voyais Yamanushi, Maeda et Michio effectuer sans mot dire la valse compliquée des hommes endormis qui s'éveillent, rangent leurs affaires et s'habillent dans un espace restreint.

Je pris la tasse de café que Michio me tendit quand j'entrai dans la cabine, jetai un coup d'œil aux indicateurs de température et de pression d'huile, puis j'allumai le radar. Un ruban de brouillard nappait l'eau en travers de l'entrée de la baie, mais au-dessus les nuages d'altitude et le ciel dégagé promettaient qu'il se dissiperait dès que le soleil monterait et réchaufferait l'air.

J'étalai la carte sur la table. « À cette époque de l'année, les pêcheurs traînent leurs lignes près de la côte au sud d'ici », commençai-je. Otani se pencha, regarda l'endroit que je désignais du doigt, sirota une gorgée de café et hocha la tête.

« Le bateau que nous écoutions hier soir était clairement audible, j'en conclus donc qu'il se trouvait quelque part par ici. » Je désignai Turn Island, où les navires traversant le Frederick Sound doivent choisir entre mettre le cap sur Juneau, au nord, sur Petersburg à l'est ou sur le village tlingit de Kake, à vingt-cinq kilomètres au sud.

« On va traverser jusqu'à l'île, puis virer à l'ouest et guetter jusqu'à ce qu'on les trouve. »

Rien ne garantissait que les harengs ou les baleines seraient encore là où ils se trouvaient hier soir, mais c'était le meilleur plan que je pouvais leur proposer.

À onze heures je coupai le moteur, réglai mes jumelles et entrepris de fouiller l'horizon, tandis que Michio, les écouteurs de son walkman enfoncés dans les oreilles, touillait le contenu d'une cocotte qui mitonnait sur la cuisinière, en chantonnant faux pour lui-même.

La mer, unie comme un plateau, était jalonnée de troupes d'oiseaux. L'azur du ciel se reflétait dans l'eau, balafrée par le soleil d'une large traînée étincelante.

Des baleines s'éparpillaient sur l'arc de l'horizon : une à l'ouest ; deux ou trois à quelques kilomètres au nord ; deux autres, largement éloignées l'une de l'autre, sur l'arrière du *Swift*. Nous nous trouvions au beau milieu d'un troupeau très dispersé de baleines depuis plus d'une heure mais rien n'indiquait qu'elles chassaient en meute. Çà et là dans la distance bleue, la colonne pâle de l'expiration d'une jubarte jaillissait soudain dans l'air et semblait s'attarder, se dissipant lentement tandis que l'animal se reposait à la surface et s'hyperventilait pour sa prochaine descente dans les profondeurs sombres où le plancton abonde.

Michio sortit de la cabine avec un bol de soupe chaude dans chaque main pendant que je descendais l'hydrophone par le côté. « À tout hasard, expliquai-je tandis qu'il me tendait l'un des bols avec un regard interrogateur. Mais si on entend les bruits que font les baleines quand elles chassent, on saura qu'on a une chance. »

Les yeux fermés, je me penchai au-dessus du bol pour humer le riche parfum de sésame grillé montant du potage de riz assaisonné au nori (algues séchées), tout en écoutant le léger grésillement sifflant qui signale la présence des harengs. Les craquètements et les gargouillements émis par des millions de minuscules branchies forment une « signature » sous-marine distincte qu'on entend parfois à des kilomètres et qui – si nous avions de la chance – pouvait s'accompagner des grognements barytonnants et des couinements aigus de baleines qui chassent.

L'hydrophone glouglouta et chuchota les innombrables voix de l'océan : le cliquettement vrombissant d'un phoque s'orientant dans les profondeurs à l'aide de l'écho ; le sifflement des forts courants balayant le sable du fond ; les multiples craquements et claquements minuscules qu'émettent les hordes de crabes, de crevettes, de bivalves et de créatures rampantes innommables ; la pulsation rapide d'une hélice de bateau dans le lointain ; et tant d'autres sons bizarres et indéchiffrables qui épaississaient le profond mystère du monde noir sous la quille du *Swift*.

Les yeux fermés, Michio écouta un moment l'hydrophone crisser et marmonner, aspira bruyamment une gorgée de soupe, puis, l'air absorbé, se tourna vers moi avec un sourire doux.

« *Totemo ki-re* », dit-il. *C'est beau.*

L'hydrophone poussa un gloussement grave qui résonna comme un écho dans une grotte. Puis un léger tintement aigu stridula et s'enfla, perçant les profondeurs du « cri paralysant » d'une baleine. Avant de se ruer dans la masse serrée d'un banc de harengs, les mégaptères émettent souvent un cri suraigu comme celui que nous venions d'entendre. Les biologistes disent qu'il sert à étourdir le poisson et le rend plus facile à capturer. Mais à mes oreilles ce cri semble être davantage, peut-être un hurlement d'excitation, tel celui, extatique, de l'autour qui fond sur sa proie ou le hurlement d'une meute de loups sur la trace d'un élan – ululement frénétique qui exprime autant les émotions irrésistibles d'un prédateur s'ébattant dans un océan de proies qu'il facilite la chasse.

Distant et faible, le chant que nous entendions semblait venir de l'outre-monde.

Otani parcourut l'horizon, les mains en visières, en murmurant comme à part lui : « *Kore wa nan desouka ?* »

À cause de l'intimité forcée du petit bateau, je commençais à saisir quelques phrases de japonais simple, mais je ne savais trop s'il demandait *qui* faisait ce bruit ou *d'où* il venait, ma réponse conviendrait à l'une et à l'autre question :

« *Koudjira* », répondis-je en balayant l'horizon de la main : baleine à bosse. Le son se déplace plus vite et plus loin dans l'eau que dans l'air, ricochant et s'incurvant lorsqu'il traverse des thermoclines et des couches de salinité différente, pour atteindre des distances incroyables. L'hydrophone est omnidirectionnel et écoute dans un cercle complet. La voix pouvait donc venir de n'importe où.

Léger et oscillant, le chant paralysant retentit de nouveau, nous envoûtant d'une seule note lointaine de trompette, puis se tut. Je hissai l'hydrophone hors de l'eau, enroulai le cable noir humide dans un sac et le rangeai. Le moteur gronda au premier tour de clé, et je commençai à tracer un cercle en essayant de décider dans quelle direction j'allais aller. La rose des vents tourna comme une roulette sous son verre, passant par toutes les directions possibles où la pâture pouvait se trouver. La marée descend, me dis-je, imaginant le poisson en train de se laisser porter par le courant pour s'engouffrer dans les gueules avides des baleines – suivons le flot.

Le jusant s'écoulait vers l'ouest depuis Turn Island comme si la terre avait basculé sur son axe, créant un majestueux reflux qui dévalait vers l'embouchure du détroit de

Chatham, où il virait au sud pour se ruer vers le golfe de l'Alaska à cent dix kilomètres de là. Dans le lointain, la tache bleue de la pointe Cornwallis montait la garde au-dessus des baies de Saginaw et de la Sécurité, qui formaient jadis la frontière des territoires que se partageaient les tribus kake et kuyu de la nation tlingit.

Comme tous les Tlingits, les Kakes et leurs voisins de l'île Kuiu étaient des marins accomplis qui armaient d'immenses pirogues de guerre creusées dans le tronc d'un arbre géant, parfois longues de plus de vingt mètres et pouvant contenir plus d'une centaine de guerriers, dans lesquelles ils lançaient des expéditions de pillage jusqu'à plus de mille cinq cents kilomètres.

Les indiens kakes et kuyus passaient pour particulièrement féroces, même parmi les autres tribus tlingits, et les Blancs établis ou commerçant le long de la côte du Pacifique nord se rappelaient avoir eu des conflits avec eux dès 1857, année où une bande de Kakes descendit jusqu'au Puget Sound [1] afin de s'emparer de la tête du colonel Isaac Ebey pour venger la mort de deux membres de leur clan l'année précédente, lorsque la marine américaine avait débarqué un obusier et une mitrailleuse Gatling pour mettre fin à une orgie aux proportions épiques.

Les troubles, qu'on appela les guerres kakes, se prolongèrent une douzaine d'années pour atteindre leur apogée en 1868, lorsque le général de division Jefferson C. Davis prit le commandement des forces américaines dans les territoires de l'Alaska nouvellement acquis [2] et imposa un nouveau code civil rigide, incompatible avec le droit traditionnel tlingit. F. K. Louthan, commerçant qui avait affaire depuis des années aux Tlingits et à leur propre code, aussi réactif qu'implacable, raconte ce qui arriva ensuite :

---

1. Dans le nord de la Californie, c'est-à-dire à plus de mille cinq cents kilomètres à vol d'oiseau de leurs bases. (*N.d.T*)

2. Achetés aux Russes en 1867: (*N.d.T.*)

Le 1er janvier dernier, un incident se produisit à la factorerie de Sitka entre un chef chilkhat et un soldat, une sentinelle, qui aboutit à l'emprisonnement du chef dans la salle de police, et, dans des circonstances inconnues, à la mort de trois Indiens, tués à coups de fusil un jour ou deux après. [...]

Les trois victimes étaient un Chilkhat, un Kake et un Sitka. Les Kakes réclamèrent aussitôt le remède habituel (une compensation en couvertures), mais, ne parvenant pas à obtenir satisfaction, recoururent à leur solution extrême, « œil pour œil, dent pour dent » ; rencontrant deux hommes blancs près de leur village, ils s'empressèrent de les massacrer, à la suite de quoi ils perdirent leur village tout entier, incendié sur ordre du général commandant la région.

Le général Davis refusa également de rencontrer une délégation de Chilkhats exigeant une réparation pour la mort de leur frère. Louthan versa l'indemnité lui-même pour éviter d'autres ennuis et la perturbation du commerce qui se serait ensuivie. La paix avec les Chilkhats lui coûta trois couvertures.

Il en coûta beaucoup plus cher aux Kakes et à leurs voisins kuyus. Dans un rapport au Congrès sur les affaires du territoire, le capitaine L. A. Beardslee, officier de marine qui prit la succession du général Davis à Sitka, donna cette version de l'histoire :

En janvier 1869, ils [les Kakes] ont abattu sans provocation deux hommes blancs, Ludwig Madger et William Walker, qui campaient pour la nuit au bord d'une petite crique [baptisée depuis Murder Cove, la crique du Meurtre] près de la pointe Gardner, à l'extrémité sud-ouest de l'île de l'Amirauté [territoire fréquenté par les Kakes], et, après avoir assassiné ces hommes, mutilèrent leurs cadavres. Ils ont été rapidement châtiés de ce crime puisque les 14 et 15 janvier, le capitaine de corvette Meade, commandant le *Saginaw*, vapeur de la marine des États-Unis, incendia et détruisit une ville et trois villages (trente-cinq maisons en tout) de même qu'un certain nombre de leurs canots dans les baies de Saginaw et de la Sécurité, et dans l'île de Kou

[Kuiu] [détruisant par conséquent les villages des Kuyus innocents et non ceux des Kakes coupables].

Une heure après avoir quitté Turn Island, juste au pied des falaises où les palissades et les cabanes de rondins détruites par le capitaine Meade achevaient de se décomposer et de retourner à la forêt, nous aperçûmes un cercle de bulles de quelque quatre-vingts mètres de diamètre un instant avant l'éruption d'un volcan de baleines. Une douzaine d'énormes têtes noires explosèrent simultanément hors de l'eau, avec la compacité et la violence d'une mêlée de rugby, tandis que des torrents scintillants de harengs argentés se déversaient de leurs gueules caverneuses.

Les jubartes déglutirent, hoquetèrent, se démenèrent et roulèrent à la surface, contractant violemment le ventre pour recracher d'énormes gorgées d'eau à travers les rangées de fanons fibreux, pareils à des moustaches, qui tapissent l'intérieur de leur mâchoire supérieure édentée – filtres qui retiennent le plancton et les poissons dans le piège de leur gueule. Après avoir décrit quelques cercles, les mégaptères inspirèrent profondément et plongèrent en rapide succession, s'enfonçant en tournoyant dans l'eau qui scintillait des écailles de leurs victimes.

L'écran électronique du sondeur monté au-dessus de mon poste de timonerie nous montra la scène qui se déroulait à quinze mètres sous la quille : un grand banc de harengs apparaissait sous la forme d'une large bande lumineuse et informe ; une ligne solide et plus brillante – le corps ferme d'une baleine qui passait à la verticale sous le *Swift* – traversa l'écran puis disparut, hors du champ de l'appareil.

Maeda épaula la caméra vidéo, une main sur l'objectif. Michio se précipita à la recherche de ses appareils photo. Des goélands tournoyaient en miaulant et en s'appelant au-dessus de nous, puis repliaient leurs ailes pour plonger tête la première à la poursuite de harengs blessés dans l'attaque.

Je mis le bateau en travers, moteur au point mort. Avec toutes ces baleines qui circulaient autour de nous, je ne voulais pas risquer que l'une d'elle se heurte à l'hélice en marche. Les baleines se nourrissent généralement de manière méthodique, évoluant à un certain rythme le long d'un axe défini par la direction de la marée, le relief du fond et d'autres facteurs connus d'elles seules. Il était inutile d'essayer d'anticiper leurs évolutions ou de les poursuivre de trop près au risque de les gêner dans leur tâche. Les téléobjectifs les rapprocheraient suffisamment. Tout ce que j'avais à faire, c'était de tâcher de déterminer leur système de chasse, d'orienter correctement le bateau et de laisser la meute venir à nous.

Les baleines coopérèrent merveilleusement. Encore et encore, la note stridente du chant d'attaque fit vibrer la coque du *Swift*, annonçant une éruption imminente. Les bulles montaient, crevant le miroir de la surface tandis que la meute encerclait le banc condamné. Le massacre dura des heures.

L'un après l'autre, Michio chargeait des rouleaux de films ; le moteur de l'appareil photo ronronnait, les déclics de l'obturateur s'enchaînaient en rafales tandis qu'il capturait la frénésie dévorante, le jaillissement bouillonnant et la formidable présence physique des jubartes.

La chasse s'installa dans une pulsation continue et puissante : le surgissement explosif des grands corps noirs qui se gobergeaient ensuite à la surface pour avaler leurs proies ; le plongeon coordonné des baleines, l'une après l'autre, en succession si rapide qu'elles semblaient former un serpent immense sinuant ses anneaux gigantesques ; l'eau bouillonnant sous la poussée des queues vigoureuses bien après que la dernière baleine avait disparu sous la mer ; le silence s'installant de nouveau, rompu seulement par les appels des goélands qui attendaient en tournoyant qu'éclate la première bulle ; et la note unique, stridulante, du chant qui annonçait une nouvelle éruption imminente des mégaptères.

Au bout d'une heure d'un festin ininterrompu, les baleines plongèrent à une centaine de mètres du bateau, la mer s'apaisa, et il sembla que les attaques avaient cessé, les minutes passant sans un signe de leur retour.

« *Doko wa koudjira desouka ?* » grommela Maeda, la caméra à l'épaule. Où sont les baleines ?

La réponse arriva sous la forme d'une flaque d'air chatoyante de la taille d'un ballon de basket qui creva dans un clapotement sourd à moins de deux mètres de la proue. Une autre bulle apparut, puis une autre, puis une autre encore, formant une ligne courbe qui épousait la forme de la coque. Les baleines avaient trouvé un banc de harengs en plein sous l'erre du *Swift* : nous étions *à l'intérieur* du filet de bulles. La coque commença à résonner du sifflement perçant, électrique, du chant paralysant, avec une telle intensité que la perception audible se transforma en une sensation tangible, tactile, qui, à travers la semelle de mes bottes, me faisait vibrer des pieds à la tête.

« Accrochez-vous ! » criai-je, en me ruant sur la roue de gouvernail.

Le moteur hurla quand j'accélérai à fond en marche arrière pour écarter le bateau de la ligne d'attaque avant qu'une douzaine de jubartes lancées à toute vitesse ne puissent nous éperonner, nous projetant dans les flots où nous serions broyés à coup sûr par la mêlée des corps de quarante tonnes aux nageoires claquant comme de gigantesques fléaux.

Les baleines explosèrent à la surface à quelques mètres de l'étrave, projetant sur le pont une vapeur d'haleine poissonneuse et salée. La tête verticale d'une jubarte, telle une pyramide noire, resta un instant suspendue *au-dessus* du bateau, et je distinguai clairement le peigne sombre des fanons et le madrier rose de la langue à l'intérieur de la gueule avant que les énormes mâchoires ne se referment en claquant sur un mètre cube d'eau de mer et de poisson.

Le *Swift* roula violemment d'un bord sur l'autre au milieu du maelström. Une nageoire pectorale noire cloutée de barnacles, de la taille et de la texture de noix sauvages, racla la coque sur toute la longueur, éraflant la peinture dans un bruit grinçant de déchirure, tandis que tonitruait le rugissement des poumons de deux cents litres. Une brouillasse huileuse, soufflée par les baleines, recouvrit le pont, nappant tout ce qui s'y trouvait d'une puanteur tiède et gluante de hareng et de plancton rances.

Je comptai mes passagers – *quatre, aucun passé par-dessus bord* – et commençai à espérer que nous allions nous en sortir. Accroupi, Michio me tournait le dos et recouvrait de son corps ses appareils photo pour les protéger des embruns. Yamanushi, agrippé à Maeda, l'aidait à abriter la caméra vidéo, tandis qu'Otani, à califourchon, se cramponnait à la rambarde.

« Ça va, tout le monde ? » demandai-je.

Michio se redressa, rejeta la tête en arrière et croassa : « C'était *fantastique* ! »

Les baleines soufflèrent, le poisson mourut et le soleil contempla le spectacle pendant des heures, jusqu'à ce que l'immense appétit des cétacés fût entièrement satisfait, les bancs de harengs détruits, et nous, les humains, épuisés d'avoir observé toute cette orgie. Vers le crépuscule les jubartes s'apaisèrent en soupirant, leurs énormes ventres distendus, et commencèrent à se disperser lentement dans toutes les directions. À la surface de la mer une pellicule d'arêtes et d'huile de hareng brasillait dans les lueurs sanglantes du soleil couchant.

Le pont était jonché d'emballages de film. Maeda s'occupait de ranger la caméra vidéo, Yamanushi étiquetait les bobines de pellicule, tandis que Michio restait à l'avant du bateau à regarder les baleines s'éloigner. En voyant le large lobe d'une nageoire caudale glisser sous l'horizon, il respira profondément puis leva son appareil photo en un lent salut. Quand il remercia la baleine d'un murmure – *« Arigato, koudjira. Arigato »* –, j'eus envie de poser la main sur son épaule pour témoigner que moi aussi j'étais reconnaissant de tout ce qui nous avait été donné ce jour-là ; au lieu de quoi, je m'affairai à piloter le *Swift* jusqu'à son mouillage pour la nuit.

Une demi-heure plus tard, la chaîne de l'ancre se déroulait du cabestan en cliquetant pour disparaître dans l'eau noire. La forêt entourant Murder Cove se silhouettait en dent de scie sur le ciel lie-de-vin, tandis que je battais en arrière pour traîner lentement l'ancre sur le fond jusqu'à ce que les pattes mordent profondément dans la vase et nous empêchent de dériver pendant la nuit.

Sur la grève une ombre se détacha de la muraille noire des arbres pour s'avancer doucement sur l'estran. Je pensai à Madger et à Walker, les marchands assassinés et mutilés en ces parages par les Kakes assoiffés de vengeance, et fixai attentivement l'ombre mouvante, regardant légèrement de côté, pour que la vision périphérique me permette de mieux percevoir le déplacement de l'obscurité dans les ténèbres. Un bruit de grignotement se propagea sur l'eau d'obsidienne. L'ombre n'était pas un fantôme hantant le lieu d'un meurtre séculaire, mais un grizzly, qui se repaissait paisiblement des mets délicats découverts par le jusant.

Une tache de lumière vert pâle s'étala dans le ciel, prit la forme d'une draperie et commença à onduler et à brandiller : une aurore boréale dansait dans les vents solaires. Le petit fanal en haut du mât décrivit lentement et soigneusement un arc parmi les constellations tandis que le courant faisait tourner le *Swift* sur son ancre : la marée finissait de baisser, rassemblait ses forces pour le lendemain.

Le lendemain matin l'air était vif, des nappes de vapeur montaient de la surface de l'eau, et un halo doré de lumière neuve couronnait les arbres bordant la plage. Michio tint l'amarre de proue pendant que je faisais glisser le kayak par-dessus le plat-bord, puis je stabilisai le bateau tandis qu'il y descendait et ajustait son gilet de sauvetage. Quand je le rejoignis, un grand corbeau dans la forêt salua l'aube d'un croassement.

« Là-bas, dis-je en désignant de ma pagaie la sèche à la pointe de la baie. Si nous débarquons là-bas, nous pourrons longer la grève et peut-être apercevrons-nous un cerf. »

Les cerfs de Colombie abondent sur l'île de l'Amirauté et, sensuels comme les humains, aiment venir sur la plage à l'aurore pour sécher l'humidité glacée de la forêt aux premiers rayons du soleil. La lumière serait bientôt parfaite pour prendre une ou deux photos si nous avions la chance d'en trouver un.

Michio acquiesça, tourna le kayak vers la direction que j'indiquais de deux coups de pagaie et exhala une bouffée de vapeur dans l'air froid. « Ça se rafraîchit maintenant.

– Eh oui. Le voyage tire à sa fin, Michio. L'été aussi. »

Avec un grognement d'approbation, il enfonça sa pagaie et le kayak fendit la surface de la crique, traçant derrière nous un V qui allait s'élargissant, tandis que sous l'étrave l'eau glougloutait une chanson légère.

Je poussai le gouvernail vers bâbord quand nous arrivâmes auprès de la plage de galets, mettant le kayak en travers. D'un coup de pagaie Michio nous rapprocha encore et stabilisa l'embarcation pendant que je descendais, écrasant un tapis de bernacles et de moules sous ma botte.

Michio empoigna l'avant et je soulevai l'arrière. Titubant sous le poids du kayak, nous traversâmes les bancs de vase et les rochers gainés d'algues jusqu'à la lisière de la forêt. Nous n'avions pas l'intention de rester à terre plus d'une heure ou deux, mais dans un pays aux marées de sept mètres il est toujours prudent d'attacher son canot à un arbre au cas où l'on reviendrait plus tard que prévu. Sur l'île de l'Amirauté, cela peut être dû à quelque chose d'aussi simple et commun qu'un ours brun décidant de se prélasser sur un coin d'herbe entre vous et votre bateau, et plus d'un voyageur a vu, impuissant, la marée monter et emporter son embarcation tandis qu'un grizzly lui interdisait d'approcher.

J'enroulai l'amarre de proue autour d'une branche d'aulne et la fixai d'une demi-clef, tandis que Michio rangeait les pagaies et les gilets de sauvetage à l'intérieur du kayak.

« La lumière est bonne », dit-il, en passant autour de son cou la courroie d'un appareil photo. Je vérifiai le bon fonctionnement d'un atomiseur au piment que j'emporte toujours attaché à une lanière latérale de mon sac à dos. L'huile brûlante du capsicum suffit généralement à dissuader un grizzly de se montrer agressif ou trop curieux, bien que la bombe n'ait que cinq à sept mètres de portée – distance très éprouvante pour les nerfs. Du reste, les ours de l'Amirauté sont nettement moins querelleurs que ceux de l'intérieur ou même des îles voisines de Chichagof et de Baranof, et, chargés comme nous l'étions déjà d'appareils photo, de trépieds et de sacs, il me semblait que le petit atomiseur au piment remplaçait avantageusement un fusil, lourd et encombrant.

Nous chargeâmes nos sacs à dos avec un ahan, arquant les épaules pour bien disposer les bretelles, et partîmes le long de la plage. Je tapotai ma poche de poitrine pour m'assurer que je n'avais pas oublié mes petites jumelles pliantes et arrangeai la visière de ma casquette pour abriter mes yeux du soleil qui pointait au-dessus des arbres.

Michio monta sur un tronc échoué sur la grève et l'arpenta en déséquilibre avant d'en redescendre d'un bond. « Les glaciers recouvraient tout ça aussi, Lynn ? demanda-t-il en balayant la crique et la grève de la main.

– Oui. Je crois que cette partie de l'île était entièrement recouverte, à part les pics. » Je lui fis remarquer la forme en U de la vallée débouchant dans le fond de la baie : « Cela signifie généralement que le lit a été creusé par un glacier, mais je crois que la partie nord, vers Angoon, n'était pas sous les glaces. »

Michio s'immobilisa et montra une trace d'ours imprimée dans le sable à la base du tronc flotté. « Pas très ancienne, dit-il. Peut-être après la marée haute. »

J'acquiesçai. Les bords de l'empreinte étaient nets et bien définis. La marée en aurait arrondi les arêtes, et comme dans le Sud-Est la mer monte et descend deux fois par jour, la trace ne pouvait avoir plus de six heures. Peut-être avait-elle été laissée par l'ours que j'avais entendu se nourrir sur la plage la veille au soir et qui serait revenu avant le lever du soleil.

Michio hocha la tête, puis se pencha sur son trépied plié d'un air songeur. Quand il reprit la parole, ce fut du ton égal, réfléchi, de quelqu'un qui médite une question depuis quelque temps et qui juge que le moment est venu de la poser.

« Lynn, avez-vous jamais vu un ours des glaciers ? »

Je ne savais même pas au juste de quoi il s'agissait. Dans ma jeunesse, j'avais entendu de vagues rumeurs sur l'existence de l'ours bleu : une allusion en passant dans un numéro défraîchi d'un vieux magazine de chasse ; une histoire de troisième ou quatrième main rapportée par un ami de mon père ; une antique fourrure, poussiéreuse et cassante, au mur d'un des cafés-saloons humides et miteux qui jalonnaient la Quatrième Avenue d'Anchorage dans les années soixante et soixante-dix, avant que l'afflux d'argent du pétrole ne donne un lifting à la ville, transformant les boutiques de prêteurs sur gage et les merceries en salles de spectacles et en centres commerciaux. Depuis, je ne m'étais jamais vraiment soucié de l'ours bleu. Je savais qu'il existait, mais, me semblait-il, j'avais autant de chances d'en voir un dans la nature que de tomber sur un léopard des neiges ou sur un yéti.

« Eh bien, Michio, ce n'est pas le genre de chose que vous pouvez compter voir un jour. »

La réaction de Michio me décontenança. Ses épaules furent prises d'un tremblement et son ventre fut bientôt secoué d'un rire irrépressible. Je ne tardai pas à l'imiter.

« Mais qu'est-ce qu'il y a de si drôle ? » lui demandai-je.

Michio redressa son bonnet, pouffa une dernière fois, puis rééquilibra le trépied entre ses bras avant de répondre.

« Eh bien, peut-être que vous devriez le chercher. »

Je fis mes adieux à l'équipe trois jours après. Michio et les autres avaient un avion à prendre pour filmer d'autres régions de l'Alaska, et j'étais pressé de les voir partir. Le mois avait passé vite et agréablement, mais j'avais une longue liste d'expéditions à organiser, des paperasses à trier, des réparations à faire et des fournitures à acheter avant de pouvoir reprendre la mer. Le tournage et les photos étaient une expérience nouvelle qui m'avait beaucoup plu, mais il était temps de revenir aux kayakistes, aux alpinistes et aux chercheurs qui attendaient une réponse de ma part.

Un guide noue des relations brèves et fortes, intensifiées

par le partage de la beauté et du danger, amitiés qui sur le moment paraissent trop vives et trop intimes pour jamais s'estomper. Mais c'est une illusion, et l'une des premières choses que j'ai apprises en devenant guide, c'est que je ne reverrais probablement jamais la plupart de ces grands amis. J'ai donc vite pris l'habitude de me détacher, parfois au point d'oublier noms et visages au bout de quelques semaines à peine. Cette distanciation machinale s'est faite tout naturellement et, rétrospectivement, je comprends que j'avais inconsciemment choisi la profession idéale pour quelqu'un comme moi, qui préfère se tenir largement sur la réserve.

En s'éloignant sur le quai, Michio jeta sa sacoche sur l'épaule et se retourna pour un dernier salut.

« N'oubliez pas, Lynn-san. Il faut que vous cherchiez l'ours des glaciers. »

C'était la fin août. Les alpages au-dessus de Juneau commençaient à se teinter des rouges et des jaunes de l'automne, et les phalaropes à bec étroit filaient vers le sud en grandes volées synchronisées qui s'élevaient et retombaient comme des rubans dans le vent. Le changement de saison s'amorçait déjà. L'hiver arrivait

4

REFUGIA

En septembre le vent se leva et dépouilla les peupliers de Virginie. L'automne s'épuisa en bourrasques du sud-ouest qui balayaient le port de cinglantes cataractes obliques. Quand vint octobre, je doublai les amarres du *Swift* en prévision de l'hiver, puis novembre fit irruption en grondantes rafales de neige.

C'était le mois de décembre, enfoui dans les ténèbres hivernales, lorsque le soleil ne point jamais au-dessus de l'horizon, au sud, avant dix heures du matin, tombe derrière les montagnes à l'ouest avant trois heures de l'après-midi, et reste languissant pendant ce bref intervalle. J'avais démonté le carburateur d'un moteur hors-bord sur la table de la cuisine – tas mystérieux de ressorts et de minuscules vis –, pour tenter de tromper l'ennui de ma claustration forcée, lorsque le téléphone sonna. Je venais d'arriver, après plusieurs tentatives, à caler une lampe torche contre un livre, juste au bon angle pour qu'elle éclaire l'intérieur du cylindre, et j'hésitai à décrocher le combiné, de crainte de faire s'effondrer mon instable construction. Mais l'hiver mon téléphone reste muet des journées entières, et découvrir quel était ce mystérieux correspondant était plus tentant que comprendre pourquoi un fichu moteur hors-bord refusait de tenir le ralenti.

Le téléphone grésilla, émit une cacophonie rauque de cliquetis et de parasites avant que la voix légèrement haletante, impossible à confondre, de Michio ne me parvienne.

C'était la première fois que nous nous parlions depuis nos adieux, en août dernier, et si j'espérais bien le revoir et travailler de nouveau avec lui, je n'y comptais pas réellement. J'étais sincèrement ravi d'avoir de ses nouvelles, mais j'étais aussi surpris et pas qu'un peu curieux. Il n'évoquait pas la moindre expédition, ne semblait pas avoir besoin de mes services. Que pouvait-il bien vouloir ? Je lui demandai ce qu'avaient donné ses photos de notre périple.

« Pas mal », dit-il d'un ton catégorique. Il y eut un long silence, et j'attendais qu'il me demande si j'étais libre pour un nouveau voyage l'été prochain, quand il me posa cette question saugrenue :

« Lynn, quel est le rapport entre les baleines et les forêts primitives ? »

Je restai muet. J'avais l'habitude d'être interrogé sur les détails des expéditions dans la nature ou sur le coût d'un affrètement, toutes choses auxquelles je pouvais répondre sur-le-champ, mais Michio (comme à son habitude) posait une question qui demandait vraiment réflexion. Je gonflai les joues, chassant l'enchevêtrement mental de soupapes à pointeau et de venturis pour embrayer avec la biochimie.

« Vous savez ce que sont les isotopes, Michio ?

– Oui ? »

J'expliquai aussi simplement que possible (parce que c'est comme ça que je le comprenais) que certains éléments du phosphore et de l'azote de l'océan sont marqués par une signature d'origine marine.

« Les isotopes marins sont sensiblement différents de ceux qui se forment sur la terre, et la différence est stable. Elle dure des milliers d'années. »

Il me fallait maintenant improviser, chercher à tâtons une explication que je ne saisissais qu'approximativement, et plus intuitivement que par une compréhension réelle de la science en question.

« Toutes les petites choses dont les harengs se nourrissent dans l'océan – plancton, menus crustacés et autres copépodes – contiennent cet azote et ce phosphore marins, et les harengs absorbent ainsi les isotopes. Puis les saumons mangent les harengs, absorbent les isotopes à leur tour et remontent les rivières pour frayer. »

En parlant, j'imaginais des dizaines de millions de saumons lançant les fruits mûrs de leurs corps à l'assaut des torrents, tandis qu'une horde d'ours, d'aigles, de loups, de mouettes, de visons, de corneilles, de souris, d'hermines et de campagnols dévalaient les berges pour se gorger de leur chair. Il arrive même aux cerfs de grignoter des poissons morts, et j'ai vu une oie becqueter les restes d'un keta qu'un ours noir avait traîné dans l'herbe et abandonné là.

« Quand un ours s'est repu à ne plus pouvoir avaler une bouchée de plus et qu'il retourne caguer dans la forêt, il laisse des isotopes dans le sous-bois. L'azote et le phosphore sont indispensables à la photosynthèse, et quand un aigle rapporte un bout de poisson au nid pour en nourrir ses petits et en laisse tomber une bribe, celle-ci devient un fertilisant pour la végétation. »

Tandis que Michio ponctuait mon discours de petits grognements approbateurs, j'expliquai que l'azote et le phosphore nourrissent l'arbre par les racines et montent dans le tronc par capillarité pour devenir partie intégrante de la structure cellulaire du bois. Les airelles et les choux puants du sous-bois absorbent aussi les isotopes et les transmettent aux cerfs qui les paissent et les transportent ailleurs, encore plus loin de la mer.

« Il a fallu des centaines ou des milliers d'années pour que les isotopes marins se fraient un chemin dans le système jusque dans l'intérieur des terres, mais on les retrouve dans les arbres à des kilomètres et des kilomètres de la rivière à saumons la plus proche. » Je fis une pause, imaginant la poursuite de la migration des saumons, sous forme de minuscules particules qui s'enfonçaient toujours plus avant dans les terres pendant des siècles, pour en un sens transformer un poisson en animal terrestre. « On a même retrouvé ces isotopes dans le bois de très anciens totems. »

Michio me ramena aussitôt au niveau de la mer. « Et les baleines, Lynn ? Comment la forêt fait-elle partie d'une baleine ? »

J'hésitai un moment, enjambant mentalement les troncs abattus par le vent dans la forêt et vagabondant dans la montagne jusqu'à ce que je tombe sur un sentier d'isotopes redescendant vers la côte.

« Un jour l'arbre tombe et se décompose en particules que la pluie entraîne jusqu'aux ruisseaux, et – je m'essuyai mentalement les mains – ainsi les isotopes finissent par s'écouler dans les rivières et retourner à la mer, où ils concourent à nourrir la génération suivante de plancton. » À partir de là c'était simple : les harengs mangent le plancton et les baleines mangent les harengs – le cercle de l'isotope se referme.

Le téléphone chuintait, réduit au silence par la complicité des poissons, des mammifères et des forêts qui tourbillonnaient en un long et lent ruban de Möbius à travers les siècles. Michio appelait-il du Japon ou de sa cabane de Fairbanks ? Je commençai à lui demander pourquoi il s'intéressait aux rapports entre la forêt et les baleines, supposant qu'il travaillait à un livre ou à un nouvel article de magazine, mais il riposta aussitôt par une autre question, apparemment aussi saugrenue que la première.

« Vous avez enfin vu un ours des glaciers ?

– Non, Michio, toujours pas d'ours des glaciers.

– Continuez à chercher ! »

Il restait un minuscule ressort sur la table quand j'eus fini de remonter le carburateur. Mon esprit s'était égaré à la poursuite d'un ours des glaciers le long d'un torrent à saumons pendant que je travaillais. Je pris le mince ressort entre mes doigts, essayant d'imaginer sa fonction parmi les buses, pointeaux, gicleurs et flotteurs, me demandant où il pouvait bien aller.

Et pourquoi, ne cessais-je de m'interroger, Michio a-t-il appelé pour poser ces questions ? Que voulait-il savoir au juste ?

Quinze jours après un paquet arriva par la poste, un carton plat contenant le dernier livre de photos de Michio. Pas un mot, pas une lettre, seulement, page après page, de magnifiques images sans légendes ni explications ni bordures. Jamais je n'avais vu de photos qui saisissaient avec délicatesse et hardiesse à la fois autant de la beauté sauvage de l'Alaska. Tourner les pages était comme tomber dans le silence des vastes paysages arctiques, sentir la brise couler sur les montagnes escarpées tandis qu'une harde blanche de mouflons de Dall paissait dans un alpage, ou s'éveiller devant un lever de soleil rayé d'écarlate au-dessus d'une vallée de saules jaunes et d'aulnes verts. Il avait si parfaitement saisi le souffle à contre-jour d'une baleine ou la démarche dodelinante d'un grizzly qu'on avait l'impression d'être là et d'entendre le déclic de l'obturateur.

Le printemps venu, je récurai le bateau de toute la crasse accumulée pendant l'hiver, remplis la cale et les placards de vivres pour la saison et m'achetai un deuxième appareil photo d'occasion. Michio revint à Juneau à la mi-juillet pour deux semaines de chasse à la baleine avec deux autres photographes professionnels [1]. Au début j'eus grand-peine à abandonner mes habitudes de bernard-l'ermite pour partager la petite cabine du *Swift*, mais je me surpris rapidement à apprécier la compagnie, au point de nouer des relations d'agréable camaraderie avec plusieurs des photographes rencontrés par son intermédiaire.

Tout le monde avait des histoires à raconter sur Michio : comment il débarqua d'un avion de tourisme au milieu de

1. Une concurrence féroce règne dans le milieu de la photographie animalière, et les informations sur les bons endroits, les bons guides, les méthodes secrètes et les idées d'images originales sont jalousement gardées, mais je n'ai jamais vu chez Michio le moindre signe d'un tel souci d'exclusivité. (Je l'ai vu une fois expliquer soigneusement à un photographe moins talentueux comment un petit reflet de lumière dans l'œil d'un animal peut créer un lien émotionnel aussi subtil que puissant chez celui qui regarde la photo, alors que quelques heures plus tôt ce même photographe avait refusé de lui indiquer la sensibilité du film dont il s'était servi pour une de ses photos les plus connues.) Michio partageait volontiers tout ce qu'il avait, grâce à quoi mes affaires prospérèrent rapidement, à mesure qu'il recommandait de plus en plus souvent mes services à ses amis, dans le monde du cinéma et de la photo.

l'Arctique, sans tente, sans vêtements de rechange ni vivres en quantité suffisante ; ou la fois où il s'enfonça dans la forêt la nuit dans l'espoir – couronné de succès – de photographier au flash les combats d'orignaux en rut ; comment il sortit le visage et les mains tuméfiés d'un abri dressé près d'un nid de hibou parce que, ayant négligé de se munir de produits pour éloigner les insectes, il préféra se faire dévorer par les moustiques plutôt que de déranger l'oiseau et ses petits.

De l'avis unanime, que Michio fût encore en vie était la preuve de l'existence des anges gardiens, et tout le monde reconnaissait que nul ne méritait davantage leur protection. J'avais entendu dire qu'il avait donné son manteau à un SDF de Sitka, que les films sentimentaux lui mettaient la larme à l'œil et qu'il se liait d'amitié avec tous les gens qu'il rencontrait. Il irradiait la considération et la sympathie pour les autres, qu'il eût affaire à un ancien gouverneur, au directeur d'un musée d'importance mondiale ou à une vieille Esquimaude en train de débiter un saumon au bord d'un torrent boueux.

Kim Heacock est un photographe plein d'humour qui a été plus de dix ans garde forestier dans les parcs nationaux de l'Alaska. Quand je lui ai téléphoné il y a quelques jours pour lui demander de me décrire sa première rencontre avec Michio – c'était en 1979, il travaillait dans le parc national de la baie du Glacier, et Michio était un photographe débutant qui parlait à peine anglais et saluait tous les gens qu'il croisait –, j'ai senti une certaine perplexité dans sa voix.

« C'est Richard Steele – un grand gaillard simple, avec un cœur gros comme ça – qui l'a rencontré le premier. Il l'a trouvé qui campait sur la plage de Bartlett Cove, pas loin de la maison forestière. »

En décryptant difficilement son mauvais anglais, Richard avait appris que Michio remontait la baie en kayak depuis si longtemps qu'il avait épuisé ses provisions et avait faim. Très faim.

« Alors Richard lui a apporté une assiette de nourriture

pleine à déborder. » Kim éclata de rire. « Et il l'a bâfrée. Il l'a vraiment descendue en un temps record. »

Richard, qui est un gars très hospitalier, est vite allé chercher une autre assiette pleine et l'a tendue au photographe dépenaillé.

« Avec son sens très japonais de la politesse, Michio a cru qu'il serait mal élevé de refuser la nourriture ou même d'en laisser dans l'assiette, alors il a expédié le deuxième repas. Évidemment Steele ne connaissait rien de la politesse japonaise. Il était juste épaté par l'appétit de ce petit bonhomme, alors il a rempli son assiette une troisième fois, s'esclaffa Kim. Le pauvre type a failli finir à l'hôpital. Il était trop poli pour dire non merci, et ne s'arrêtait pas de manger. »

Tout au long de cette année-là, aux moments les plus inattendus, mon téléphone sonna, et c'était Michio qui me demandait quel âge avait la glace des glaciers ou si les aigles occupent le même nid tous les ans. Parfois il appelait seulement pour me parler de quelque chose de remarquable qu'il avait vu – une exhibition particulièrement extravagante de l'aurore boréale ou une chute de neige par trop prématurée.

Et de temps à autre, il me demandait de nouveau (en plaisantant à moitié ou à demi sérieux, c'était de plus en plus difficile à dire) : « Pas encore vu d'ours des glaciers ? »

Il était évident pour moi, naturellement, que l'ours des glaciers – ou du moins l'idée qu'il en avait – fascinait Michio, et son intérêt commençait peu à peu à attiser le mien. Devant sa sape douce et persistante des murs que je dressais autour de moi, se formait une envie imprécise de l'aider dans sa quête, et j'entrepris d'interroger les gens qui, me semblait-il, pourraient savoir quelque chose de l'ours bleu. Sans en tirer autre chose que des rumeurs et des récits insipides de troisième ou quatrième main.

Puis, un après-midi au Triangle Bar – un endroit enfumé où on sert de la bière, du chili et des hot dogs, planté au beau milieu de Juneau comme un rocher dans une rivière : havre de calme à l'abri de la crue subite de touristes qui déferlent chaque année sur la ville – je demandai à une nouvelle connaissance, qui travaillait, disait-elle, sur des projets de développement du saumon dans le sud-est de l'Alaska, si elle avait vu un ours des glaciers au cours de ses voyages.

« Non, répondit-elle, en sirotant une gorgée de sa bière. L'été, je passe l'essentiel de mon temps dans les îles de Chichagof ou de Baranof. Il n'y a que des grizzlys là-bas. » Beth avait des pommettes saillantes, et le hâle d'une saison sur le terrain accentuait encore la blancheur éclatante de ses dents. « Mais, à ce qu'on dit, Yakutat est probablement votre meilleure chance pour les ours bleus », ajouta-t-elle d'un ton neutre, en faisant disparaître d'un coup de langue une goutte de mousse de sa lèvre supérieure.

Trois tabourets plus loin, un type à la tête ronde se tourna pour m'examiner. Des épaules larges comme le garrot d'un taureau, barrées de bretelles d'un rouge délavé qui soutenaient des feux-de-plancher comme les aiment les bûcherons, coupés haut au-dessus de la cheville pour éviter la boue. Le chaume qui lui garnissait le crâne s'estompait en atteignant une rangée de plis profonds sur la nuque, et il était rasé de près à l'exception d'une petite touffe de poils sous la lèvre inférieure qui frémissait tandis qu'il remâchait quelque pensée peu charitable. Il me dévisageait d'une manière inquiétante qui n'était pas sans me rappeler le dernier grizzly que j'avais vu, face à face dans un épais taillis d'aulnes.

« Mais il se peut que je travaille l'année prochaine sur le cours supérieur du Taku. » Beth attrapa une serviette en papier pour essuyer un anneau de bière sur le bar. Son tee-shirt dévoila un instant une petite bande d'un ventre lisse, au bronzage profond. « Il y a davantage d'ours noirs, là-bas. Des loups aussi. »

Elle plia la serviette et tamponna une tache sur son épaule. Je regardai le taureau à la dérobée, pour me heurter à deux petits yeux inquisiteurs qui ne se laissèrent pas distraire par le cambrement des courbes de ma voisine lorsqu'elle arqua le dos pour frotter une tache invisible près de sa clavicule.

Merde. J'avais vu ce genre de chose trop souvent pendant les années de pêche et de bagarre de ma jeunesse, lorsqu'un regard dur et appuyé dans un des bars minables de Seward ou de Kodiak signifiait que des ennuis se préparaient. Il me faudrait peut-être partir avant d'avoir fini ma bière.

« Et vous ? » demanda Beth.

Je n'avais pas entendu sa question. Écartelé entre la chair musquée de Beth et le stress – se battre ou fuir – qui commençait à bouillir dans mes veines, mon cerveau tourbillonnait et s'était éclipsé de la conversation. « Et moi quoi ? »

Elle me regarda de côté un instant, puis décocha un petit sourire à son reflet dans le miroir derrière le bar. Elle avait l'habitude de produire cet effet-là sur les hommes. « Vous avez vu un ours des glaciers ? »

Le regard du bûcheron se durcit. Je hochai la tête en me penchant sur mon verre et bégayai une réponse maladroite : « Yakutat. C'est sûrement l'endroit, j'imagine. »

Dehors, un autocar de touristes longea très lentement le trottoir et une femme à la chevelure cuivrée qui portait un imperméable en plastique pointa un caméscope sur la devanture du bar. Un long moment je l'imaginai en train de montrer à ses amis en Indiana, en Floride ou Dieu sait d'où elle venait, l'énorme bûcheron en train de me dérouiller dans le caniveau – l'image tremble tandis que la caméra fait un zoom pour suivre l'action, et la voix off glapit : « Il lui botte le cul ! »

J'avais mon compte. Je me redressai et écartai mon verre. « On met les voiles, OK ?

– Pas si vite. » Beth prit son verre à moitié plein et l'agita devant moi. « J'aimerais bien finir ça. »

Le grizzly pivota sur son tabouret pour me faire face. Des tatouages pareils à de vieilles ecchymoses se fondirent et disparurent dans la peau de ses avant-bras. Je sentais les ennuis se préciser. Il était entre moi et la porte.

« Et merde... » grommelai-je. Beth se recula, offensée. Je tentai de sourire, mais je tremblais à l'intérieur, et le regard qu'elle me lança était presque audible. *Quel con !*

Je me mis debout. « Écoutez, Beth, balbutiai-je. Je suis désolé, mais il faut vraiment que je m'en aille. » J'essayai de m'écarter le plus possible du bûcheron en passant devant lui, mais il tendit un battoir de la taille d'un belle dinde pour m'arrêter. Je me figeai sur place.

« S'cusez-moi. » Sa voix était étonnamment douce.

Sa politesse me prit complètement de court. J'essayai d'arborer une expression affable, mais c'est d'un ton plus aigu d'une octave ou deux que d'habitude que je proférai :

« Oui ?

– Je vous ai entendu parler et je me demandais... – sa langue fit une bosse le long de sa mâchoire. Vous avez vu un de ces ours ?

– Quels ours ? » Je fis un pas vers la porte. Des brins de tabac à chiquer maculaient de brun la commissure de ses lèvres.

« Les ours des glaciers ? Un ours bleu ? »

Un chasseur de trophées. Il veut une peau d'ours bleu sur son mur. « Nan, répondis-je en grasseyant, essayant de prendre un ton sympa mais un peu distant. J'en ai jamais vu. »

Il regarda par la vitre, tandis que j'essayais de m'esquiver furtivement. Sur le trottoir d'en face, un ivrogne harcelait un couple de touristes obstinément sourds et aveugles, mais les yeux du bûcheron semblaient perdus dans le lointain, à des milliers de kilomètres.

« Alors ça, c'est une belle bête », finit-il par dire.

Je m'étais complètement trompé. Ses regards n'avaient rien eu d'hostile, ses attitudes rien de menaçant. Il cherchait seulement à se mêler à ma conversation avec Beth, qui échangeait déjà des sourires avec un pêcheur qui s'apprêtait à prendre ma place. Et je savais, aussi sûrement que je m'étais mépris sur ses intentions, qu'il voyait un ours des glaciers par-delà la vitre, un ours des glaciers qu'il avait déjà vu de ses propres yeux.

« Vous en avez vu un ? J'étais surexcité et m'avançai trop près. Où ça ? » Il s'arracha à la prairie ou à la plage qu'il contemplait mentalement pour me lancer un regard soupçonneux.

« J'ai jamais dit ça.

– Mais si. Vous avez dit que c'était une belle bête. »

Il me tourna le flanc, posa les avant-bras sur le bar et avala une rasade de sa boîte de bière. « Je ne dis pas si je l'ai vu ou non. J'ai juste dit que c'est un bel animal. »

Je me reculai légèrement pour le mettre plus à l'aise. « Vous travaillez dans le coin ? » Et je lui passai un peu de pommade, lui demandai de quel camp de bûcherons il venait.

Il me toisa de haut en bas, notant ma veste Patagonia et mes baskets à cent dollars, et eut un reniflement de mépris devant la stupidité de ma question. Ouvrier dur à la tâche, il avait tout de suite senti ma condescendance ; il savait que j'essayais juste de réduire ma zone de recherche au cas où il refuserait de me dire où il avait vu l'ours. Je décidai de jouer franc-jeu.

« Écoutez, je veux seulement en voir un, ou plutôt c'est mon ami qui en a envie. Je suis guide. Et j'ai un ami photographe qui voudrait vraiment en voir un, lui aussi. » Les mots se bousculaient maladroitement, j'essayais de tout condenser en quelques phrases brèves. « Vous savez, pour prendre quelques photos. »

Il écoutait, mais comme de derrière une porte fermée. Il vida sa bière, écrasa la boîte de son pouce, puis tendit une main pour m'arrêter. « Peut-être bien que t'es OK, et peut-être que ton pote est OK. Mais si j'te l'dis, tu vas le dire à un autre, et l'autre à un autre. Et avant que t'aies compris comment, l'ours est mort.

« Non, reprit-il, en secouant la tête et en passant la main dans ses cheveux taillés en brosse. Vaut mieux que j'le garde pour moi. »

J'avais foiré le coup. Je me suis complètement trompé sur ce type, me dis-je quelques instants plus tard sur le trottoir. Si Michio avait été à ma place, il serait en train de lui dessiner une carte, comme le soûlard d'Angoon.

Derrière la vitre, je voyais Beth rire de ce que le pêcheur lui racontait. Le bûcheron avait disparu au fond du bar.

Mes talents relationnels ne se sont guère améliorés

depuis ; je suis toujours aussi maladroit dans ce genre de contacts. Mais j'avais vu le regard lointain dans l'œil du bûcheron, la lueur quand il parlait de l'ours bleu et cela, ajouté à la fascination subtile, insistante de Michio, me suffisait. J'étais accroché.

Et si je voulais trouver un ours bleu, me dis-je, je ferais bien de me mettre sérieusement à sa recherche.

*

Je croyais en connaître un rayon sur les ours. Ils me fascinaient depuis qu'en 1970, à seize ans, le premier grizzly que j'eusse jamais vu avait surgi sur une crête à moins d'une centaine de mètres. J'avais eu la sottise de planter ma tente au bord d'un sentier très fréquenté par le gibier et l'ours avança droit vers moi d'une allure régulière et rapide, me lança un regard dédaigneux en passant à quelques pas, puis m'ignora ostensiblement jusqu'à ce qu'il s'évanouisse dans une courbe du chemin. L'apparition et la disparition soudaines de l'animal prodigieusement musclé firent circuler dans mes veines une décharge d'adrénaline qui m'inspira pour lui une déférence dont je ne me suis jamais départi.

Je passai les années suivantes à traquer les histoires d'ours dans les livres et les magazines. Depuis les études de respectables biologistes comme Frank Dufresne et Ernest Thompson Seton jusqu'aux récits plus hyperboliques, inspirant une peur viscérale, où l'ours apparaissait comme un monstre vorace, prêt à bondir sur n'importe quel humain assez inconscient pour s'aventurer dans les bois sans être muni d'au moins un fusil Holland & Holland calibre 375.

Je pus bientôt réciter des pages entières de statistiques : le poids moyen d'un grizzly côtier est de deux cent vingt kilos, tandis que de rares géants dépassent les quatre cents kilos (les ours noirs faisant entre un quart et un tiers de ce poids) ; l'ours peut atteindre quinze ans, mais vit en moyenne beaucoup moins longtemps ; les femelles sont lentes à se reproduire et parviennent rarement à la maturité sexuelle avant six ou huit ans, pour ne donner naissance à des petits que tous les trois ou cinq ans, les oursons restant avec leur mère jusqu'à leur troisième année.

Je recueillis des aphorismes, joyaux de la sagesse populaire – *un ours peut atteindre cinquante-cinq kilomètres à l'heure à la course, la vitesse d'un cheval au galop ; les ours les plus dangereux sont les femelles qui ont des petits* –, qui se révélèrent à l'usage inadéquats ou même faux. (Plutôt que le cheval au galop, le félin, qui peut se déplacer plus vite, avec un parfait équilibre, dans toutes les directions, serait une meilleure comparaison ; et selon mon expérience, les ourses avec des petits sont généralement beaucoup moins agressives que leurs autres congénères, puisque, toujours d'abord soucieuses de la sécurité et de la survie de leurs oursons, elles s'efforcent de les soustraire au danger – par la fuite plutôt que par l'attaque, sauf circonstances exceptionnelles. La menace est néanmoins relative : il arrive que des ourses s'en prennent à des humains pour protéger leur progéniture. Dans un petit village près de Juneau, deux personnes ont été ainsi blessées à des occasions différentes rien qu'en 1998 : un lycéen qui se promenait à un kilomètre de son école et un géomètre mesurant des coupes de bois. Et mon ami Nick Jans assure que soixante-dix pour cent de toutes les attaques de grizzlys sont le fait d'ourses protégeant leurs petits.)

Mais tous ces chiffres et tous ces faits ne donnaient pas un portrait plus juste de l'espèce que les données figurant sur une carte d'identité ne permettent de définir son détenteur. Taille, poids, couleur des cheveux – tout cela ne dit rien de la personnalité, des excentricités, des inquiétudes ou des désirs. C'est en observant les subtiles différences entre individus aux habitats très divers (ainsi les ours qui vivent dans les forêts humides de la côte, où la nourriture abonde, et dont la densité est dix à quinze fois supérieure à celle de leurs congénères des stériles plaines arctiques, sont considérablement moins agressifs que leurs cousins plus petits de l'intérieur, qui doivent parcourir des centaines de kilomètres chaque été pour se nourrir) que j'ai commencé à me former une idée personnelle d'une espèce dont chaque spécimen semble parfaitement adapté à son temps, à son environnement et à son lieu d'existence.

Quand je me rappelle l'allure puissante et fluide de ce premier ours qui dévala vers moi de la crête, je comprends parfaitement pourquoi les Tlingits révéraient l'ours plus que tout autre animal et lui accordaient le même respect qu'aux anciens de la tribu. « Grand-père, disaient-ils en rencontrant un ours sur un sentier. Nous vaquons simplement à nos propres affaires. Nous n'avons aucune intention de te nuire. »

Un chasseur d'ours était tenu de marquer sa considération pour sa proie en se soumettant à des rites de purification avant de la traquer : il jeûnait pendant quatre jours, se baignait dans l'eau froide et s'enduisait la peau d'ocre rouge avant de partir en expédition. Si la chasse était couronnée de succès, les Indiens chantaient un chant spécial en l'honneur de l'ours et le couronnaient de plumes d'aigle.

Les Tlingits ne révéraient pas les ours en raison seulement de leur force prodigieuse, mais parce que jadis, disent-ils, les hommes et les ours vivaient en étroite intelligence et allaient parfois jusqu'à se marier entre eux. Les ours partageaient aussi leur science de la médecine naturelle avec les Indiens, ce sont eux qui leur avaient enseigné à râper le bois pourri de l'épicéa sur une pierre rugueuse, cette poudre mêlée d'un peu d'eau ou d'huile étant un liniment souverain contre toutes sortes de maux.

Certaines parties du corps de l'ours passaient également pour avoir des propriétés curatives : rien ne guérissait mieux que le fiel d'ours les blessures de lance ou d'épée reçues au combat ; et le chaman qui possédait l'esprit d'un ours dans son *shutch* [1] n'avait pas à redouter le feu et pouvait impunément fouler nu-pieds des lits de charbons ardents.

Toutes ces informations s'ajoutaient à ce que j'avais compris de la vie quotidienne des ours en vivant dans leur voisinage pendant plus de vingt ans. Mais c'est seulement en apprenant ce qu'un biologiste avait découvert en étu-

1. Faisceau de branchettes, aspergé du sang de la langue d'un ours, que le chaman suspend à son cou.

diant l'ADN des ours de l'Alaska que je me rendis compte de l'étendue de mon ignorance – comme celle d'ailleurs de n'importe qui d'autre – à leur sujet.

Les îles de l'Amirauté, de Baranof et de Chichagof – les îles ABC, comme les appellent les spécialistes de l'aménagement du territoire – sont parmi les plus grandes îles de l'Amérique du Nord et comptent la population d'ours bruns la plus dense au monde [1]. Les trois îles, qui forment un alignement parallèle à l'ouest de Juneau, sont séparées par d'étroits bras de mer. L'Amirauté, la plus longue des trois, se blottit entre les deux autres et le continent. Elles sont baignées au nord par la baie du Glacier.

Il y a quelque vingt mille ans, le climat de la terre entra dans une période de sévère refroidissement, et la glace qui modela la baie du Glacier descendit loin vers le sud, recouvrant l'Amérique du Nord d'une épaisse chape, depuis le Puget Sound jusqu'à Long Island. Les glaciers en expansion se voyaient parfois dévier dans leur course erratique par le soulèvement de la chaîne côtière, laissant à intervalles irréguliers des poches dépourvues de glace – appelées *refugia* – le long de la côte de l'Alaska et de la Colombie britannique. Des études géologiques et des fouilles archéologiques ont montré qu'une grande partie des îles ABC fut épargnée par les glaces (de même que certaines des îles plus petites au sud) et que ces poches refuges abritaient l'ours à tête courte et son parent, le gigantesque ours des cavernes, aujourd'hui disparus.

Le continent commença à se réchauffer et les glaciers se retirèrent au bout de quelques millénaires, laissant derrière eux un vide sans vie que repeuplèrent lentement des animaux remontant du sud. Les glaces recouvrant les archipels côtiers fondirent elles aussi et les habitants des *refugia* éparpillés çà et là purent de nouveau se répandre dans les îles.

---

1. L'ergotage taxinomique du début du XXe siècle recensait jusqu'à quatre-vingt-sept espèces et sous-espèces de grizzlys et d'ours bruns arctiques dans la seule Amérique du Nord. Aujourd'hui, en revanche, la plupart des scientifiques considèrent que tous les ours bruns et les grizzlys ne forment qu'une seule espèce : *Ursus arctos*.

À la fin de la période glaciaire, les îles ABC et le continent n'étaient séparés que par des chenaux qu'un grizzly pouvait aisément traverser à la nage. Pourtant, la comparaison des matériaux génétiques prélevés sur les ours insulaires et sur les grizzlys du continent révèlent une différence considérable entre les deux populations : à en juger par leur ADN, les ours des ABC sont plus proches des ours polaires du Nord arctique que de leurs cousins installés sur l'autre rive du chenal, à quelques kilomètres à peine.

Que s'est-il donc passé ? se demande le profane que je suis. Après le recul des glaces, quelque lointain parent de l'ours brun côtier a-t-il quitté son refuge pour remonter vers le nord le long de la côte nouvellement dénudée et progressivement évoluer en l'ours polaire ? Le grizzly du continent vient-il d'une autre espèce émigrée des plaines du désert américain ou du Mexique ? Comment se fait-il qu'ils fassent tous deux partie de la même espèce ? De quelle technique de la spéciéité allopatrique, de la coévolution simultanée ou d'une autre branche au nom barbare de la science, s'est-on servi pour arriver à ce résultat ? Comme si souvent en matière de science et de biologie, la découverte de la diversité génétique du grizzly a révélé notre ignorance plus qu'elle n'a élargi notre compréhension.

L'ours bleu, comme ceux des îles ABC, n'existe que le long de la portion de côte jadis jalonnée de *refugia*, et je ne peux m'empêcher de me demander s'il ne dissimule pas dans ses gènes un puzzle tout aussi troublant. Malheureusement la recherche doit se contenter ces temps-ci de budgets toujours plus restreints, et nous n'avons guère d'autre choix que de spéculer dans le vide.

Je ne suis pas un scientifique. Je me laisse aller aux supputations et aux pressentiments, choses que je ne peux constater ni prouver par des données tangibles. Si l'on me l'avait demandé, je n'aurais pas pu expliquer pourquoi l'existence de l'ours des glaciers semblait impliquer quelque chose de plus profond que la simple génétique ou pourquoi il prenait une telle importance pour moi. Peut-être n'était-ce que le désir d'offrir à un ami l'occasion d'une photo rare, une façon de le remercier d'avoir entamé le mur derrière lequel je me cachais depuis si longtemps. D'une manière ou d'une autre, me disais-je, j'étais bien décidé à trouver un ours bleu. Et je voulais que Michio soit là pour le photographier.

Je pris mes quartiers d'hiver dans la bibliothèque, épluchant les vieux numéros délités de *The Alaska Sportsman* pour une mince allusion occasionnelle à un ours bleu abattu par un chasseur. Je lus des piles de livres sur les ours de l'Alaska, puis rendis visite aux administrations chargées de la protection de la nature pour qu'elles me procurent leurs rapports sur la question. Je m'entretins avec des biologistes, échangeai des potins avec des chasseurs, harcelai les défenseurs de l'environnement, téléphonai aux gardes-chasse et cuisinai les autres guides. Je déployai une carte de la côte des glaciers sur la table de la cabine pour y reporter ce que je savais de l'histoire de mon plantigrade : petits cercles au crayon pour les rumeurs, une étoile à cinq branches lorsqu'on en avait signalé un de façon certaine.

La première mention de l'ours bleu remontait à 1877. Poète, écrivain, peintre, juriste, et militaire de profession, Charles Erskine Scott Wood se rendit en Alaska avec le grade de lieutenant après avoir été l'aide de camp du général Howard pendant la campagne contre les Nez-Percés. Le lieutenant Wood peut être considéré comme le découvreur de la baie du Glacier, ayant été, avec des années d'avance, le premier Blanc à explorer cette région, mais la gloire ne l'intéressait pas et il ne prit jamais la peine de revendiquer cet honneur.

Ce qui intéressait Wood, c'était d'escalader les montagnes et d'observer les mœurs des Tlingits, dont bon nombre lui servirent de guides pendant ses voyages. Une expédition pour faire l'ascension du mont Saint-Elias ayant avorté [1],

1. Les guides tlingits de Wood le conduisirent en canot jusqu'au cap Spencer mais refusèrent d'aller plus loin. Désignant le mont Fairweather tout proche, ils lui déclarèrent avec une logique exquise : « Une montagne en vaut une autre. Voici une très grande montagne. Escalade-la... »

Wood se joignit à un groupe de Tlingits Hoonah, partis chasser la chèvre sauvage dans ce qu'il appela les Alpes de Fairweather [1]. Là, raconta-t-il,

> nous avons trouvé un ours qui, à ma connaissance, est particulier à ce pays. Sa fourrure est d'une belle couleur bleuâtre, et l'extrémité de ses longs poils d'un blanc argenté. Les pelletiers l'appellent « ours de saint Elias » [et] les peaux ne sont pas communes.

Il faut attendre presque vingt ans avant qu'il soit fait de nouveau mention d'un ours bleu. Lui aussi lieutenant de la marine en mission en Alaska, George Thornton Emmons partageait la passion de Wood pour les Tlingits et leur culture. Contrairement à Wood, sa carrière militaire fut entravée par sa mauvaise santé et par son attitude critique envers l'autorité. Après quelques années peu productives, la Marine décida de le mettre en disponibilité pour le détacher auprès du Muséum américain d'histoire naturelle en qualité de collectionneur et observateur ethnographique.

Acquéreur frénétique, Emmons glana des cargaisons entières d'objets artisanaux et artistiques chez les Tlingits, les Tsimshians et les Haidas. Il sillonnait sans cesse la région à la recherche de couvre-chefs en cèdre sculpté, de couvertures chilkates, d'articles de la vie quotidienne et même de pirogues de guerre entières. Au cours de ses voyages, il prit des notes abondantes sur les méthodes de chasse et de pêche des indigènes et sur la manière dont étaient utilisés les différents morceaux des animaux.

Dans son *Journal de la faune* de 1896, Emmons nota la présence dans la région de ce qui était apparemment une nouvelle sous-espèce d'ours, appelé *klateutardy tseek*, ou « ours noir neigeux », par les Tlingits, qui voyaient en lui le résultat d'un croisement entre l'ours noir commun et une chèvre des neiges. Emmons fut si ébloui par la splendeur argentée de l'animal qu'il lui donna son nom, et pendant

1. Littéralement, les Alpes du beau temps. (*N.d.T.*)

des dizaines d'années l'ours des glaciers fut classé comme *Ursus americanus emmonsii.*

Ensuite la piste se refroidit considérablement. Dans une lettre de 1898, un prospecteur racontait qu'il avait échappé à la famine sur la côte orientale en tuant un « ours des neiges » ; puis pendant plus de soixante ans l'ours bleu ne donna plus signe de vie. Si deux adultes et un ourson furent « recueillis » pour être exposés au Muséum d'histoire naturelle de Denver, personne ne semble savoir quand, où, et par qui.

En 1972 un ours bleu commença à apparaître régulièrement près des habitations de la base de gardes-côtes de Yakutat. Comme il ne semblait pas avoir très peur des humains et que la saison de la chasse approchait, Jim Jensen Sr., technicien de la base, et sa femme Roxane, inquiets de sa sécurité, passèrent une série de coups de téléphone qui mirent en branle une vaste opération pour sauver cet animal rare. Lorsqu'il fut finalement capturé et expédié au zoo de San Diego, dans une grotte construite exprès pour lui, l'« Opération Ours Bleu » avait mis à contribution la marine, les gardes-côtes américains, les forces aériennes de la garde nationale, l'administration fédérale de l'Aviation, le département de la Pêche et de la Chasse de l'Alaska, outre de nombreux habitants de Yakutat.

Beth avait eu raison de me dire au Triangle Bar que Yakutat était le centre de l'univers de l'ours bleu. Sur ma carte, Yakutat était jalonnée de cercles de rumeurs, et c'était le seul endroit avec un bouquet d'étoiles à cinq branches.

Il s'agissait néanmoins d'un tableau partiel, parce que l'unique initiative officielle jamais entreprise pour recenser la population d'ours des glaciers dans tout son habitat côtier s'était limitée aux alentours de Yakutat au milieu des années soixante-dix. Bob Wood et Dave Johnson, biologistes du département de la Pêche et de la Chasse, quadrillèrent la région pendant plusieurs jours à bord d'un petit avion de tourisme volant à basse altitude, en notant le nombre d'ours qu'ils apercevaient. Lorsque j'interrogeai le zoologiste Bruce Denniford à propos de cet inventaire, il me répondit que Wood et Johnson avaient « vu une centaine d'ours, quelque chose comme ça, dont un seul ours des glaciers ». L'étude, souligna-t-il, n'était pas très scientifique à cause de la livrée de l'ours bleu. « Un ours noir se distingue très bien, tandis que l'ours des glaciers est si bien camouflé dans cet environnement qu'il peut être pratiquement impossible à voir. »

Il se peut, en outre, que Wood et Johnson aient compté plusieurs fois certains ours noirs, vus à des endroits et à des moments différents, et il est possible aussi qu'ils n'aient pas aperçu un ou plusieurs ours des glaciers. Quoi qu'il en soit, ce sont les seuls éléments dont on dispose et, par extrapolation, la population d'ours des glaciers fut estimée à une centaine d'individus sur les quelque huit cents kilomètres de son habitat supposé. Et Bruce, qui travaille depuis des années dans la région de Yakutat, me précisa en passant qu'il n'avait jamais vu un ours des glaciers dans la nature, alors qu'il apercevait souvent des ours noirs et des grizzlys lorsqu'il effectuait d'avion ses recensements de chèvres des neiges.

Eh bien, me dis-je, si même les zoologistes professionnels ont du mal à trouver un ours des glaciers dans la zone où ils sont censés être les plus nombreux...

Yakutat n'en représentait pas moins le meilleur espoir de trouver un ours bleu, bien qu'y monter une expédition fût d'un coût prohibitif, avec des chances de succès effroyablement faibles. Je pliai la carte semée de cercles et d'étoiles, la glissai sous le matelas de la couchette supérieure, et me remis à préparer les voyages du printemps.

La chance ne cesse de courir le monde, arrangeant l'improbable, organisant l'impossible et réalisant les chimères. Michio me téléphona en mars ; la terre nue était en train de dégeler ; les jours rallongeaient rapidement, mais les pentes au-dessus de Juneau étaient encore recouvertes d'un épais manteau de neige.

Michio participait de nouveau au tournage d'un film sur l'Alaska, cette fois pour NHK, la télévision publique japonaise. « La glace enrichit l'Alaska », tel était le thème bizarre du projet, et Shin-ichi Murata, le producteur, avait l'intention de suivre l'avancée du printemps vers le nord.

« Pouvez-vous vous rendre à Yakutat en avril ? demanda Michio. Nous allons au fjord Russell filmer le glacier. Vous venez avec nous ? »

Je savais de quel glacier il parlait. Le glacier Hubbard est l'un des plus grands glaciers côtiers du monde et certainement le plus actif. Il descend des champs de glace qui entourent le mont Hubbard, 4 666 mètres d'altitude, et se déverse dans le fond de la baie de Yakutat, là où celle-ci se rétrécit pour faire un coude brusque vers le sud et devenir le fjord Russell.

Le glacier Hubbard a créé un événement géologique en 1986, lorsqu'il s'est brusquement avancé de deux kilomètres en quelques jours, pour barrer la baie et former un énorme lac. Pendant quatre mois l'eau derrière le barrage de glace ne cessa de monter, inondant et noyant la maigre forêt qui s'accroche aux pentes escarpées du fjord. Sous l'énorme pression, le barrage finit par se rompre, libérant une gigantesque déferlante, sans doute l'une des plus violentes qu'ait connues l'Amérique du Nord depuis mille ans. Le grondement s'entendit à quarante kilomètres de là, et un photographe qui se trouvait sur une crête proche raconta que le sol trembla si fort sous ses pieds qu'il lui fut presque impossible de prendre une photo nette.

« C'est le pays de l'ours des glaciers, Michio », expliquai-je, avec un sourire. Et je lui racontai tout ce que j'avais appris.

5

LE FJORD RUSSELL

Le vol 61 des Alaska Airlines décolla de Juneau et grimpa cap à l'ouest pendant un quart d'heure avant de virer lentement vers le nord au-dessus de la baie du Glacier. De huit mille deux cents mètres d'altitude les eaux du golfe avaient la douceur lisse de la soie bleue et les champs de glace de la chaîne de Fairweather ressemblaient à des mers intérieures gelées. Quarante minutes plus tard nous descendions vers Yakutat, et tandis que le train d'atterrissage sortait en sifflant et en grinçant je me tournai vers le nord-est pour admirer les cinq mille quatre cent quatre-vingt-dix mètres du mont Saint-Elias. Quand je détournai le regard, l'éblouissement de ses flancs argentés flamboyait encore dans mes yeux. Si la côte flirtait avec le printemps, l'hiver étreignait toujours fermement l'intérieur.

J'étais paré. Dans la soute du jet, mon sac contenait une épaisse parka capitonnée de duvet d'oie, trois paires de caleçons longs en polypropylène, des pantalons et une veste en velours, deux chemises en laine, un bonnet en velours de nylon avec des oreillettes qui se nouaient sous le menton, des pantalons imperméables et plusieurs paires de grosses chaussettes. Dans un autre sac de marin j'avais rangé mes brodequins, une corde d'escalade, un piolet et un assortiment de pitons et de grappins.

Un sac étanche en néoprène, comme celui qu'utilisent les kayakistes pour tenir leur matériel et leurs vêtements au sec, abritait mon équipement de survie. Celui-ci se composait d'une radio de marine portable à batterie, d'allumettes suédoises, de trois boîtes de film en plastique remplies de vaseline et de coton [1], d'une bougie à combustion lente, d'une lampe torche, de cubes de bouillon déshydraté, d'une demi-douzaine de barres de chocolat, d'un pistolet calibre douze tirant des fusées éclairantes à parachute et des fumigènes, et d'un rouleau de fil de fer tressé pour fabriquer des collets. J'y avais joint un assortiment de lignes et de cuillers, mais je n'ai jamais été un pêcheur très qualifié et je serais sérieusement en difficulté si ma survie ou celle de mes clients devait jamais dépendre de mes capacités à berner les truites.

Le sac de survie était emballé dans une grande couverture de film métallique qui conserve la chaleur et bourré dans un coffre étanche fabriqué à partir d'une caissette de munitions de calibre 12,7 mm achetée dans un surplus de l'armée. Une grosse trousse de secours était posée sur le dessus et le couvercle du caisson était fermé par des pinces et ficelé de telle sorte qu'il soit hermétiquement scellé et insubmersible. J'avais expédié la veille à Yakutat un canot gonflable Zodiac de cinq mètres et un moteur hors-bord de quinze chevaux, parce que l'endroit où nous allions n'était accessible que par hydravion et bateau. Si le Zodiac devait chavirer je voulais être sûr que la caisse de survie flotterait jusqu'à la côte.

Dans le sac contenant le plancher et l'armature du canot, j'avais glissé une combinaison de sauvetage orange vif, parfaitement étanche et permettant à un homme pesant jusqu'à quatre-vingt-dix kilos de surnager. La combinaison flottante accroissait les chances de survivre à l'immersion dans les eaux glacées d'un fjord glaciaire. La mort par hypothermie survient en moins de vingt minutes ; avec la combinaison je pouvais espérer tenir une heure, peut-être plus [2].

1. Le coton imprégné de vaseline est un bon allume-feu, très efficace par temps humide.

2. Je n'avais qu'une seule combinaison de survie et j'avais la ferme intention de m'en servir, non parce que je jugeais ma préservation plus importante que celle des autres, mais parce que atteindre la côte vivant n'est qu'une partie du combat. Après vient la longue et dure épreuve de

Dans le sac d'armatures se trouvait également une trousse à outils de mécanicien et une paire d'avirons de secours, au cas où le moteur hors-bord nous lâcherait loin de notre campement. J'avais plastifié une carte topographique de la région avant de faire mes bagages et l'avais glissée dans mon sac à dos, en compagnie d'une boussole, d'un annuaire des marées et d'une flasque d'acier remplie d'eau-de-vie. La dernière chose que je fis avant de partir pour l'aéroport fut de nettoyer et de huiler le fusil Remington 7 mm magnum que j'emporte parfois au pays des ours, et que je rangeai avec une poignée de cartouches dans un étui étanche en plastique rigide.

Mon bagage à main se composait d'une mallette en aluminium et d'un sac en plastique contenant une douzaine de rouleaux de film. À l'intérieur était rangé un appareil photo dans un rembourrage de mousse – un boîtier et plusieurs objectifs – de la marque préférée de Michio. Si cet appareil, que j'avais emprunté, avait quelques années de plus que le matériel de mon ami japonais, il était considérablement plus moderne que l'antique engin aux objectifs à vis que je m'étais mis à trimbaler depuis notre premier voyage ensemble.

Dans l'espoir de recevoir une nouvelle leçon de Michio

---

rester en vie dans un froid extrême et loin de tout, sans abri, vêtements secs ni nourriture. Dans un endroit comme le fjord Russell en avril, on risque d'attendre très longtemps l'arrivée de secours en cas de problèmes. Je dispose d'une partie du savoir, des techniques et de l'expérience qui permettent d'espérer survivre dans des conditions aussi défavorables, mais je ne peux compter que mes clients soient ainsi rôdés.

Tout cela peut paraître très exagéré et égoïste, mais si un accident devait arriver, ma propre survie donnerait de bien meilleures chances à tous les membres de l'expédition. La pratique m'a enseigné qu'un bon guide devait avant tout être prévoyant : envisager soigneusement les conditions et les situations possibles, s'attendre à l'inattendu, anticiper les pires catastrophes et prendre les décisions conservatoires assurant que tout le monde s'en tirera sain et sauf. Permettre aux gens de prendre de magnifiques photos ou de vivre de grandes expériences de la nature est secondaire. Aucune photo, aucun film ne vaut la vie d'un homme.

(et peut-être même de photographier un ours des glaciers) j'avais sauté sur l'offre d'un ami de me prêter son matériel, et avais passé toute une soirée à nettoyer les objectifs et à lire le mode d'emploi. Tout en me livrant patiemment à la tâche délicate consistant à remplacer la minuscule pile du posemètre sous une trappe dissimulée derrière un miroir à ressort à l'intérieur du boîtier, je m'étais imaginé le plaisir amusé de Michio en voyant que j'avais imité son choix.

Michio et les autres devaient me rejoindre un peu plus tard. Ils venaient du nord, d'Anchorage, via Cordova. Michio apporterait les vivres – il était, cette fois encore, le cuisinier de l'expédition –, ainsi que les sacs de couchage et le matériel de camping du reste de l'équipe. Il s'était également muni pour nous deux d'une tente pouvant résister à des pluies torrentielles et à des vents de cent soixante kilomètres à l'heure, le temps qui règne généralement à Yakutat jouissant d'une réputation détestable et par trop méritée.

À l'aéroport, je descendis dans un chalet accueillant les pêcheurs qui viennent au printemps se mesurer aux exceptionnelles truites arc-en-ciel des torrents voisins. Les premières vagues de poissons ne tarderaient pas à remonter de la mer, suivies de près par des hordes de pêcheurs, mais pour le moment le chalet était pratiquement vide et je pus faire mon choix parmi les chambres, toutes avec le même plancher de contre-plaqué brut, trois étages de couchettes en bois, une forte odeur de tabac froid et de vieilles chaussettes. Je posai mon fusil, mon sac de marin et mon appareil photo sur une couchette, pris possession d'une autre en repliant le couvre-lit, et partis louer un véhicule avant de revenir attendre l'avion de Michio.

Le seul véhicule disponible était une fourgonnette ferraillante et poussiéreuse. Le ralenti se lançait dans des improvisations déconcertantes, l'embrayage avait la souplesse d'un ballon rempli d'eau, et il fallait claquer les portières à plusieurs reprises pour qu'elles acceptent de rester fermées, mais la camionnette était assez spacieuse pour le volumineux matériel de l'expédition. Peu m'importait, d'ailleurs, son état mécanique : les routes sont peu nombreuses à Yakutat. Il n'y a pratiquement nulle part où aller et les rares gens du cru sont tellement amicaux que si l'on tombe en panne il y a toutes les chances que le premier automobiliste s'arrête pour proposer son aide.

Il ne fut pas difficile de repérer Michio, Shin-ichi Murata et Kiyomi Shutto dans le petit groupe de passagers qui débarqua de l'avion cet après-midi-là. Michio sortit du hall d'arrivée en souriant. Il sautillait d'un pied sur l'autre, en regardant autour de lui, son habituel bonnet groenlandais en tricot vissé de guingois sur sa tête.

Michio posa la main sur mon épaule en me présentant, d'abord à Shin-ichi, le producteur, puis à Kiyomi, qui ne cessait de jeter des coups d'œil vers l'avion pour surveiller les bagagistes en train de décharger la soute. J'ai remarqué qu'aucun cameraman en voyage n'est à l'aise tant qu'il n'a pas récupéré son matériel intact. Il est généralement possible d'improviser une solution si le reste de l'équipement – valises, trépieds, chargeurs de batteries, et même sacs de couchage ou vivres – est égaré ou endommagé, mais si, pour une raison ou pour une autre, la caméra est inutilisable, c'en est terminé de l'expédition. Un large sourire s'épanouit sur son visage quand il aperçut enfin la précieuse sacoche.

Il fallut deux voyages pour transporter notre équipement jusqu'au chalet, où Michio et moi entreprîmes d'organiser le monceau de caisses et de valises tout en nous racontant où nous étions allés et ce que nous avions vu depuis l'automne précédent. Il avait passé quelque temps chez lui au Japon, puis s'était rendu dans l'Arctique où, depuis son campement, il avait observé des milliers de caribous en pleine migration ; j'avais conduit un petit bateau de la Jamaïque au Costa Rica, et j'étais ravi d'être de retour en Alaska après la chaleur étouffante du canal de Panama. Après avoir échangé nouvelles et anecdotes pendant une demi-heure, je décidai d'orienter la conversation vers le présent.

« Tu te sens en veine, Michio ? Tu crois qu'on va voir un ours des glaciers ? »

Il haussa les épaules avec un sourire. « Je vais t'apprendre un mot nouveau. »

Je pliai une serviette et la tassai dans un carton plein d'assiettes. « Quel mot ?

– *Tabun*. Ça veut dire " peut-être " en japonais. »

Dans le petit bureau de la Gulf Air, le patron et premier pilote traça un cercle du bout du doigt sur une carte aéronautique du fjord Russell épinglée au mur. « Personne n'y est encore allé cette année et la neige ne se presse vraiment pas de fondre. Il en reste encore plus d'un mètre à peu près partout. »

Mike Ivers avait les gestes vigoureux et amples d'un homme qui travaille de ses mains, et son air d'assurance proclamait qu'il avait l'habitude de prendre des décisions importantes. Il avait la réputation bien établie d'être l'un des meilleurs pilotes du sud-est de l'Alaska, et des milliers d'heures de vol lui avaient gravé dans le cerveau une connaissance encyclopédique du redoutable relief de la côte.

Il sortit un stylo de la poche de sa chemise beige et désigna un petit coin de la carte. Large de trois kilomètres en moyenne, le fjord Russell s'enfonce vers le sud depuis le glacier Hubbard sur quelque cinquante-cinq kilomètres. Un autre fjord, le Nunatak, y débouche de l'est à vingt kilomètres du glacier. C'est cette jonction qu'Ivers pointait de son stylo. « Il y a une plage ici, à l'embouchure de ce ruisseau. Tout dépend du niveau de l'eau, mais c'est le meilleur endroit pour vous déposer. »

Je regardai la carte de plus près, essayant de me représenter la configuration du terrain selon les courbes de niveau, puis je marquai l'emplacement sur ma propre carte. Michio se pencha pour voir, et traduisit les explications du pilote à Shin-ichi et Kiyomi. Sous le stylo de Mike, les courbes de niveau étaient légèrement écartées, et le fil bleu et sinueux du ruisseau indiquait une zone raisonnablement plane juste assez large pour qu'on y plante quelques tentes. Partout ailleurs, au bord du fjord, les lignes étaient si serrées qu'elles se fondaient en une promesse de falaises creusées par les glaciers.

« Tel que le fjord est orienté, poursuivit-il, c'est ce coin qui reçoit le plus de soleil », voulant dire que la neige devrait avoir suffisamment fondu à cette période de l'année pour permettre à un petit avion d'atterrir. Cela impliquerait également de traverser le fjord de part en part, trois kilomètres à bord d'un canot lourdement chargé, puis de remonter encore vingt kilomètres vers le nord pour atteindre le glacier, et de refaire le même parcours chaque soir pour regagner le campement.

Il nous faudrait aussi surveiller de très près les montagnes et le temps. Quand l'air dense et froid au-dessus d'un champ de glace commence à dévaler les pentes, peut se produire un phénomène qu'on appelle le vent *catabatique* : si la masse d'air en mouvement se heurte au venturi naturel d'une vallée ou d'un fjord aux parois escarpées, elle risque d'être comprimée et accélérée jusqu'à ce qu'elle explose en une violente bourrasque très localisée. On en a observé sur la côte qui dépassaient les deux cent quatre-vingt-dix kilomètres à l'heure, et ce phénomène n'est parfois annoncé que par quelques rubans de neige projetés dans la haute atmosphère depuis les sommets.

Par le truchement de Michio, Shin-ichi interrogea Mike sur la glace et le glacier : serait-il actif et en train de se disloquer ? trouverait-on des phoques sur les icebergs ? Mike accepterait-il d'emmener Michio et Kiyomi au-dessus du glacier pour qu'ils prennent des photos aériennes ?

Mike acquiesça de la tête. « Pas de problème, s'il fait beau. »

Le décollage était prévu pour le lendemain matin à sept heures. Il faudrait plusieurs navettes pour acheminer tout notre matériel jusqu'au fjord, et lorsque nous dresserions le camp le jour serait levé depuis des heures. J'aurais préféré partir plus tôt, mais Ivers devait également déposer un groupe d'alpinistes et il voulait pouvoir atterrir à skis sur la neige avant que le soleil ne l'ait amollie [1].

L'équipe de tournage serra la main du pilote et nous remontâmes dans la fourgonnette. Mais j'étais tellement occupé à passer mentalement en revue nos préparatifs (avions-nous assez d'essence pour le moteur hors-bord ? Les accumulateurs de la radio étaient-ils bien chargés ? À quelle heure était la marée basse le lendemain ?) que j'avais oublié de poser à Mike la question qui m'intéressait le plus. Je sautai de la voiture pour revenir en courant lui demander s'il avait jamais vu un ours des glaciers. Avions-nous une chance d'en apercevoir un pendant le vol ?

« Ouais, j'imagine qu'il y en a, répondit Ivers avec un haussement d'épaules. C'est difficile à dire, mais je crois en avoir vu un il y a deux ou trois ans dans le haut du fjord Nunatak. »

Je l'aurais bien interrogé davantage, mais ces pilotes de la brousse mènent une vie frénétique et Mike était pressé de regagner son avion. En retournant vers la camionnette et l'équipe de télé qui m'attendait, le mot *Nunatak* me résonnait dans la tête : c'était là que nous nous rendions. Nous allions camper à la jonction des fjords Russell et Nunatak.

Le lendemain matin, l'avion surchargé s'élança sur la piste, rebondit lourdement à plusieurs reprises sur le tarmac, puis parvint à s'arracher à la gravité pour se hisser dans le ciel. Ivers écarta le manche de sa poitrine, réduisit légèrement les gaz et chaussa ses lunettes de soleil. J'étais recroquevillé dans un fauteuil minuscule – à croire que c'était un avion de transport scolaire –, serrant un sac de marin contre

1. C'est un travail plein de risques et de dangers que celui de ces pilotes « de brousse ». Un sur cinq se tue dans les vingt premières années de sa carrière. Leur survie dépend de facteurs comme l'effet du soleil sur la neige, et même les meilleurs ne sont pas à l'abri de tragiques impondérables. Mike Ivers s'est tué peu après l'expédition de la NHK au fjord Russell, son avion ayant percuté une montagne par très mauvais temps.

ma poitrine, et mon appareil photo sur les genoux. Derrière ma tête, un mur épais de bagages menaçait de se libérer de ses attaches et de m'enterrer sous une avalanche de colis.

Je partais le premier avec le gros du matériel. Michio, Shin-ichi et Kiyomi prendraient le vol suivant. Dans ce genre d'expéditions, on commence toujours par acheminer autant d'équipement que possible. Sur la côte des glaciers, le temps peut changer en un instant, et s'il arrivait qu'un orage soudain s'abatte en hurlant des montagnes ou que le brouillard s'amoncelle depuis la mer, il faudrait peut-être attendre des jours avant que Mike ne puisse atterrir avec les autres. Abandonner un homme avec assez de sacs de couchage, de tentes, de vivres et de matériel pour quatre était éminemment plus sensé que de laisser quatre personnes en plan sans de quoi survivre.

Mais aujourd'hui le ciel était sans nuages, d'un bleu dense, et la muraille parfaitement blanche des monts Saint-Elias se dressait devant moi. Tandis que le sol semblait s'affaisser sous la carlingue, en me penchant pour regarder par le hublot, j'aperçus l'énorme corps d'un élan dans un bosquet de saules au bout de la piste. Un étincelant reflet de soleil fulgura d'un lac au sud.

Les immeubles miniatures de Yakutat apparurent un instant, puis s'éploya une tapisserie grise et verte de marais herbeux et de forêts. Les montagnes se ruaient vers nous à une vitesse majestueuse et égale, et l'épaisse couverture de la forêt primitive au-dessous de nous déboucha sur la plaine luisante, immaculée, d'une vallée neigeuse s'ouvrant dans la cordillère.

L'aiguille de l'altimètre épousait l'effort du Cessna pour se hisser par-dessus un mur de granite droit devant nous. Une spirale d'angoisse se lova au creux de mon ventre et commença à se nouer à la vue de la falaise qui se précipitait à notre rencontre. Je me détournai pour regarder sur le côté, et vers le haut : une chèvre des neiges accrochée à un piton sculpté par le vent, surplombant un abîme sans fond, ne prêtait aucune attention à notre passage.

L'espace d'une seconde une montagne se renversa sur

notre côté, l'ombre de l'avion dansant sur les amoncellements de rocs acérés, puis plus rien. Nous avions bondi pardessus l'arête d'un escarpement, et la crête retomba derrière nous, nous laissant seuls dans un immense espace que seul emplissait le vent.

Droit devant, les mâchoires du glacier Hubbard hérissaient l'horizon, et le fjord Russell formait un miroir à ses pieds. Mike vira brusquement en plongeant sur la gauche, et désigna sous l'aile une ligne sinueuse de points qui coupait une pente couverte de neige. *Ours !* articula-t-il silencieusement sans tenter de couvrir le grondement du moteur, et il fit le geste de marcher avec deux doigts. C'étaient les traces d'un ours, sorti depuis peu de son antre hivernal.

Je tordis la tête pour étudier la direction des traces, puis me contorsionnai sur mon siège pour continuer à les suivre pendant que Mike redressait l'appareil. La piste descendait obliquement une pente à petits pas, faisait une boucle jusqu'à une vallée, puis filait droit vers le fjord Russell.

Mike renversa l'avion sur une aile et entama un cercle étroit au-dessus de l'embouchure d'un torrent. Il réduisit les gaz à l'extrême minimum pour examiner une langue d'alluvions, inclinée et en forme d'éventail, qui s'avançait de quelques mètres dans les eaux du fjord. Flanqué à droite et à gauche de champs de neige profonde, le banc de gravier n'avait pas l'air plus grand qu'un mouchoir. Je me demandai où il avait l'intention d'atterrir.

Plissant les yeux derrière ses lunettes de soleil, Mike se frotta l'arête du nez, et grommela quelque chose que le grondement du moteur m'empêcha d'entendre.

« Qu'est-ce que c'est que ce truc ? », criai-je, en désignant du menton la minuscule parcelle de graviers. Était-ce le reste d'un terrain d'atterrissage ? Les glaces de l'hiver ou une avalanche auraient-elles emporté la piste ?

Ivers haussa les épaules, remit l'avion à l'horizontale, et hurla pour se faire entendre : « J'aimerais que la marée soit un peu plus basse, je préférerais un peu plus de place pour me poser. »

On rentre, me dis-je, tandis que le Cessna reprenait de la vitesse, puis, le souffle coupé, je sentis brusquement le monde basculer sous mon siège, tandis que l'horizon tournoyait.

Ivers aligna l'avion sur l'axe de la « piste », poussa le manche devant lui et piqua vers le sol. « Une roue dans l'eau, cria-t-il en souriant. Ça va nous freiner. »

Avant que j'aie pu décider s'il plaisantait ou non, il y eut un grand choc, l'avion lourdement chargé heurta le sol avec une violente embardée, puis rebondit encore une fois. Gravier et galets crépitèrent sous les roues tandis que les mains de Mike s'agitaient frénétiquement, pompant furieusement le frein, torturant la manette des gaz, tout en s'efforçant de maîtriser le dérapage de l'appareil qui se ruait à folle allure vers un talus de neige droit devant nous. À la dernière seconde, il inversa les gaz et l'avion s'arrêta dans un tête-à-queue glissé. L'hélice toussa, cafouilla et s'étrangla quand il coupa le contact.

Sans perdre un instant, Ivers déboucla sa ceinture de sécurité, sauta du cockpit et commença à décharger sa cargaison. Poser un petit avion bourré à craquer sur une piste de fortune était pour lui simple routine. Pour ma part j'avais besoin de reprendre mon souffle, et il me fallut un moment avant de pouvoir desserrer l'étreinte de mes doigts sur le siège.

En quelques minutes, une petite montagne de paquets, de caisses et de sacs s'empila au bord de l'eau. Une crampe me poignarda le dos quand nous halâmes l'encombrant moteur hors-bord et le canot dégonflé de cinq mètres hors de la carlingue, et j'espérai que j'avais pensé à me munir d'aspirine.

Ivers lança un sac de couchage sur le haut de la pile et inspecta d'un coup d'œil l'intérieur de la carlingue. « Je crois qu'on n'a rien oublié. »

Je vérifiai l'étui de mon fusil, fis un rapide inventaire des vivres, de la tente, du réchaud et du reste du matériel, puis me tournai vers les montagnes. « On dirait que le temps va se maintenir jusqu'à ce que vous reveniez avec les autres. »

Le temps n'a rien d'un sujet de conversation gratuit en Alaska. Le pilote pinça les lèvres, considéra le ciel sans nuages et approuva : « Les prévisions sont bonnes. » Puis, comme s'il craignait qu'une telle assurance n'irrite les dieux de la météo, il corrigea : « Je ferais mieux de revenir aussi vite que possible. »

Mike s'installa dans son siège, me fit signe du pouce que tout allait bien et claqua la portière. Le moteur rugit et l'avion se tendit vers l'avant sous la montée des gaz, puis bondit quand il lâcha les freins. Je me baissai instinctivement devant le souffle de l'hélice, et me tournai de côté en me protégeant le visage de mes mains.

Le hurlement du moteur se réduisit à un miaulement tandis que le Cessna s'élevait, virait à l'ouest et disparaissait derrière les crêtes. Puis s'installa l'immense silence murmurant des vastes espaces vierges. Pas la moindre brise ne frissonnait entre les falaises du fjord et l'eau était du même bleu intense que le ciel. Des montagnes couronnées de neige s'élevaient tout autour de moi, scintillant et brûlant d'une lumière d'un blanc si pur qu'il était douloureux de les regarder, comme il est parfois douloureux de contempler une belle femme. Pareilles à des vagues déferlantes, des corniches sculptées par le vent étaient suspendues aux plus hautes arêtes ; de temps à autre, l'air bruissait du murmure d'avalanches lointaines, tandis que la chaleur qui me caressait si agréablement le visage et les mains desserrait l'étreinte d'un front de glace qui s'effondrait en cascadant dans les vallées à ses pieds.

Me rappelant ce que m'avait dit Ivers sur la possibilité d'apercevoir un ours des glaciers dans les parages, je sortis mes jumelles de mon sac et, assis en tailleur sur le sol, je commençai à examiner le fjord. Les allées et venues de la marée avaient dégagé une étroite bande de terre autour de la crique, mais au-dessus tout était encore couvert de neige. Les flancs de la montagne étaient sillonnés çà et là de traces sinueuses, qu'avaient peut-être laissées des ours se frayant un chemin dans la neige, mais elles étaient trop loin pour que j'en sois sûr.

Une heure plus tard, après avoir tant fouillé les alentours à la jumelle que mes yeux en étaient brouillés de larmes, je n'avais vu qu'un orignal tout efflanqué par le jeûne hivernal et quelques corneilles qui me réprimandaient d'un ton plein d'aigreur ; j'abandonnai mes recherches et rangeai les jumelles dans leur étui. Je m'apprêtais à transporter les bagages un peu plus loin, là où nous pourrions dresser le camp, lorsque le bourdonnement de l'avion qui revenait déchira le silence.

Michio et Shin-ichi descendirent tout sourire de l'appareil. Kiyomi avait l'air content lui aussi lorsqu'il apparut, serrant sa caméra contre sa poitrine. Le beau temps calme est idéal pour la photographie aérienne, et Ivers avait longé le front du glacier Hubbard pour leur en donner une vue intime, avant de monter en flèche et de s'enfoncer profondément dans les montagnes au-delà.

« Il nous a fait le *grand film*, dit Michio avec un large sourire.

– Tu veux dire le grand jeu, ripostai-je en riant. Tu as pris de bonnes photos ? repris-je en désignant l'appareil suspendu à son cou.

– J'espère, répondit Michio avec sa modestie coutumière.

– Regarde ce que j'ai trouvé », dis-je, en exhumant mon appareil photo d'emprunt du tas de bagages. Ouvrant la mallette d'aluminium d'un coup sec, je la soumis à l'inspection de Michio, m'attendant à voir son visage s'illuminer.

Au lieu de quoi, il jeta un bref coup d'œil à l'appareil, l'air perplexe.

« C'est la même marque que les tiens, précisai-je assez sottement. Je devrais ramener de bonnes images de ce voyage.

– L'appareil ne prend pas de bonnes photos », répliqua Michio en secouant emphatiquement la tête.

J'étais abasourdi. Le fabriquant était mondialement réputé pour la qualité de ses boîtiers et de ses objectifs à l'exceptionnel piqué. M'étais-je fait refiler le seul rossignol de la marque ?

Comme s'il lisait mes pensées, Michio fit le geste de tenir un appareil photo imaginaire pour expliquer : « Un appareil photo est juste... » Il hésita, cherchant le mot approprié. « Juste une boîte. »

Il me fallut un petit moment pour comprendre ce qu'il entendait par là. L'appareil photo n'était qu'un outil, comme un ciseau. Au photographe de sculpter une belle œuvre avec. Il voulait dire que le matériel le plus sophistiqué et les objectifs les plus coûteux ne feraient pas de moi un meilleur photographe. Il y aurait toujours une nouvelle série de boîtiers avec des téléobjectifs plus puissants et des moteurs plus rapides, mais si je n'apprenais pas à prendre de bonnes photos avec un appareil simple, le meilleur équipement du monde ne me permettrait que de faire de mauvaises images plus vite et de plus loin.

Les tentes s'épanouirent sans anicroche en dômes jaunes et gris avec l'aide de tous. Michio et Kiyomi s'affairèrent à installer le réchaud, déplier les sacs de couchage et disposer le matériel de cuisine, tandis que Shin-ichi et moi montions le canot pneumatique. Nous eûmes besoin de l'aide des deux autres pour le mettre à flot ; je m'avançai un peu trop et mes bottes en caoutchouc se remplirent d'eau glacée.

Mettre nos vivres à l'abri d'ours maraudeurs se révéla impossible [1]. Les rares arbres qui poussaient naguère au bord du fjord ont été recouverts par les eaux qui s'amoncelèrent derrière le glacier Hubbard quand il s'avança pour boucher le bras de mer quelques années auparavant. Bien que toujours debout, les troncs ont perdu leur écorce et

1. Je m'efforce toujours de ranger tout ce qui est comestible ou odorant – y compris le dentifrice, le savon, les crèmes pour les mains, et jusqu'à la bière – dans un sac étanche que je hisse dans un arbre, en l'escaladant ou en jetant une corde par-dessus une branche haute. Les ours noirs et les jeunes grizzlys sont de bons grimpeurs, mais il semblerait qu'ils lèvent rarement les yeux. Je ne me suis jamais fait dérober mes provisions par un ours.

sont devenus trop lisses pour qu'on les escalade, et les rares branches à portée d'un lancer de corde étaient trop pourries pour supporter le poids d'un sac. Il ne nous restait plus qu'à tout dissimuler à une centaine de mètres du camp, en espérant que, si un ours errant découvrait nos vivres lorsque nous serions sur le glacier, il nous en laisserait suffisamment jusqu'au retour de l'avion.

Je sortis ensuite la carte et une boussole, m'orientai et commençai à mettre au point un itinéraire vers notre objectif. Vingt kilomètres séparaient le campement du glacier, et je voulais éviter le plus possible d'être exposé à des vents catabatiques (ou *Williwaws*, comme les appellent de nombreux habitants de l'Alaska). Une petite pointe de terre à deux ou trois kilomètres au sud du front des glaces offrirait un abri sûr où laisser le canot. Plus près, notre bateau risquerait d'être endommagé ou détruit par un éventuel effondrement frontal du glacier.

Tous les glaciers côtiers précipitent dans la mer de façon plus ou moins continuelle de gros blocs de glace qui projettent d'énormes vagues. La glace tombe d'un côté de la face antérieure, puis d'un autre, le glacier descendant la pente à une vitesse variable au centre et sur les côtés. Bien que rare, l'écroulement du front tout entier se produit lorsque la pression provoque une instabilité générale suffisante. L'éboulement d'une portion même relativement petite d'un glacier aussi gigantesque que le Hubbard peut représenter plusieurs millions de tonnes de glace, qui propulsent une série de lames dévastatrices dans le fjord sur des distances considérables [1]. Remiser le Zodiac à plus d'un kilomètre du glacier – en le hâlant bien au-dessus de la

1. Je n'ai assisté qu'une seule fois dans ma vie à un effondrement de tout le front d'un glacier, mais le raz de marée, tout hérissé de blocs de glace tourbillonnants, qui se rua dans un fracas de tonnerre droit sur le *Wilderness Swift*, me donna la peur de ma vie. Je n'y survécus qu'en fonçant vers une zone sans glace à une centaine de mètres de là et en plaçant le bateau face à la vague juste à l'instant où celle-ci déferla sous la quille. Ce front ne faisait guère que huit cent mètres tandis que le Hubbard s'étend sur plus de huit kilomètres de largeur.

laisse de haute mer – nous donnerait une chance raisonnable de pouvoir regagner notre bivouac si un incident de ce genre se produisait.

Quatre personnes, une caméra, des appareils photo, des outils, une réserve de carburant et l'équipement de survie : le canot serait lourdement chargé et très lent. Nul doute que notre navette deviendrait interminable et inconfortable s'il se mettait à pleuvoir, à neiger ou à venter, mais elle offrirait à Michio et à moi l'occasion de scruter chaque jour une quarantaine de kilomètres de côte à la recherche d'un ours des glaciers.

Je pliai la carte dans le sens de la longueur, la lissai du tranchant de la main et regardai autour de moi où était passé mon ami. Depuis notre dernier voyage, il arborait une pipe au tuyau jaune et se promenait lentement le long de la plage à une centaine de mètres de là ; il se débattait avec une blague à tabac, un canif et une poignée d'allumettes, en s'efforçant désespérément de rallumer sa bouffarde. Comme je m'approchais, il renonça, se baissa pour tapoter le fourneau contre une pierre, et enfouit son matériel dans sa poche.

« T'es trop jeune pour fumer la pipe, Michio », plaisantai-je. Il commençait à se sentir vieux, m'avait-il déclaré la veille : son sac à dos semblait peser toujours plus lourd, alors même que les progrès techniques étaient censés alléger l'équipement.

L'air penaud, il posa la main sur sa poche. « C'est très utile dans l'Arctique, pour éloigner les moustiques. » Je savais qu'il travaillait depuis plusieurs années à un livre sur les caribous du Grand Nord, où l'on a pu estimer que les moustiques, en poids et en volume, excèdent toutes les autres formes de vie animale réunies. Au plus fort de la saison chaude, les moustiques sucent jusqu'à un litre de sang par jour aux caribous et aux orignaux, qui parfois deviennent fous et meurent d'épuisement à force de courir en tous sens dans un effort désespéré pour échapper à leurs persécuteurs. La vision de mon ami galopant dans la toundra en pompant frénétiquement sur une pipe pour tenter de repousser un nuage d'insectes vrombissants et assoiffés de sang était plus burlesque que réaliste, et je haussai les épaules, pour écarter un moustique absent. « Nous avons de la chance.

– Beaucoup de chance, approuva-t-il. Pour plein de raisons. »

Enfonçant les mains dans ses poches arrière, il considéra les montagnes. Un garrot à l'œil d'or qui nageait à l'embouchure du torrent poussa soudain un cri léger et plongea, tête la première, avec un mouvement si parfaitement fluide et arrondi qu'il disparut sans presque rider l'eau.

Dans un murmure, comme s'il partageait un secret, Michio ajouta : « Cet endroit est *spectaculaire.* »

J'attendis que le garrot ait reparu pour répondre.

Puis, peu à peu, et sans l'avoir vraiment prémédité, je commençai à lui raconter que j'avais rêvé autrefois de me bâtir une maison dans un endroit aussi beau et aussi écarté que celui-ci.

6

LA BAIE DE JOHNSTONE

L'Alaska a été la dernière région des États-Unis à offrir des terres sauvages à coloniser. Jusque dans le courant du XXe siècle la loi agraire de 1862, désormais abrogée, proposait aux colons soixante-cinq hectares, à condition qu'ils les défrichent, les labourent et y réalisent certaines « améliorations » obligatoires. Les territoires dont disposait l'État d'Alaska étaient souvent éloignés, inaccessibles et inhospitaliers, et les « améliorations » se bornaient souvent à construire une cabane ou à racler le sol pour le déverser dans un sluice [1] à la recherche d'or.

Si l'on superpose la carte de l'Alaska et celle à la même échelle des quarante-huit États contigus, elle s'étend d'une côte à l'autre. La partie la plus méridionale de l'Alaska atteint presque les plages de la Floride ; les plus orientales des îles Aléoutiennes débordent à gauche de Los Angeles. La chaîne de Brooks de part et d'autre de la pointe Barrow recouvre tout le territoire entre le Dakota du Nord et le Wisconsin, tandis qu'Anchorage et la péninsule de Kenaï se retrouvent quelque part en Oklahoma ou en Arkansas. On pouvait prétendre à des parcelles de terre sur toute la largeur et la longueur de cet immense morceau du globe.

La première fois où j'entrai dans le bureau du Domaine à Anchorage, j'avais dix-huit ans. La foule qui se bousculait

1. Rigole de planches assemblées, parcourue d'un courant d'eau, dans laquelle les chercheurs d'or jettent la terre aurifère. (*N.d.T.*)

au comptoir pour interroger les employés se composait largement de barbus durs à cuire en chemise de flanelle qui, comme moi, se prenaient pour des pionniers. Brandissant des cartes de visite, des géomètres aux tarifs prohibitifs démarchaient l'assistance, tandis qu'une poignée de traîne-misère, qui semblaient avoir fui en Alaska dans l'ultime espoir de se faire une place au soleil, s'interrogeaient devant des liasses de formulaires.

Il fallait arracher les informations une à une à un employé revêche et réticent qui ne consentait une réponse – un oui ou un non abrupt – qu'aux questions simples et directes. Un scandale éclaboussait le programme depuis des mois, des virtuoses du dollar facile ayant organisé toute une série d'arnaques revenant à se partager le domaine public pour leur propre enrichissement rapide ; et des rumeurs persistantes assuraient que l'État envisageait de mettre fin à cette initiative.

Craignant de perdre ma chance d'obtenir une part du gâteau, je m'attardai dans la ville des semaines durant, épluchant des tiroirs de relevés cadastraux et d'innombrables recueils d'archives microfilmées. Ma technique simple pour repérer l'endroit que je convoitais était de trouver la parcelle la plus éloignée de toute habitation ; j'avais l'idée que plus je m'éloignerais des hommes, plus je me rapprocherais du bonheur.

Je découvris ce que je cherchais sur le golfe de l'Alaska, où les cartes indiquaient une large échancrure de la côte à l'est de la péninsule de Kenaï et à l'ouest du Prince William Sound. La baie de Johnstone – terme bien ambitieux pour une vague concavité littorale – n'offrait aucun abri contre les tempêtes déchaînant des lames de douze mètres. Tapie au pied de montagnes si abruptes que les courbes de niveau de la carte topographique ne formaient qu'une seule ligne épaisse, la vallée était bordée au nord par un glacier dangereusement crevassé, dont les eaux de fonte ruisselaient dans un lac.

Personne n'avait songé à revendiquer la moindre parcelle de ce bout du monde. Les premiers voisins (un couple avec un jeune enfant) se trouvaient à plus de trente kilomètres, la route ou le téléphone le plus proche à soixante – distances impossibles par la terre, tant l'endroit était accidenté et couvert de glaces, et hasardeuses par une mer aussi irritable.

J'achetai deux dollars une carte d'état-major de la baie de Johnstone et l'épinglai au mur de ma chambre, convaincu d'avoir trouvé le plan du nirvana.

Trois jours avant mon dix-neuvième anniversaire (âge auquel j'aurais le droit de postuler à une concession), je payai au pilote d'un hydravion une somme exorbitante pour qu'il amerrisse au milieu des icebergs sur un lac glaciaire à l'extrémité nord de la vallée. Se frayant un chemin sinueux entre les blocs de glace flottante, le pilote échoua son appareil sur la plage et me débarqua avec une petite tente, un carton de conserves et d'aliments déshydratés, et assez de naïveté pour remplir un gros sac de marin.

J'étais accompagné de Niles G., Californien fraîchement débarqué qu'excitait la possibilité d'acquérir son propre lopin de terre. Partager l'affrètement de l'avion paraissait raisonnable et, malgré mon goût pour la vie érémitique, il était incontestablement réconfortant de savoir que je ne serais peut-être pas le seul être humain au milieu de deux cent cinquante kilomètres carrés.

Nous disposions de trois jours avant le retour prévu du pilote. J'explorai les rives, les plages et les torrents de la vallée tout au long des deux premiers jours, repérant les arbres qui pourraient servir à construire des cabanes en rondins et à quelle distance se trouvait l'eau potable, et Niles en fit autant de son côté. Au large, des baleines traçaient de leur souffle salé des points d'exclamation sur l'horizon. Mouettes et sternes, cochant le ciel bleu dur, tissaient des contrepoints aigus au rythme de la houle. Une demi-douzaine de loutres de mer qui se reposaient sur la grève se dispersèrent et se précipitèrent dans les flots à mon approche, sauf une – plus grosse et plus hardie que les autres – qui virevolta en sifflant sur le sable humide pour me faire face et me regarder droit dans les yeux.

Le matin de mon anniversaire, j'abattis un petit arbre,

l'ébranchai et l'équarris, puis le débitai en quatre piquets grossiers. À l'aide d'une corde et d'une boussole, je délimitai un rectangle de cent vingt mètres au nord et au sud et de cent cinquante mètres à l'est et à l'ouest. Du plat de la hache, j'enfonçai les piquets aiguisés dans le sol aux quatre coins, j'inscrivis mon nom et la date sur un bout de papier, que j'enveloppai de plastique et plaçai dans une boîte de conserve clouée au premier poteau.

Si je retournais au Domaine pour faire enregistrer l'emplacement des piquets dans le langage des angles et des méridiens, j'aurais gagné le droit de payer un géomètre certifié pour qu'il mesure la parcelle et me l'attribue. Là où un ruisseau clair s'incurvait autour d'une prairie piquée de dodécathéons et d'ancolies, à quelques encablures d'une large plage pommelée d'écume, orientée plein sud, deux hectares d'épicéas aux troncs replets et de creux tapissés de mousse m'appartiendraient.

C'était le seul jour de ma vie où j'aurais dix-neuf ans, et j'éprouvais une satisfaction aussi ferme que le choc de ma hache en enfonçant les piquets dans le sol. Je ne pouvais imaginer une vie meilleure que celle qu'offrait l'ermitage de la baie de Johnstone. J'allais bâtir une solide cabane d'arbres soigneusement choisis et je chasserais le cerf, l'ours et la chèvre dans les montagnes entourant la vallée. Je planterais un carré de pommes de terre et j'apprendrais à lire les traces de la marte, de la loutre et de la fouine au bord de la mer.

Un front nuageux à l'allure menaçante monta de l'horizon au sud-ouest pendant que je regagnais le bivouac. Des gouttes commencèrent à tomber quand je pliai la tente et dispersai les pierres de notre feu de camp. Un aigle perché sur un iceberg au milieu du lac me regarda avec un désintérêt marqué transporter mon équipement sur la plage et attendre le retour de l'hydravion.

L'averse redoubla jusqu'à ce que les montagnes et le glacier disparaissent derrière un épais rideau de pluie. L'avion ne venait pas, et le vent commençait à secouer de grosses gouttes des branches du sapin sous lequel je m'étais abrité. Seuls me parvenaient le sifflement de la bise dansant avec les arbres et le grondement occasionnel des glaces flottantes tandis que je tendais l'oreille, à l'affût d'un bruit de moteur.

Au crépuscule, l'avion n'était toujours pas là, et il nous fallut batailler dans l'obscurité pour remonter la tente, qui battait et ondulait follement sous les rafales. Je dormis mal, par intermittence, me tortillant autour des flaques d'eau qui s'infiltraient par le tapis de sol de la tente bon marché.

Toute la journée et toute la nuit du lendemain, il ne cessa de pleuvoir à torrents. La tempête sculptait et lacérait la mer en vagues noires qui s'abattaient sur la grève telles des montagnes d'eau.

Nous terminâmes nos provisions – porc et haricots froids mangés à même la boîte –, et je partis au hasard sous la pluie, mon fusil sous mon manteau, imaginant des cerfs à la lisière de la forêt ruisselante. Une loutre qui surgit du sous-bois devant moi me fit sursauter ; elle plongea dans l'herbe qui bordait un torrent et disparut en sifflant l'alarme : *tcheurk-tcheurk-tcheurk*. Puis le silence drapa la solitude autour de moi comme une brume. Je me sentais abandonné dans la nature sauvage, et j'adorais ça.

La tempête se disloqua pendant la nuit. L'aube se leva radieuse, la houle réduite à un murmure. Des escadrilles de juncos vrombissaient dans les branches hautes des jeunes épicéas tandis que j'étendais mon sac de couchage et ma tente pour qu'ils sèchent au soleil. Des phoques venus de la mer remontaient la rivière pour prendre des bains de soleil sur les plaques de glace au milieu du lac, viande que je dévorai d'un œil affamé.

L'avion surgit sans prévenir de derrière le promontoire à l'ouest de la plage. Un instant c'était le silence, souligné par les chocs et les craquements des icebergs qui se promenaient sur le lac, et l'instant suivant la stridence importune d'un moteur annonçait le retour du Cessna. Il arriva en rasant la mer, vira pour remonter la rivière, volant à la hauteur des cimes, ralentit et entama un cercle serré pour explorer attentivement la surface du lac.

Les jours et les nuits de tempête avaient écarté les icebergs de la rive, laissant un passage libre pour se poser.

Affolés, les phoques se précipitèrent à l'eau en voyant l'appareil piquer vers la surface pour s'arrêter à la hauteur de notre bivouac.

Dès que nous eûmes chargé nos bagages et que nous nous fûmes hissés à bord, l'hydravion parut repousser le lac sous ses ailes et nous grimpâmes dans l'œil rouge du couchant. Le pilote me tendit une barre chocolatée, en lança une autre à Niles à l'arrière, mit le cap sur le nord-ouest et, ramenant le manche sur sa poitrine, monta droit vers le ciel. En dessous de nous, les mâchoires brisées des montagnes et la langue du glacier rosissaient dans la lumière mourante.

Le front pressé contre la vitre, je regardai la terre s'estomper sous les ailes. L'odeur âcre de la fumée de bois imprégnait mes habits et le désir de revenir m'élança. Je brûlais d'avoir la satisfaction d'empiler les rondins alternés pour en façonner ma propre cabane, de remplir un fumoir de la chair rubis des saumons frais, et de laver mes mains de la terre d'un jardin.

J'avais le sentiment d'avoir de la chance pour la première fois de ma vie.

« Ça m'a tout l'air d'un merveilleux endroit, Lynn », commenta Michio, interrompant délicatement ma rêverie et me ramenant au fjord Russell. Shin-ichi et Kiyomi avaient fait un feu de bois flotté et une fumée pâle s'élevait en volutes parfumées.

Une casserole cliqueta. Shin-ichi leva la main vers nous et Michio acquiesça de la tête. Je me rendis alors compte que je parlais depuis au moins une heure, et probablement davantage.

Je saisis un bout de bois flotté gros comme le poignet et le brisai sur mon genou, puis en ramassai un autre. Michio m'imita, tirant sur une branche morte pour l'arracher du sable, et nous travaillâmes de la sorte jusqu'à en avoir chacun une bonne brassée.

« Et ta cabane, Lynn. Tu l'as construite ?

– Ouais, répondis-je, en haussant les épaules. Je l'ai construite. Mais c'était du temps perdu. » Ce n'était pas tout à fait vrai, mais je lui tournai le dos et fis quelques pas vers le camp pour signifier que le sujet était tabou. « Il faudrait vérifier l'annuaire des marées, ajoutai-je, et décider ce qu'on fera demain. » (À l'époque, je n'étais simplement pas prêt à en parler, et maintenant je regrette de ne pas avoir joué franc jeu.)

Michio m'emboîta le pas. Il fronçait les sourcils, surpris par mon abrupt changement de conversation. Je m'affairai à rééquilibrer et redistribuer ma brassée de bois pour éviter son regard interrogateur. Trop poli pour manifester davantage sa perplexité devant ma dérobade soudaine, il resta silencieux jusqu'à ce que nous ayons rejoint les autres.

Le repas terminé et la vaisselle rangée, les flammes avaient dévoré tout notre bois. Lorsque les premières étoiles commencèrent à apparaître, toutes pimpantes au-dessus de la crête des montagnes, j'attachai le canot pour la nuit, retournai vérifier la cachette des vivres et jetai une bâche sur le reste des bagages.

À l'intérieur de notre tente, Michio s'emmitoufla dans une épaisse parka de duvet, remonta son sac de couchage sur la poitrine et ferma les yeux. J'enfilai une paire de chaussettes sèches avant de me glisser dans mon sac, enfonçai un bonnet de laine jusque sur mes oreilles, et m'installai dans le silence de la nuit.

Michio roula sur le dos et murmura mon nom : « Lynn ? »

Un bref silence, puis il ajouta doucement : « L'appareil photo que tu as emprunté... Il est bien. J'avais exactement le même. »

Je poussai un grognement pour toute réponse.

7

MALASPINA ET LA BAIE DU DÉSENCHANTEMENT

Nous nous levâmes le lendemain matin devant un fjord encore drapé d'ombres bleues. Le ciel clair promettait une parfaite journée de printemps, mais sur le sol c'était encore l'hiver et notre haleine fumait tandis que nous nous habillions en hâte.

Michio enfila une veste pourpre, souffla sur ses mains pour les réchauffer et s'agenouilla devant le réchaud pour préparer le petit déjeuner. Pendant que Kiyomi et Shin-ichi construisaient un feu de petit bois, je chargeai le canot. Nous mangeâmes debout, serrés autour des flammes, en sirotant des gobelets de café jusqu'à ce qu'un croissant de soleil flamboyant jette un coup d'œil furtif au-dessus des montagnes et déploie nos ombres, longues et minces, sur le sol.

Le moteur hors-bord démarra après quelques tractions déterminées, gronda quand j'écartai le canot lourdement chargé de la grève, puis s'installa dans un bourdonnement régulier. Derrière nous notre sillage brisait l'eau calme en onduleux tessons bleus, laissant à la surface une dentelle d'écume blanche.

Le producteur et le cameraman étaient assis face à face en avant de moi, pareils à des haltérophiles dans les gilets de sauvetage que j'enjoins à tout le monde de porter. Michio remonta jusqu'au menton la fermeture à glissière de son manteau, releva la tête et regarda droit devant, telle une parodie d'explorateur déterminé du temps jadis : « *Ngan ngan iko !* En avant ! »

Je souris à part moi, me demandant comment cet homme affable, au regard doux, s'en serait tiré au milieu des premiers explorateurs européens et russes qui dressèrent la carte de cette côte.

Les *promichlenniki* russes qui affluèrent de l'ouest dans les années 1700 pour la ravager à la recherche de fourrures étaient des brutes sauvages et avides qui initièrent les aborigènes de l'Alaska au génocide. Mue par le seul souci de récolter la richesse phénoménale que représentaient les peaux de loutres de mer vendues à la Chine, une des expéditions du tsar contraignit trois cents Aléoutiens à traverser le golfe de plus de mille six cents kilomètres en *bidarka* (petit canot à deux places, similaire au kayak), jusqu'au sud-est de l'Alaska où les colonies de loutres étaient beaucoup plus nombreuses. Quand la totalité des chasseurs esclaves mourut d'avoir mangé des moules bleues toxiques [1], les Russes chargèrent les bidarkas à bord de leurs navires et retournèrent dans les Aléoutiennes pour capturer de nouveaux chasseurs.

Auprès des Russes, les Anglais qui embouquèrent la baie de Yakutat sous le commandement de George Dixon en 1787 étaient l'avant-garde des Lumières. Distribuant des présents et se livrant au commerce, les Britanniques ne firent rien de plus scandaleux que de coller des toponymes anglais sur tout le paysage comme autant de graffiti.

Quatre ans après Dixon, arriva Alessandro Malaspina, qui commandait deux corvettes espagnoles conçues et construites expressément pour effectuer des expéditions scientifiques approfondies. Armées seulement pour se défendre, la *Descubierta* et l'*Atrevida* emportaient de jeunes officiers triés sur le volet parmi l'élite de l'École navale de

1. Les moules et autres bivalves qui se nourrissent d'un dinoflagellate souvent associé à la « marée rouge » peuvent contenir une concentration mortelle d'une neurotoxine qui paralyse le sytème respiratoire et provoque la mort par asphyxie.

Cadix selon leur intérêt pour divers domaines scientifiques. Les marins, volontaires eux aussi, avaient été recrutés dans les provinces septentrionales de l'Espagne, dans l'idée qu'ils souffriraient moins du froid.

Malaspina commandait en personne un détachement topographique qui s'enfonça profondément dans la baie de Yakutat à la recherche du légendaire détroit d'Ainan [1]. Munis de quinze jours de vivres, les hommes de Malaspina, à bord de deux petites chaloupes, se frayèrent un chemin à la gaffe parmi des champs d'icebergs jusqu'à ce qu'ils soient arrêtés par une embâcle impénétrable à plusieurs kilomètres d'une île, à laquelle ils donnèrent le nom d'un civil de leur groupe, le naturaliste Tadeo Haenke. Après avoir observé une muraille de glace haute de plus d'une centaine de mètres dans les brumes par-delà l'île, Malaspina mit fin à l'exploration et baptisa la baie étranglée par les glaces *Desengaño*, déconvenue, désillusion. Par la suite, les cartographes anglais adoucirent l'amertume de Malaspina en *baie du Désenchantement*.

Le jour de juin 1791 où Malaspina décida d'interrompre sa recherche d'un passage commode vers l'Atlantique, le front du glacier Hubbard avançait beaucoup plus qu'aujourd'hui ; le fjord Russell était un bras mort, coupé de la mer comme en 1986, quelques années avant que je le visite avec Michio et les autres. On ignore combien de fois le glacier a ouvert et fermé le fjord Russell entre ces deux dates.

À la jonction des fjords Nunatak et Russell l'eau était encore lisse et calme, mouchetée çà et là de touches bleues par de légères risées. Tendant le cou pour fouiller les crêtes à la recherche de panaches de neige annonciateurs, je décidai que le calme se maintiendrait et mis le cap sur l'autre rive.

À un kilomètre et demi de la côte, le moteur toussa, ralentit au point de menacer de caler – puis tout aussi

1. Aussi baptisé détroit de Lorenzo Ferrer Maldonado, détroit de l'Amiral Bartolome Fonte et détroit de Juan de Fuca, ce passage mythique était connu des autres nations européennes sous le nom de Passage du Nord-Ouest.

soudainement, reprit sa vitesse de croisière. Je donnai quelques coups d'accélérateur pour l'emballer, puis vérifiai le filtre à air, m'assurai que le robinet du réservoir était ouvert, tripotai le filtre à essence et ne trouvai rien qui expliquât la soudaine crise d'épilepsie, sinon les imprévisibles démons infernaux qui semblent posséder tous les moteurs hors-bord de temps à autre.

Traverser en canot quelques kilomètres d'eaux relativement abritées n'a normalement rien d'un exploit ; mais les canots pneumatiques ne naviguent pas bien dans les meilleures conditions. Si le moteur hors-bord tombait en panne et que le vent commençât à souffler, j'aurais toutes les peines à conserver la moindre maîtrise de l'embarcation lourdement chargée. Si, malgré tous nos efforts, nous ne parvenions pas à gagner la côte, nous serions emportés à trente kilomètres vers le sud, vers le fond enneigé du fjord, ou à quinze kilomètres au nord, au milieu des icebergs et des courants violents au pied du glacier. Réjouissante alternative.

Je « touchai du bois » sur un aviron et ouvris les gaz. Pendant le reste de la traversée, je me concentrai pour mémoriser la ligne d'horizon ; si le brouillard envahissait la côte, être capable de reconnaître la vague silhouette d'un pic ou un autre trait distinctif du paysage m'aiderait à regagner le campement.

Le moteur hors-bord bourdonna d'un ton satisfait jusqu'à ce que nous ayons atteint le cap de l'Enchantement, crachota un instant, puis se remit à tourner normalement. Je virai au nord-ouest, soulagé de longer à nouveau la côte. Je sortis mon appareil photo, imaginant un ours bleu-gris scintiller au soleil sur un fond de neige, et, d'un signe de la tête, engageai Michio à m'imiter.

Une heure après, les appareils n'avaient pas quitté nos genoux quand nous touchâmes terre à la pointe de Marbre pour nous dégourdir les jambes. Arquant le dos pour soulager une crampe le long de la colonne, je désignai à Michio un doigt de marbre blanc qui dominait un coin de terre déneigé. Ralph Stockman Tarr, membre de l'expédition géologique américaine qui avait dressé la carte de la région en 1906, avait ainsi baptisé la pointe en raison du ruban de marbre qui court le long de la côte sur un kilomètre et demi.

Nous hissâmes le canot sur la grève à la limite des marées. Le soleil commençait à chauffer et de petits ruisseaux d'eau de fonte chantaient parmi les galets de la plage ; nous ouvrîmes nos parkas et ôtâmes nos gants pour travailler. J'enroulai l'amarre de proue autour d'un rocher gros comme un bloc moteur, laissant assez de mou pour que le canot puisse flotter sur une vague, et l'attachai solidement.

L'action combinée du soleil et de la marée avait sculpté la neige en un mur vertical d'un mètre vingt, dont les couches dénombrant les tourmentes de l'hiver évoquaient le lit stratifié d'une mer antique et pâle. Le long de l'étroit sentier entre la neige et la limite de la marée, des brins d'herbe vert tendre se tendaient vers les rayons tièdes.

Un mince écheveau de nuages hauts s'approchait depuis le sud, mais en marchant nous nous réchauffâmes et ne gardâmes que nos chemises. Je sentais se déplacer la masse encombrante de la mallette d'aluminium, et la douleur familière de porter un lourd sac à dos commença à me ronger la colonne vertébrale.

En arrivant au sommet d'une petite éminence, je fis signe à mes compagnons de s'arrêter. À cinquante mètres devant nous était venue mourir une avalanche de neige boueuse. Une langue de terrain sombre, labouré, à cinq cents mètres au-dessus de nos têtes, indiquait d'où le glissement était parti, et je voyais se dessiner des lignes de fracture bleues de part et d'autre de la zone effondrée, là où la masse de neige s'affaissait.

Dans mon sac, je transportais un paquet de cordes d'avalanche, filins de nylon rouge vif d'une trentaine de mètres. La méthode habituelle pour franchir une zone potentiellement active consiste à s'attacher une extrémité d'une corde autour de la taille et à traverser l'un après l'autre, en traînant le fil derrière soi. Si une coulée s'abat, assure la théorie, une partie de la ligne rouge demeurera à la surface, permettant aux survivants de repérer et de sortir la victime [1]. En l'occurrence, les cordes auraient été inutiles. Nous longions la côte, et une éventuelle avalanche nous eût aussitôt projetés dans le fjord. La masse invisible de neige au-dessus de nos têtes était un piège du Kushtaka, capable de faire disparaître quelqu'un en un instant.

Il n'y avait rien d'autre à faire qu'à traverser rapidement, un à un.

« Déboucle ton sac, Michio. » J'invitai d'un geste Kiyomi et Shin-ichi à faire de même. « Jette-le si tu dois courir. »

Je passai le premier, galopant sur la surface inégale du flot solidifié, un œil vers le haut et l'autre à mes pieds, les oreilles à l'affût d'un rugissement soudain. Les autres traversèrent sans se presser, sceptiques devant tant de hâte. Après tout, c'était une merveilleuse journée. L'air était d'une tiédeur sensuelle, sans un soupçon de brise, et un paysage extraordinaire s'étendait autour de nous – mais je pensais à une journée très semblable à celle-ci, vingt ans auparavant, où j'avais traversé avec un compagnon une coulée semblable sans incident : une muraille de troncs d'arbres brisés, de glace et de rocs s'était alors abattue sans avertissement du haut de la pente pour exploser dans la mer juste derrière nous.

Par-delà l'avalanche, le chemin était libre, en dehors d'une ou deux congères que nous escaladâmes à quatre pattes. Des icebergs gros comme des voitures parsemaient la grève, échoués par la marée, et là où le sentier bordait la glace, des brins d'herbe tendre piquaient une broderie verte à travers la paille gris-brun de l'année précédente. Pendant que Michio s'arrêtait pour prendre une ou deux photos, je cherchai des traces d'ours sur le sol.

Michio leva les yeux de son appareil, pour me demander d'un froncement de sourcils ce que j'avais trouvé. « Rien,

1. Depuis notre expédition au fjord Russell, les voyageurs s'aventurant dans l'arrière-pays préfèrent généralement remplacer les cordes d'avalanche par de petits émetteurs radio, dits « balises d'avalanche ».

répondis-je, un brin déçu. Je ne crois pas qu'il y ait âme qui vive par ici. »

Je n'étais pas étonné de trouver intacte l'herbe jeune. Les taches éparpillées de végétation nouvelle pouvaient à peine nourrir un mulot. Sinon, rien que de la neige. Tout ours affamé serait certainement poussé vers la côte, où l'influence adoucissante de la mer offrait une relative abondance de verdure.

Le glacier grommela et grogna à notre approche ; puis ce fut une lente et tonitruante cacophonie de coups de fusil, de timbales et de grondements de tonnerre. Des rangées de glaçons bouillonnants poussées par la marée sifflèrent et éclatèrent à notre passage. Après avoir escaladé une saillie de granite nu, nous laissâmes tomber nos sacs à terre et tombâmes à genoux, adoptant instinctivement une posture suppliante devant le spectacle de deux cent cinquante kilomètres carrés de glace se laissant glisser au flanc d'une montagne de quatre mille cinq cents mètres pour se jeter dans la mer.

La muraille effroyablement fissurée du glacier embrassait tout l'horizon et, comme nous regardions, une tour de glace haute comme un immeuble commença à vaciller, puis s'effondra et roula dans la baie, explosant dans un geyser d'embruns. Une colline d'eau surgit du chaos et déferla à travers le détroit, entraînant des icebergs et des paquets de glace brisée qu'elle projeta sur la grève dans un élan furieux, jusqu'au pied de notre perchoir.

J'examinai le terrain au-dessus de notre position, évaluant le temps qu'il faudrait à une vague engendrée par un important effondrement pour nous atteindre. De notre butte, le meilleur chemin pour gagner les hauteurs serait une arête rocheuse pareille à une lame rouillée qui s'élevait en oblique vers une crête. Sec et stable, le rocher offrirait une voie de retraite facile – si nous avions suffisamment de temps.

J'attendis qu'un autre bloc de glace saute du glacier pour chronométrer la ruée de la vague vers la plage. « Un peu plus d'une minute, dis-je à Michio, en lui montrant ma montre. On devrait avoir largement le temps. Et on courra plus vite si on a peur ! »

Nous nous tenions sur la côte orientale de la pointe Gilbert, large coin de rocher qui sépare le fjord Russell de la baie de Yakutat. Notre position stratégique sur l'épaulement de la colline nous permettait d'apercevoir au nord, par-delà le front du glacier Hubbard, la baie du Désenchantement de Malaspina. L'île que l'explorateur espagnol avait baptisée en l'honneur du naturaliste Tadeo Haenke se trouvait trop à l'ouest derrière la pointe pour être visible, mais il était possible que l'un des marins de l'*Atrevida* se soit aventuré aussi loin que notre belvédère.

Au cours de la cérémonie célébrant la prise de possession du nouveau territoire au nom du roi d'Espagne, un canonnier appelé Manuel Fernandez s'était éloigné et n'avait pas reparu. Il était pratiquement donné pour perdu, mais Malaspina, en chef scrupuleux, ordonna qu'on parte à sa recherche. L'équipe de secours se fraya un chemin à la rame et à la gaffe dans les blocs de glace jusqu'au-delà de l'île Haenke avant d'apercevoir une silhouette qui titubait vers elle sur la plage.

Fernandez était complètement épuisé. Il raconta qu'il avait pénétré si avant dans les terres recouvertes de glace qu'il avait retrouvé l'eau libre : elle « s'enfonçait entre les montagnes, pour disparaître en sinuant comme un serpent ». Il avait fait cela, assura-t-il, pour prouver sans l'ombre d'un doute que la baie bloquée par les glaces n'était pas le passage qu'ils cherchaient [1], et d'après sa description de la large voie navigable derrière le glacier, il semble probable qu'il se soit avancé jusqu'au fjord Russell, quelque part vers l'endroit où nous étions alors assis.

Kiyomi et Michio installèrent leurs lourds trépieds, les enfonçant fermement dans le sol. Michio choisit un téléobjectif, le monta sur son boîtier et s'assit. J'imitai le choix de Michio et commençai à prendre des photos,

---

1. En récompense de cet effort résolu, Fernandez fut promu vigie du grand-mât.

mitraillant à droite et à gauche jusqu'à ce que j'aie brûlé un rouleau de film entier. Je m'aperçus alors que Michio ne faisait rien : adossé à son sac, il regardait simplement le glacier déverser de pleins trains de glace et de moraine dans la baie.

« Quelque chose ne va pas, Michio ? » demandai-je.

Il secoua la tête et pointa du doigt : « J'attends celle-là », dit-il, en désignant une colonne de glace haute de soixante mètres.

Du haut en bas du glacier, des piliers de glace brisée avançaient inexorablement vers la mer, se pressant de l'avant comme des lemmings vers le précipice jusqu'à ce que soit venu leur tour de basculer lentement en une explosion de tonnerre. La colonne qu'avait choisie Michio était plus grande que les autres mais se dressait parfaitement verticale et solide ; elle ne montrait aucun signe de devoir succomber bientôt à la gravité.

Pourtant, expliqua-t-il, il l'avait choisie pour la manière dont les montagnes déployées à l'arrière-plan montraient « combien tout ça est *grand* ».

Je fis remarquer qu'elle n'avait pas l'air prête à tomber. « J'attendrai », répondit-il.

Il avait imaginé une photo qui suggérât la dimension du pays, et peu importait que cela prît dix minutes, une heure, ou toute la journée ; il ne se satisferait de rien de moins – certainement pas d'un tas d'instantanés pris au hasard et à la va-vite, comme ceux que je venais de faire. De temps à autre, il jetait un coup d'œil vers une barre de nuages légers qui passaient parfois devant le soleil. À chaque changement de lumière, il réglait à nouveau le temps de pose, toujours prêt pour l'inévitable moment où la colonne tomberait.

Pendant une trêve des éboulements, je fouillai le chenal à la jumelle. La marée battait son plein, et l'on eût dit que tous les flots du Pacifique s'efforçaient de se glisser dans l'étroite ouverture entre la pointe Gilbert et le glacier Hubbard. Le courant bouillonnait, s'éployait en lents tourbillons et bousculait le pack en dunes sinueuses. Se soulevant et se brisant, la glace déferla le long de la pointe avec le bruit d'un énorme carnivore broyant un tas d'os.

Michio me poussa du coude. Un couple de petits oiseaux jaunes couraient sur la plage, fonçant picorer le sable entre deux vagues. D'une esquive de toréador miniature, les minuscules oiseaux évitèrent un bloc de glace gros comme un réfrigérateur, surgi d'une déferlante, puis s'en approchèrent d'un battement d'aile pour saisir un petit bout de nourriture à sa base, avant de s'écarter avec un *tiit* léger, triomphant.

Il me désigna ensuite du menton un phoque qui nageait dans le maelström du courant. Avec force bonds et tortillements, l'animal bien capitonné se hissa sur une plaque de glace plate, où il s'installa la tête dressée, pour regarder, les yeux écarquillés, sa plate-forme se ruer dans la farandole. Il était frappant de voir à quel point le phoque était à l'aise dans son environnement chaotique ; il semblait presque jouer avec la glace qui se ruait vers lui.

Michio reprit sa garde, les yeux fixés sur la colonne. Shin-ichi et Kiyomi changèrent l'objectif de la caméra vidéo pour tourner un panoramique du glacier. Je me perdis dans les phoques et dans les oiseaux, émerveillé de l'aisance avec laquelle ils évoluaient dans les turbulences de leur vie.

Je me fais trop de souci, me dis-je. Toujours en train de me préparer à l'avalanche, à la tempête ou au raz de marée qui pourrait nous emporter.

J'observai Michio quelque temps, intrigué par son absorption totale, par la concentration avec laquelle il faisait son travail malgré les coulées de boue, les chutes de pierre et les avalanches autour de nous. Tout dans ce vaste décor hivernal paraissait tomber ou s'apprêter à tomber, comme si la gravité était plus puissante ici que dans les contrées plus domestiquées, mais sans apparemment le moindre effet sur sa détermination farouche à obtenir la meilleure photo.

Un *crac* aigu interrompit mes ruminations, suivi d'un coup de canon qui s'enfla en rugissement. La tour de Michio commença à pencher lentement vers l'avant, puis s'immobilisa un moment à un angle intenable, déversant une poussière de débris bleus et blancs de ses épaules.

À côté de moi, j'entendais des rafales de *tchi-tchi-tchi*, le moteur de Michio dévorant le film. Je me hâtai de cadrer la scène dans mon viseur, armant et mitraillant aussi vite que je le pouvais tandis que le mur fracturé s'effondrait. La colonne lança en tombant une bordée de rochers dans l'eau, puis fit jaillir une explosion d'écume blanche qui s'épanouit et s'éleva jusqu'à couvrir le front du glacier. Un grondement de tonnerre s'éleva du champ de glace, devint quelque chose de palpable et d'impétueux, puis roula à la surface du fjord, pour s'engouffrer dans les montagnes, ne laissant derrière lui qu'un sillage d'échos de plus en plus lointains.

Le long retour en canot se déroula sans anicroche, le moteur bourdonnant joyeusement dans la bonne humeur générale. Des ombres s'élevèrent du pied des montagnes pendant le voyage, pour se répandre dans les hautes vallées où elles s'accumulèrent en lacs d'eau noire. Quand nous atteignîmes le camp, je me guidais depuis quelque temps sur la silhouette des pics, et nos tentes ressemblaient à des rochers gris dans l'obscurité.

Après avoir mis le dîner à mijoter sur le réchaud, Michio fouilla dans un sac à dos, sortit un dossier bourré de papiers et entreprit d'en brasser le contenu à la lueur d'une lanterne. Reçus, lettres et – bizarrement – une poignée de cartes de Noël à bon marché se répandirent sur le sol.

« T'as vu ça, Lynn ? » demanda-t-il, en me tendant une page arrachée à un magazine.

Je dépliai la feuille et l'orientai vers la lanterne. C'était la publicité d'une agence de voyage, ou quelque chose de ce genre (je ne me souviens plus). Ce qui intéressait Michio, ce n'était évidemment pas le voyagiste ou ses services, mais la photo qui servait de fond à l'annonce. Un vaste champ de fleurs sauvages emplissait le premier plan ; au centre s'étendait un lac d'icebergs bleus ; à l'arrière-plan se dressait une chaîne de montagnes, légèrement floue, d'où un glacier descendait jusqu'au lac. Une composition rebattue – je voyais très bien un directeur artistique préparant la campagne publicitaire d'une société de croisières : « Ça exprime l'essence même de l'Alaska. » –, mais on pouvait aussi bien imaginer ce qu'un photographe comme Michio saurait tirer de ses éléments et de ses couleurs audacieux.

Le bonnet de Michio glissa quand il se pencha pour ramasser le fouillis de papiers à ses pieds. Il fourra de nouveau les cartes de Noël dans le dossier, parcourut une lettre, qu'il jeta au feu, puis ajusta sa coiffure. « Sais-tu où c'est ?

– C'est le lac Arlequin, je crois, répondis-je avec un geste vague de la main. Par là. Sur la côte au sud de Yakutat. »

À vol d'oiseau, le lac était probablement à moins de soixante kilomètres. On pouvait s'y rendre en voiture depuis Yakutat, par des pistes de rondins, mais à mon avis ce n'était pas un endroit où Michio aimerait vraiment aller ; la région autour du lac lui-même était incontestablement magnifique, mais l'exploitation industrielle du bois grignotait la côte de Yakutat depuis des années. Pas très loin de l'Alaska virginal promis par la photo, d'énormes étendues de forêt avaient été réduites à de gadouilleux champs de souches.

« Je veux prendre une photo comme ça, dit Michio. Les fleurs, la glace. Ça... m'*expire* !

– T'*inspire*, Michio. » Il accepta mon pédantisme de bonne grâce. « Si tu dis que les fleurs t'“expirent”, ça signifie à peu près qu'elles te *tuent*.

– Eh bien... » Les yeux de Michio pétillaient de l'effort pour contenir son rire. « Ce sont des fleurs *sauvages* ! Très *dangereuses* ! »

Il finit par exploser de rire et je me laissai gagner à mon tour, sentant son plaisir débridé et sa fierté innocente de ce jeu de mots délivrer mes épaules de l'ultime souci de la journée. Sans cesser de me désopiler, je pliai la photo et lui racontai le massacre de la forêt.

« Il doit y avoir d'autres endroits, ajoutai-je, comptant les lacs glaciaires sur mes doigts. Alsek, plus au sud, et un lac au cap Fairweather. Le lac de Bering, en amont de la rivière du Cuivre. » Je continuai jusqu'à ce que j'aie épuisé une main. Michio, attentif, m'en rappela un autre : « Et le lac près de ta cabane ? »

Je repliai les lacs que je tenais dans la main, renvoyai d'un coup de pied une escarbille dans le feu et biaisai : « Il faudrait que tu y ailles par avion », comme pour rendre le projet irréaliste, alors même que c'était le cas de tous les lacs que je venais d'évoquer. « Ce serait joliment cher pour une seule photo. »

Michio me regarda de côté, sentant une faille émotionnelle.

« D'ailleurs, je ne me rappelle plus vraiment à quoi ça ressemblait. C'était il y a longtemps.

– Ah, fit Michio, m'offrant une porte de sortie, peut-être qu'un jour on pourra aller voir les autres lacs. » La lumière de la lanterne faisait saillir ses traits et son visage était rond d'inquiétude. Ses yeux exprimaient l'empathie – pour quoi, il ne le savait pas, mais l'offrait néanmoins de bon cœur –, et je sentis les nœuds dans mes épaules se serrer de nouveau. Je n'étais pas retourné dans la baie de Johnstone depuis près de vingt ans.

Et je n'étais pas près d'y remettre les pieds.

*

Toutes les journées suivantes ressemblèrent beaucoup à la première. Chaque matin, un flot aveuglant de lumière blanche annonçait le lever du soleil, illuminait l'eau du reflet étincelant des montagnes, et déversait sa chaleur sur nos visages et sur nos mains. La chance – et le temps – était avec nous, et la longue traversée jusqu'au glacier s'effectuait sans heurt. Sur le glacier, l'éclairage était invariablement parfait, net et dramatique ou adouci par une couche de légers nuages d'altitude qui exaltaient les bleus de la glace, et Michio travaillait sans relâche, cadrant et modifiant ses réglages rouleau après rouleau. Remarquant que j'avais épuisé tous les miens, il me lança une demi-douzaine de boîtes de sa propre réserve, bien diminuée, interrompit mes remerciements d'un geste et me montra comment protéger les films exposés en les enfermant dans deux sacs en plastique, l'un dans l'autre.

Une fois nous dûmes franchir une petite coulée de neige fraîche qui avait dévalé le couloir de l'avalanche pendant que nous filmions le glacier, mais rien n'arriva près de nous, et au bout de quelques jours nous commencions à trouver normal et raisonnable de vivre sous la hache de la masse de neige fondante.

Un jour que les éboulements étaient moins nombreux que d'ordinaire, j'appuyai mes jumelles sur mon sac pour observer une tache minuscule qui se déplaçait lentement sur le flanc d'une montagne lointaine. Le paysage était si vaste, si totalement dépourvu de repères ou d'échelle, qu'il était difficile d'évaluer la taille de l'animal.

Trop sombre pour une chèvre, il progressait d'une allure massive, différente de celle, dégingandée et sauteuse, de l'orignal ; si c'était un loup ou un lynx, la relative largeur de ses pattes et son poids plus léger lui permettraient de courir à la surface de la neige tassée par le vent et il avancerait plus vite.

Et si c'était un ours des glaciers ?

J'inspirai à fond et retins mon souffle, laissant les jumelles flotter légèrement contre le bout de mes doigts pour que les battements de mon cœur ne les fassent pas bouger. La mouche semblait peiner, montant puis descendant la pente en lacets, et ses traces dessinaient une ligne irrégulière sur la page blanche de la neige.

« Ça pourrait être un glouton », grognai-je, repoussant mon désir de voir un ours argenté. La persévérance optimiste de la tache lointaine correspondait à ce que je savais du cousin le plus hargneux de la fouine, mais les chances de voir l'un ou l'autre animal étaient extrêmement minces : depuis un quart de siècle que je vivais en Alaska, je pouvais compter sur les doigts d'une seule main les carcajous que j'avais aperçus (et il m'en restait encore un pour un ours des glaciers). Mes espoirs d'avoir affaire à l'une ou l'autre de ces raretés s'effondrèrent en voyant l'animal s'arrêter, comme s'il comprenait la vanité de ses efforts, puis faire demi-tour et revenir sur ses pas d'un trot régulier, pour finir par disparaître derrière une arête.

Jour après jour, Michio et moi continuâmes à observer les plages et les champs de neige à la recherche d'un frémissement bleu ou argent, mais lorsque nous eûmes versé le dernier jerrican de carburant dans le réservoir du moteur hors-bord et que nous eûmes vidé et remisé l'avant-dernier sac de vivres, trouver un ours des glaciers commença à paraître improbable. Quand l'avion surgit dans le ciel clair de midi pour nous ramener à la civilisation, nous dûmes nous résigner à l'échec.

À l'aéroport de Yakutat je serrai la main à Shin-ichi et à Kiyomi, puis essayai ma courbette en guise d'au revoir. Michio et le cameraman prenaient un vol pour Anchorage, d'où ils ne seraient qu'à quelques sauts d'avion de l'Arctique ; je retournais vers le sud, à Juneau, pour préparer mes prochaines expéditions. Depuis que j'avais parlé à Michio de la baie de Johnstone, j'avais des bouffées de malaise, doublées désormais du dépaysement d'être brutalement transplanté d'un espace illimité plein de vent et de lumière dans un monde de bruit et de murs ; la douzaine de personnes qui déambulaient dans l'aérogare me parurent une foule intolérable, tandis que l'odeur des cigarettes et de l'encaustique me donnait envie de me ruer vers la porte en hurlant.

Lorsqu'un haut-parleur grésillant invita les passagers de son vol à embarquer, Michio jeta un petit sac sur son épaule et tendit la main avec aisance : « À la prochaine, Lynn-san. » Sa manière de retenir un long moment la main et le regard de la personne qu'il saluait me donna le sentiment qu'il écoutait – écoutait vraiment – une réponse muette.

« À la prochaine, Michio », répondis-je, en acquiesçant de la tête.

N'importe quel témoin de la scène n'y aurait probablement vu qu'un banal *sayonara*, mais pour moi il voulait évidemment dire que la prochaine fois nous trouverions l'ours bleu.

8

TSUNAMI

Je contournai soigneusement un filet maillant étendu sur le quai, écartant d'un geste les salutations des pêcheurs qui le réparaient. Je n'avais aucune intention de me montrer discourtois, mais le sac en plastique que je tenais à la main enfermait une affaire urgente, et j'étais pressé de regagner mon bateau. Après avoir vérifié ma signature sur la fiche de dépôt, l'employé du laboratoire m'avait tendu le sac de photos, en disant : « Vous devriez faire vérifier votre appareil. Vous avez un problème. »

Je fouillai dans un tas d'affaires entassées sur la couchette supérieure du *Wilderness Swift*, écartant la literie et un sac de vêtements pour exhumer ma petite table lumineuse portative. J'allumai le tube lumière du jour d'une main et ouvris la première boîte de diapositives de l'autre. Faisant glisser à petits coups un compte-fils à bon marché de son étui en similicuir, j'étalai une poignée de diapos sur la surface opaque de la table lumineuse, et jurai en portant la loupe à mes yeux.

Sur la première photo, quelque chose semblait avoir voilé la moitié inférieure de l'image quand j'avais appuyé sur le déclencheur. Même problème pour la deuxième et la troisième. Toutes étaient coupées net par un flou sombre, incompréhensible. Je pris deux boîtes au hasard, et en sortis quelques diapos que je disposai sur la table. Je répétai l'opération avec les quatrième, cinquième et sixième boîtes ; puis je déchirai le reste d'une main tremblante. Toutes les photos que j'avais prises au fjord Russell étaient fichues ; il ne me restait que des images inutilisables d'icebergs et de montagnes coupées en deux par un brouillard noir de film non exposé.

Un examen rapide de l'appareil emprunté me donna la clef du problème. Le principe de la photographie est d'exposer à la lumière un film placé derrière l'objectif. La plupart des appareils anciens et nombre de modèles automatiques modernes disposent d'un viseur au-dessus ou à côté de l'objectif, et l'image photographiée est parfois légèrement différente de celle vue dans le viseur. Les reflex récents corrigent ce défaut en plaçant entre l'objectif et le film un miroir oblique qui reflète l'image réelle dans le viseur au travers d'un prisme. Le miroir est synchronisé pour se lever au moment où le déclencheur est actionné, puis retombe en place après que le film a été impressionné, pour permettre de cadrer et de prendre la photo suivante.

En replaçant la batterie de la cellule derrière le miroir, j'avais oublié d'en verrouiller le minuscule couvercle, et chaque fois que le miroir se levait, le couvercle de la batterie sautait et occultait la moitié du film.

Je m'affaissai contre la cloison, envahi par un sentiment de déréliction qui depuis des années s'abattait sur moi de temps à autre pour me laisser anéanti et amer. Je parvenais généralement à le tenir à distance en m'occupant : en me jetant dans le travail, en lisant ou en allant marcher dans les bois, mais ce jour-là je restai longtemps, très longtemps, devant les débris de mes photos éparpillés sur la table.

Pour des raisons que je ne peux préciser, je ne cessais de penser à Michio que j'aurais tant voulu impressionner – peut-être pour le remercier de ses efforts délicats et constants afin de m'aider à comprendre la photographie. Je me rappelais aussi la description émerveillée que je lui avais faite de la baie de Johnstone, pour éluder ensuite ses questions quand il avait voulu en savoir davantage.

Et je me disais que, à la manière des photos ratées, partiellement exposées, je ne lui avais raconté que la moitié de l'histoire.

*

Kelly – je l'appellerai ainsi – était couronnée d'une masse turbulente de cheveux cuivrés qu'elle disciplinait en la tordant en un nœud inexplicablement stable au-dessus de la nuque – mystérieuse torsade qui défiait tout ce que je savais de la gravité en restant en place sans l'aide d'un bandeau, qu'elle fendît du petit bois à la hache ou qu'elle luttât avec l'un de ses cinq chiens. Il lui arrivait de porter de grandes lunettes ovales à monture rose, et quand elle réfléchissait, elle se mordait la lèvre inférieure, en regardant par terre. Elle était belle, à tous égards, mais cela n'a rien d'inhabituel. Ce que Kelly avait d'exceptionnel, en revanche, c'était sa complète indifférence envers sa propre apparence et une aptitude à considérer toute personne qu'elle rencontrait comme un ami de toujours.

C'est probablement ce qui lui coûta la vie.

Raconter cela n'est pas chose facile. La première fois que j'ai essayé, je n'ai pas dormi pendant deux jours et j'ai fini par rendre tripes et boyaux. Voici la première phrase que j'avais écrite :

Parfois je me réveille en espérant de tout mon cœur qu'existe un enfer intégriste où les âmes des méchants se boursouflent et se convulsent comme autant de bacon plongé dans une friture éternelle.

Élancée sans être menue, elle mesurait une bonne tête de moins que mon mètre quatre-vingt-huit, et était robuste pour sa taille. La première fois que nous nous étions rencontrés, elle portait dans ses bras une vieille meule à aiguiser. Le torse rejeté de guingois en arrière pour contrebalancer le poids de l'épais disque de pierre, elle se dandinait en marchant, le visage luisant sous l'effort.

Je remarquai qu'elle avait la mâchoire inférieure légèrement saillante quand elle appuya la meule en souriant contre l'aile de mon pick-up. Elle vivait, dit-elle, dans une cabane au bord d'un ruisseau au sud de la ville.

« Ou plutôt je squatte », ajouta-t-elle, en riant et en rougissant simultanément. C'était une minuscule baraque en planches, abandonnée par des bûcherons qui travaillaient dans la forêt pendant les années cinquante et soixante, près d'un estuaire à un peu plus de deux kilomètres de l'endroit où finissait la route. Occuper la cabane était théoriquement illégal puisqu'elle se trouvait sur le domaine de l'État, mais, comme elle disait, « ils n'ont jamais empêché les *bûcherons* d'y habiter ».

Il y avait un peu de méfiance dans ses paroles, si gentiment qu'elle fût exprimée, et j'eus l'impression que cette jeune femme à l'allure hippie était du genre à offrir une tasse de thé et un sourire à un bûcheron de passage, quitte à se planter ensuite devant sa tronçonneuse pour l'empêcher d'abattre un arbre.

Je ne me préoccupais guère de ces choses-là à l'époque, même si je me sentais mieux dans la forêt ou au bord de la mer. Sur la côte de l'Alaska, nombre de gens vivaient du bois – et de la pêche. Personnellement, je travaillais dans une conserverie de saumon pour rassembler de quoi financer mon prochain voyage à la baie de Johnstone, et je connaissais des tas de gens qui gagnaient leur vie en triant les planches sur les convoyeurs à la scierie locale, en conduisant des chariots élévateurs ou en abattant des arbres. La conserverie était l'antithèse de mes rêves – usine remplie de silhouettes vêtues de jaune, vouées à des tâches bruyantes, répétitives, dans une vapeur étouffante ; mais ce bâtiment de métal bleu perché sur la pointe de la baie de la Résurrection était littéralement l'endroit le plus proche de chez moi où je pouvais toucher cinq mirobolants dollars de l'heure. Et si je n'avais rien d'autre en commun avec les scieurs de long et les manutentionnaires de l'industrie du bois, nous partagions la fière misère d'avoir mal au dos et la bourse plate.

C'étaient les années soixante-dix, la grande époque du MLF, et je me méprenais tellement sur les intentions de ce mouvement que je me crus obligé de ne pas proposer à Kelly de l'aider à porter son fardeau. Mais une semaine après, je me retrouvais à l'entrée de sa vallée. Le chemin montueux m'avait mis un peu en nage, et, m'arrêtant pour me refroidir, je cueillis une poignée d'airelles, jetai les fruits acidulés dans ma bouche et léchai les taches pourpres sur mes doigts, tout en examinant la scène en contrebas.

Sa cabane se trouvait au pied d'un coteau escarpé. Un fouillis d'arbustes et d'herbes hautes s'efforçait désespérément de recouvrir les vestiges d'un ancien blanc-étoc sur le flanc boueux de la colline, mais le fond de la vallée était tapissé de mousse et jalonné de jeunes arbres. Épicéas et sapins ciguë se disputaient les rives de la Tonsina, qui coulait ondulante et claire sur un lit de galets polis. Là où le ruisseau se tordait en S avant de se déverser dans la baie, la marée basse avait découvert une couronne de bancs de gravier et de sable qui cernait un étang plein de saumons en train de frayer.

Un berger allemand à la tête carrée, enchaîné à la véranda, gonfla les joues et fit *wouf* à mon approche, puis se lança dans un ballet de bonds et de cercles quand Kelly ouvrit la porte.

« Il est sourd », sourit-elle, en frottant du poing le front du chien. Un autre berger, plus petit, apparut dans l'embrasure de la porte derrière elle, me sourit et se mit à quêter l'affection de Kelly à grands coups de nez dans sa main.

« Celui-ci, dit-elle, se mettant à califourchon sur son dos et lui empoignant une oreille dans chaque main, est borgne à cause d'un piquant de porc-épic. »

Elle m'accueillait comme si elle me connaissait depuis des années, et en moins de temps qu'il n'en fallut à la bouilloire pour siffler, elle me fit comprendre qu'il n'y avait pas place dans son univers pour le formalisme ou l'épate mondaine de simples connaissances. À la table de planches brutes devant une fenêtre qui donnait sur une prairie d'herbe drue, elle dirigea la conversation avec adresse, des menus ragots sur les voisins (le plus proche à deux kilomètres, et tous uniformément bons et dignes de confiance, à l'en croire) à nos histoires et à nos vies personnelles. Au fil d'une tasse, puis d'une autre, d'un thé odorant et épicé, sa foi en le monde et en les gens enveloppa avec autant de légèreté que de persévérance le cynisme de mes opinions, pour le dépouiller peu à peu. Libérés de ce poids, mes lourds brodequins de marche paraissaient étrangement légers, ailés, quand je pris congé ; et tout en repassant les courbes et les crêtes du chemin sinueux, je songeais au meilleur autocollant que j'aie lu sur un pare-chocs de voiture : MON DIEU, AIDE-MOI À ÊTRE LA PERSONNE QUE VOIT MON CHIEN –, et à la vitesse avec laquelle j'avais adopté les sentiments des chiens de Kelly.

« Elle rayonne, me dit quelqu'un par la suite, après chacune de tes visites. » Il ne m'était jamais venu à l'esprit que quelqu'un puisse être vraiment heureux de simplement me voir. Entre-temps, j'avais quitté la conserverie pour un morutier, et chaque fois que nous revenions des bancs de pêche, à l'approche du port je commençais à répéter mes excuses pour entreprendre la randonnée jusqu'à sa cabane.

L'hiver arriva, elle déménagea dans un chalet plus proche de la ville, et assis autour d'une lanterne je découvris à quel point il est facile pour deux personnes de former un cercle parfait si l'une d'elles est un cœur paisible et attentif. Pendant que nous parlions, elle travaillait parfois à l'un de ses passe-temps préférés : fabriquer des colliers et des boucles d'oreilles avec des perles et des objets de récupération. Elle m'apprit à couper les extrémités de piquants de porc-épic que je lui avais apportés, et à aplatir les minces tubes ivoire qu'elle enfilait et assemblait pour composer des motifs délicats.

Un soir, après un moment de silence pensif, je me rendis compte que chaque fois que j'étais avec elle j'éprouvais quelque chose de nouveau : une quiétude et une amitié complètes, intimes, sans nul besoin du cabotinage verbal et des menus bruits auxquels nous autres humains avons souvent recours pour rappeler à l'autre notre présence. Partager simplement un silence souligné par le léger claquement des perles contre ses aiguilles et par le sifflement de la lanterne suffisait. Le bien-être s'élevait, se lovait autour de moi comme les bras d'un fauteuil favori ou comme un sac de couchage par une nuit glaciale. Je ne disais rien. Je me laissais aller, en sirotant une gorgée de thé.

Le printemps revint, puis l'été, et par une journée plus chaude et plus poussiéreuse qu'il n'est habituel dans cette région de l'Alaska, nous escaladâmes à mi-pente la montagne derrière sa cabane, en suivant un ravin argileux jusqu'à la limite des arbres, puis une saillie sinueuse débouchant sur un coteau couvert de broussailles. Le plus jeune de sa meute, une chienne, galopait devant nous, nous attendant de temps à autre pour lécher la main de Kelly. Tout en grimpant nous bavardions de mille petits riens – le temps, le goût de la gelée d'airelles –, et lorsque la pente cédait de nouveau la place au terrain plat et la broussaille à la pierre nue, nous choisissions un rocher bas et étroit pour nous asseoir et boire tour à tour à une bouteille d'eau sortie d'un sac accroché à sa taille, et le soleil embrasait un feu de cuivre dans ses cheveux.

« Peux-tu verser ? » demanda-t-elle, se baissant pour offrir ses mains en coupe à la chienne.

Je versai, le chiot lapa l'eau, et elle s'essuya les mains à la jambe de son pantalon avant d'enfourcher le rocher, en s'abritant les yeux d'une main. En contrebas, le sillage d'un bateau de pêche cheminant plein sud vers le golfe fendait la baie dans sa longueur. Je me mis à califourchon moi aussi, et, dos à dos, nous bavardâmes un moment par-dessus l'épaule avant de nous taire pour écouter l'appel d'un corbeau dans le lointain.

Dans le silence qui suivit, elle inclina son dos vers le mien, et, lentement, timidement, je fis de même, jusqu'à ce que le contact devienne pression, et la pression équilibre – et nous nous abîmâmes dans l'harmonie. Une minute après, je sentis la houle de son souffle devenir lente et égale, et sa tête dodeliner tandis qu'elle glissait dans le sommeil.

Pendant cinq minutes, ou dix – je ne sais pas au juste –, je restai aussi immobile que possible, refusant de céder au besoin de me gratter ou de soulager mes os, tandis que la pierre sous mes fesses se faisait insupportablement dure, par crainte de la déranger, ou pire de troubler le sentiment qui commençait à germer en moi.

Nous sommes attirés vers les gens non tant pour ce qu'ils sont que pour ce qu'ils nous donnent l'impression d'être, et maintenant, plus d'un quart de siècle plus tard, alors qu'il m'arrive de ne plus pouvoir reconstituer le visage de Kelly ou le modelé exact de ses traits, et que je ne suis presque jamais capable de me souvenir du contenu précis de conversations ou d'épisodes, je me rappelle avec une grande clarté la confiance implicite dans ce contact dos à dos, et le sentiment exaltant d'être quelqu'un sur qui on pouvait compter et s'appuyer – et cela suffisait à me faire croire que j'étais amoureux.

Entre la conserverie et la pêche, mes économies grossissaient, mais pas assez vite à mon gré. Quand la saison de la morue s'acheva, j'unis mon destin à celui d'une compagnie internationale de transport aérien qui gagnait des fortunes à acheminer du matériel de guerre au Viêt-nam, échangeant mon peu de liberté pour un bulletin de salaire régulier. Au moment où les États-Unis commencèrent à réduire leur participation à cette sale guerre, j'avais un fourgon Volkswagen bleu et blanc bourré de matériel de construction et d'assez de conserves pour survivre plusieurs mois dans la nature sauvage.

Le moindre marin – c'est-à-dire quiconque avait l'expérience des petits bateaux dans le golfe de l'Alaska – aurait secoué la tête en voyant Niles et moi charrier une montagne d'équipement et de vivres jusqu'au quai et monter le tout à bord du voilier de dix mètres que j'avais persuadé de nous conduire à la baie de Johnstone. Le *Flying Squirrel* était un trimaran gréé en cotre, construit en contre-plaqué par son propriétaire, et je dus me baisser pour entrer dans la cabine. Là, impossible de me tenir autrement que courbé ni de bouger sans faire tomber quelque chose. Tout l'espace disponible était envahi par nos provisions, et le sol était jonché d'outils qui roulaient sous les pieds.

« C'est complètement dingue », dit Kelly, en nous regardant, les poings sur les hanches, entasser un surplus de matériel dans un petit canot pneumatique que nous avions décidé de prendre en remorque. Elle était navrée de nous voir partir, et j'avais le cœur serré de m'en aller, mais en même temps le sentiment que quelque chose de fondamental se déroulait nous enivrait.

C'était le 5 juillet, et il faisait chaud sous le ciel d'un bleu éclatant. Des feux d'artifice, restes des célébrations de la veille [1], crépitaient comme une fusillade dans le lointain. Alan, le propriétaire basané et barbu du *Squirrel*, agita une cigarette vers le petit moteur fixé à la poupe du trimaran : « Il va avoir du boulot. » Les trimarans sont des bolides légers conçus pour filer à ras de l'eau. Avec ce chargement, le bateau se comporterait comme une planche saturée d'eau, et le deux cylindres peinerait comme un cheval de trait rien que pour nous arracher au quai. Des gouttes de sueur ruisselaient de mon front sur mes lunettes tandis que je hissais un autre paquet sur la pile.

Quand le dernier objet fut embarqué et tous les nœuds vérifiés plutôt deux fois qu'une, Alan recula pour examiner la ligne de flottaison, puis sauta à bord et tira d'un coup sec sur le démarreur du moteur hors-bord. « Si on part maintenant, dit-il, on peut encore attraper le jusant. » Nous devions mouiller pour la nuit à vingt-cinq kilomètres de là, et il y avait juste assez de reflux pour nous donner un peu d'élan.

Je tendis à Kelly la clef de mon fourgon. Elle la glissa dans une poche, reniflant et feignant, les yeux rougis, de s'intéresser énormément à quelque chose dans le lointain, puis elle m'étreignit et enfouit la tête dans mon épaule. Une demi-heure après, un fourgon Volkswagen bleu et blanc quittait la route pour s'engager sur la plage, tandis que le *Flying Squirrel* cheminait vers l'embouchure de la baie. Les phares s'allumèrent une fois ; une main sortit de la fenêtre pour saluer. J'entrevis une chevelure rousse et levai en réponse mes deux mains serrées au-dessus de la tête.

Si j'avais regardé un peu mieux ou un peu plus long-

1. Independence Day, fête nationale américaine. (*N.d.T.*)

temps, j'aurais peut-être vu l'ombre du Kushtaka voltiger le long de la route derrière elle ou prendre forme dans l'un des cumulus qui bouillonnaient lentement au-dessus de l'horizon. Mais je regardai simplement le fourgon faire demi-tour et s'éloigner ; puis j'allai prendre mon quart.

Alan poussa la barre de côté et la maintint ainsi jusqu'à ce que le compas se fixe sur un cap nous permettant de doubler le cap de la Résurrection. Une petite houle du sud se brisait en un ralenti langoureux au pied de la falaise, et le voilier commença à rouler à son rythme. Un torrent d'oiseaux de mer se déversa du cap à notre approche et s'éleva en un tourbillon hurlant qui nous aspergea de fragments de plumes brisées. Un bruit assourdissant nous enveloppa, pareil aux hurlements d'une horde d'adolescents hystériques dans un concert de rock, sur fond de tonnerre, et j'abaissai mon chapeau pour me protéger des outrages des mouettes armées « jusqu'au bec » de guano frais.

Lorsque Nathaniel Portlock fit flotter le pavillon britannique sur la côte de l'Alaska en 1787, il baptisa la baie que nous quittions Port Andrews. Cinq ans après, une tempête malmena tant dans le golfe un navire de la Compagnie russo-américaine de pelleterie d'Alexandre Baranof que l'équipage commença à prier pour sa vie, et lorsque, grâce à la divine providence ou à une saute du vent, leur navire fut projeté à l'abri par l'étroite ouverture de la baie, les Russes exprimèrent leur émerveillement en baptisant cette dernière *Voskresenskaya Gavan* – Port de la Résurrection (ou du Dimanche) – et le nom lui resta, peut-être parce que les marins qui ont éprouvé les colères du golfe apprécient plus les vertus du salut miraculeux qu'ils ne se soucient d'Andrews [1].

1. Les marins de Baranof improvisèrent une scierie sur la côte de la baie de la Résurrection et construisirent un nouveau bateau de vingt-deux mètres de long sur sept mètres et demi de large. S'il était grossièrement fabriqué de planches mal rabotées et calfaté d'un mélange d'huile de baleine et d'ocre, le *Phoenix* fut le premier navire jamais construit sur la côte Pacifique de l'Amérique du Nord.

Entre la fin de septembre et le début d'avril une dépression semi-permanente dite aléoutienne s'établit dans le golfe d'Alaska, suscitant plus de systèmes météorologiques dépressionnaires qu'aucun autre endroit du monde : pendant l'hiver, le golfe connaît en moyenne une tempête tous les cinq jours, avec des lames qui peuvent atteindre plus de trente mètres de hauteur [1].

En mai, en revanche, l'anticyclone du Pacifique Nord remonte de son séjour hivernal près de Hawaii pour repousser la dépression aléoutienne et offrir au golfe un changement radical de personnalité qui rend juin, juillet et août relativement cléments.

Ce jour-là le golfe était tranquille. Tandis que le *Flying Squirrel* doublait le cap de la Résurrection, révélant la baie suivante à l'est, je cherchai des yeux le domaine de mes futurs plus proches voisins.

Les cabanes et les granges solides que John et Ginger Davidson avaient bâties dans la baie du Bois-Flotté se trouvaient à mi-chemin entre Seward et la baie de Johnstone. Tout aspirant colon en Alaska rêvait de devenir un nouveau John : celui-ci fabriquait ses propres outils – les façonnant à coups de marteau avec de la ferraille dans une forge de sa conception –, dont il se servait pour transformer les arbres en bâtiments. Ginger et lui élevaient quelques poulets, ainsi que des chèvres pour faire du fromage, mais c'était le fusil de John qui leur procurait l'essentiel de leur viande : otaries, chèvres des neiges et cerfs apparaissaient tous régulièrement sur la table des Davidson. Ginger incorporait des brouettes d'algues au sol d'un énorme jardin, où elle récoltait assez de légumes pour l'hiver, et s'occupait de leur fils unique, qui était précoce et connaissait le nom des oiseaux de mer à un

1. Une étude des lames géantes citée dans le magazine *Smithsonian* estime la hauteur théorique maximum des vagues dans le golfe de l'Alaska à soixante mètres. Ce chiffre effrayant est, bien entendu, complètement dément, et ne pourra jamais être vérifié ; personne ne pourrait être témoin d'un tel phénomène et y survivre.

âge où nombre d'enfants ont encore du mal à distinguer un chien d'une vache.

La mer remuait lentement sous la quille, tel un ventre au rythme de la respiration. Je mis mes mains en visière, me demandant si le voile pâle suspendu le long de la côte était la fumée de leur concession ou la brume qui s'élève des vagues déferlantes.

(Les Davidson disparurent deux ans plus tard, après avoir dû se rendre d'urgence en ville parce que leur fils s'était fracturé le col du fémur en tombant de la grange. Il faisait un temps infect lorsque je bavardai avec eux sur le quai après leur visite chez le médecin, et la météo annonçait un renforcement du vent. Ils étaient pressés de rentrer, me dirent-ils, parce qu'ils avaient laissé une amie seule chez eux et qu'ils ne voulaient pas être bloqués au port par la tempête. Ils n'atteignirent jamais la baie du Bois-Flotté. Malgré toutes nos recherches, on ne retrouva jamais aucune trace des Davidson ou de leur bateau.)

Un pétrel tempête voltigea près du trimaran et piqua, les ailes à demi repliées, tandis qu'un puffin fuligineux s'écartait de notre proue. Le soleil reflété par mes lunettes me blessait les yeux ; j'avais très envie de les ôter, mais sans elles le monde n'était qu'un grand flou. Il n'y avait rien à faire sinon froncer les yeux encore un peu plus et essayer de ne pas regarder directement les miroitements brûlants de la mer.

Quand apparut la masse blanche du glacier de la baie de Johnstone, Alan mit le cap sur la côte, et lorsque nous entendîmes soupirer le ressac, il jeta l'ancre. « Dix-huit mètres », dit-il en vérifiant le filin gradué, puis il laissa filer encore quelques brasses pour que le bateau puisse se balancer librement. J'inspirai à fond l'odeur résineuse de la forêt par-delà la grève et écoutai les galets s'entrechoquer dans les vagues.

Niles tira le canot pneumatique le long du voilier et en enroula l'amarre autour d'un étai. « On ferait mieux de partir à vide la première fois », dit-il, en commençant à le décharger d'une partie du matériel qui s'y entassait. Il faisait du surf en Californie et connaissait la puissance des vagues. « Elles sont capables de t'avaler », ajouta-t-il, en voyant une lame plus forte que les autres s'écraser sur la plage. Lorsque le fond remonte abruptement à l'approche du rivage, expliqua-t-il, la houle, même faible et sans danger, s'enfle en un mur d'eau qui déferle soudainement sur la grève, avant de se retirer en aspirant tout vers le large.

Alan sortit de la cale deux rouleaux de cordage. « Vous en laissez filer un entre le bateau et le canot, dit-il en se penchant pour tracer du doigt un croquis sur le pont. Et vous attacherez l'autre à la poupe du canot en touchant terre. » Il se servirait alors du premier filin pour hâler le canot, qu'il chargerait, ensuite Niles et moi tirerions sur le second pour ramener le canot à nous, et ainsi de suite – méthode beaucoup plus rapide et commode que de faire la navette à la rame.

Quand nous arrivâmes où les vagues commençaient à se briser, Niles fit pivoter le canot sur lui-même d'un coup d'aviron. Tandis que nous dérivions, nous sentant minuscules et vulnérables dans notre embarcation, nous regardâmes le dos des vagues s'élever et se jeter sur le sable. La houle qui semblait si insignifiante du pont du voilier nous apparaissait d'en bas comme une succession de collines en mouvement.

Niles croisa les rames sur ses genoux et, se tournant vers le large, chronométra les intervalles entre les vagues, attendant la bonne.

« On y va », dit-il, en plaçant d'un coup d'aviron l'arrière du canot face à la houle. Grimaçant, il lança les rames vers l'avant, le dos ployé, et tira de toutes ses forces pour attraper la vague suivante.

Le canot pneumatique n'avait rien d'une planche de surf et répondit mal aux avirons ; nous sûmes immédiatement que nous avions mal jugé la vitesse des lames. Je vis par-dessus l'épaule la gueule lisse et concave d'une vague se dresser au-dessus de ma tête et nous engloutir.

Le canot se dressa à la verticale, laissant choir Niles et me projetant dans le maelström. Le sel me brûla l'intérieur du nez, et le canot renversé me frappa le haut du crâne. Je fus jeté contre le fond, puis culbuté dans l'eau profonde. Une brève sensation d'apesanteur puis une nouvelle chute : la vague suivante me soulevait pour me lancer sur la grève.

Je me retrouvai soudain à quatre pattes dans l'eau peu profonde, tandis qu'une bouillie de sable était aspirée sous mes mains. Niles m'empoigna par un bras, me remit debout et me tira sur la plage, m'arrachant au puissant reflux, avant de courir rattraper le canot.

Je tremblais, transi et abasourdi. Du sable et des fragments de coquillage me râpèrent le cuir chevelu quand je passai mes doigts dans mes cheveux. Je me penchai en avant et me frottai les yeux. « Oh mon Dieu », gémis-je. Je n'étais pas seulement trempé et hirsute, j'étais aveugle !

La vague qui avait arraché mes lunettes, me précipitant dans un monde d'ombres informes, bouleversa tous mes projets et m'enseigna la leçon glacée et humide que la moindre négligence peut être fatale dans la nature sauvage. Lors de mes préparatifs, j'avais épluché des ouvrages sur les manières de lutter contre l'hypothermie ou de réduire les fractures, j'avais constitué une trousse de premiers secours, avec tout un assortiment d'éclisses et de pansements. Après avoir entendu John Davidson décrire comment il avait recousu l'entaille béante qu'il s'était faite à la cuisse avec une tronçonneuse, j'avais dérobé un flacon d'antibiotiques dans le placard de ma mère et acheté de quoi faire des sutures. Jamais je n'avais envisagé à quel point la perte de mes lunettes me laisserait démuni – et ma seule paire de rechange se trouvait dans mon fourgon.

Quand nous eûmes regagné le *Flying Squirrel*, Niles et moi convînmes qu'il était impossible de continuer. Je me recroquevillai dans un coin, inutile et aveugle, tandis qu'Alan levait l'ancre. Je restai assis les yeux fermés pendant le long voyage de retour vers notre mouillage.

Personne n'avait grand-chose à dire ce soir-là après que le bateau eut jeté l'ancre ; la crique était un miroir que ne venait pas rider la moindre brise, et tandis que nous soupions de ragoût tiède en boîte, il nous était difficile de croire qu'une mer aussi calme nous avait précipités cul par-dessus tête et anéanti nos projets.

Les vagues n'étaient pas si grosses, me dis-je en déroulant mon sac de couchage et en me glissant dedans. La prochaine fois, me promis-je, je serai mieux préparé.

Je ne savais pas alors que des vagues s'apprêtent parfois à balayer notre vie, si monstrueuses et si violentes qu'il est impossible – vraiment impossible – d'y être préparé.

*

Quelque chose ne va pas.

Le premier avertissement s'insinua au creux de mon estomac quand je me garai devant la cabane de Kelly et descendis du fourgon. Il y avait trop d'inquiétude dans l'aboiement des chiens, et leurs hurlements avaient un ton fiévreux, affamé, plus aigu d'une pleine octave que le jappement frénétique qui accueillait normalement les visiteurs.

Je frappai à la porte. « Kelly ? »

Le silence s'exhalait de la cabane. Alf, le chef sourd de la meute, poussa un geignement rauque qui s'enfla en plainte angoissée. Buff, le berger borgne, bondissait en rond au bout de sa laisse ; il heurta son écuelle d'eau, qui tourna comme une toupie. Je comptai rapidement les chiens – *trois, quatre, cinq* – et mon estomac se noua quand je vis que toutes les gamelles de pâtée et d'eau étaient vides.

Je frappai de nouveau et appelai d'une voix qui tremblait comme celle des chiens : « Kelly ? Où es-tu ? »

J'hésitai un instant, puis j'ouvris la porte et tendis la tête à l'intérieur. Le chalet sentait les cendres froides ; le bruit de ma respiration remplissait la pièce.

Il y avait un message d'un ami de passage sur la table, invitation à aller cueillir des airelles remontant à mon départ pour la baie de Johnstone, trois jours auparavant. Sur un second mot je reconnus l'écriture presque illisible d'un voisin venu lui rendre visite le lendemain, et qui était repassé plus tard pour ajouter ce post-scriptum au bas de la page : « Où es-tu ? Je suis inquiet ! »

Si j'essaie de reconstituer ce qui est arrivé ensuite, les heures et les jours suivants, les souvenirs me fuient, comme les ombres de poissons filant en tous sens dans un torrent. Je me souviens des bottes de Kelly, appuyées l'une contre l'autre à un angle ivre près de la porte ; je me rappelle une allumette dont elle se servait comme signet avant de poser soigneusement son livre par terre près du lit – la voir fit résonner le chalet tout entier de son absence ; je me rappelle le contact froid de la cuisinière à bois sous ma paume et l'odeur de la nourriture qui commençait à pourrir.

Je me souviens aussi de l'expression du policier qui tenta de dissiper ma terreur en m'assurant que quelqu'un « comme elle » était « probablement parti faire la fête quelque part », et de son hostilité quand j'essayai de le convaincre que cinq chiens mourants de faim et de soif rendaient très improbable cette hypothèse barbare. (« C'est votre femme ? » Non. « Votre petite amie ? » Il était sceptique, ne comprenait pas qu'un homme pût se faire autant de souci pour une fille qui n'était pas sa femme.)

Bien entendu, les amis de Kelly organisèrent des recherches, passèrent au peigne fin les bois autour de sa cabane, battirent les prairies d'épilobes en fleurs et les fourrés d'aulnes embrasés de chants d'oiseaux. Ils déchirèrent leurs vêtements à escalader des enchevêtrements d'arbres morts et se lardèrent les mains d'épines en se frayant un chemin dans des fouillis serrés de gourdins du diable, sur les brisées des ours ; d'autres explorèrent en canot la plage sur des kilomètres – peut-être s'était-elle égarée dans l'immensité de la forêt et avait fini par gagner l'un des doigts rocheux qui pointent dans la mer, pour y attendre des secours.

Chaque ravin, chaque surplomb, chaque pied de falaise des environs fut fouillé et refouillé, chaque cours d'eau sondé, et pas un de ses coins à airelles préférés ne fut oublié. Et pendant ce temps, les chiens ne cessèrent de hurler et de couiner comme pour tâcher de nous convaincre : *jamais elle ne serait partie sans nous.*

Si les nuits étaient affreuses, pires encore étaient les matins. Après m'être rongé d'inquiétude jusqu'à deux ou trois heures du matin, je cherchais le sommeil dans un verre de whiskey, pour me sentir émerger une heure ou deux plus tard, luttant pour rester endormi face à la certitude menaçante que quelque chose d'effroyable était tapi à la surface. Je me dressais dans mon lit, arrachais les draps et me précipitais dehors pour explorer les fossés le long de la route : et si elle avait été renversée par une voiture ?

J'étais prêt à croire n'importe quoi. Peut-être avait-elle vraiment quitté la ville, appelée par une urgence familiale, à moins que, secrètement alcoolique, elle ne fût en train de prendre une cuite carabinée. Et s'il y avait un côté de son personnage que personne ne connaissait, et qu'elle eût volontairement abandonné les chiens pour partir à l'aventure ?

C'étaient des inventions désespérées, bien sûr, et je le savais parfaitement. Mais faire imprimer les affiches revenait à admettre que la vérité était beaucoup plus inquiétante.

C'était une description – cheveux roux, lunettes roses, pull gris et jean –, avec une promesse de récompense. Des caractères gras au-dessus d'un portrait impersonnel demandaient : Avez-vous vu Kelly ? Avec ce message informulé : *L'un de vous l'a enlevée.*

Et l'affaire en resta là. Kelly était partie. Elle avait totalement disparu de la face de la terre, peu après m'avoir fait signe de la plage lors de mon départ pour la baie de Johnstone. Elle avait ensuite laissé le fourgon à un ami. Puis plus rien. Jour après jour, tandis que jaunissaient et pâlissaient les affiches que j'avais collées sur les vitrines de tous les magasins et de tous les restaurants qui voulaient bien les accepter, je regardais droit dans les yeux chaque personne que je croisais, avec cette question muette : *Est-ce que c'est toi ?*

Les gens que je connaissais depuis des années me devenaient suspects ; les inconnus affables, j'en étais certain, dissimulaient un être tout différent. L'homme qui musardait dans l'allée de l'épicerie devant une rangée de boîtes de petits pois était un monstre, capable de border son enfant dans son lit le soir et de kidnapper une fille dans la rue le lendemain. Je soupçonnais aussi les femmes – n'étaient-elles pas susceptibles d'envie ou d'une autre de ces émotions répugnantes profondément tapies dans les sombres crevasses de l'esprit ?

L'horreur de la chose n'était pas que le responsable de sa disparition fût si inhumain, mais qu'il se révélât humain, comme nous tous – à un détail près : une totale absence de morale derrière une mince façade de respectabilité. Il ne fallait faire confiance à absolument personne, découvris-je, parce que même moi j'étais un assassin à l'intérieur.

Un colt 357 magnum pèse environ un kilo et demi. Assez pour atténuer le tremblement de ma main tandis que j'enfonçais du pouce dans le barillet la dernière des six cartouches de 9,72 grammes à la pointe évidée, et que je glissais le revolver dans mon pantalon. Dix minutes après, garé devant une cabane pouilleuse en planches à la périphérie de la ville, j'écoutais cliqueter le moteur du Volkswagen en train de se refroidir.

La maison appartenait à un type bizarre, grand, l'œil mauvais, une aura hérissée de barbelés, le genre de personnage à qui vous tournez le dos quand il s'assied à côté de vous dans un bar, et dont vous évitez de croiser le regard dans la rue. Il n'avait pas d'emploi fixe, à ma connaissance, et passait volontiers des heures à errer le long de la voie de chemin de fer au nord de la ville.

Quelques semaines après la disparition de Kelly, assis dans un café, je le surpris à me dévisager avec un air de suffisance insupportable chez quelqu'un d'aussi sale et étrange ; une semaine plus tard, j'appris qu'il s'était exhibé devant une femme ; une autre fois on l'avait vu se masturber dans un parking. À force de méditer et d'amplifier ces informations, de combler les lacunes et d'inventer des réponses à des questions dont j'ignorais le premier mot, je finis par distordre cet unique regard prolongé au café en une certitude insupportable : *C'était lui.*

J'observai la maison jusqu'à ce que je sois sûr qu'elle était vide, puis je descendis de la voiture et fis le tour de la cabane. C'est d'une main tremblante que je frappai à la porte de derrière. Va trouver la police, me dis-je. Mais à quoi bon ? Celle-ci s'était montrée largement indifférente et n'avait pas proposé son aide pour les recherches ; il avait fallu insister pour qu'elle prenne, avec désinvolture, la déposition de quelques amis de Kelly, mais même cet effort minimum avait rapidement été abandonné.

Je frappai de nouveau. Toujours pas de réponse. Je tournai la clenche. La porte résista, gonflée par l'humidité, puis s'ouvrit avec un bruit affreux sous ma poussée.

Retenant mon souffle, j'écoutai le silence engloutir la pièce. J'étais dans une cuisine qui puait les ordures, le sol nu apparaissait çà et là sous les carreaux de linoléum craquelé. Sur la gauche, des assiettes sales et des boîtes de conserves vides s'empilaient sur une cuisinière graisseuse et débordaient d'un évier sur la droite. Je déplaçai doucement le revolver sous ma ceinture ; j'avais peur, et le contact massif me rassura.

Je respirais vite, prêt à sauter au plafond en parcourant rapidement la maison pour vérifier que j'étais bien seul. Je ne savais pas vraiment ce que je cherchais – son pull ? La petite musette de l'armée qui lui servait de sac à main ? Je me mis à ouvrir les placards au hasard, écartant du pied des tas de vêtements sales, et retournai un matelas taché pour voir ce qu'il y avait dessous. Je trouvai un fusil de chasse dans l'armoire d'une chambre (ce qui ne voulait rien dire ; la moitié des armoires de l'Alaska cachent un fusil), et dans la même pièce, sous une pile de magazines, une trappe.

Elle commença par me résister, puis céda à une violente traction ; le cœur cognant à grands coups, je me baissai pour examiner un vide sanitaire sous le plancher. J'hésitai, me maudissant de ne pas avoir emporté de torche, puis je posai la main sur le revolver pour l'empêcher de tomber de ma ceinture et sautai dans l'ouverture.

Accroupi, j'attendis que mes yeux s'habituent à la pénombre, puis commençai à ramper au milieu d'un lacis de tuyaux, de vieux fils électriques et de gaines, cherchant à tâtons la terre fraîchement remuée et guettant la terrible odeur de décomposition.

Il n'y avait rien. Juste un remugle de moisi et de crasse.

Des graviers crissèrent sous un pas dans l'allée. Le cri d'alarme d'un geai de Steller me cloua sur place, jusqu'à ce qu'un deuxième appel, métallique et perçant, me fasse sauter sur mes pieds. Mon cœur martelait, menaçant de rompre la cage thoracique, et l'adrénaline pétillait dans mes veines. Oubliant Kelly, je me ruai terrifié vers l'issue, tenaillé par la certitude effrayante que dans cette maison c'était moi le criminel, cambrioleur armé d'un revolver, et que je n'avais pas le moindre indice pour justifier ce que j'étais en train de faire.

Je paniquai, me cognai la tête contre une solive en m'extirpant du réduit et sortis en courant de la pièce. La porte d'entrée claqua bruyamment derrière moi, et je ne cessai de galoper qu'en sautant dans mon fourgon. Mes mains tremblaient si fort que je n'arrivais pas à introduire la clé de contact.

Je m'éloignai à toute vitesse, évitant d'un cheveu le grand chien dont les pas m'avaient alerté, et je me mis à frapper du poing le tableau de bord, en hurlant ma frustration.

C'était le début d'une fuite qui dura près de quinze ans, rupture de toute relation sérieuse avec autrui. Pas seulement à cause de l'horreur personnelle non résolue de la disparition de Kelly, mais de la certitude plus générale que des choses aussi horribles pouvaient arriver, et arrivaient effectivement. Si cruel et si inégal que le monde m'ait parfois semblé avant sa disparition, il était désormais inéluctablement évident qu'il n'existait pas d'abomination ni de crime qui ne pût se produire. La vie, même à ses moments les plus atroces, pouvait toujours réserver quelque chose de pire, et ne méritait par conséquent aucune confiance d'aucune sorte.

9

LE BOUCHER ET LE BOULANGER

Il y a deux cents millions d'années, l'Alaska tel que nous le connaissons n'existait pas. Venu d'ailleurs (comme la plupart de ses habitants humains), il échoua là, poussé par des forces incommensurables. En 1972, un étudiant en doctorat, Duane Packer, et le professeur David Stone de l'université de l'Alaska découvrirent que l'orientation des particules magnétiques fossilisées dans les roches indiquait que l'Alaska du Sud s'était formé quelque part entre le tropique du Capricorne et l'équateur, avant de dériver vers le nord pour constituer une partie de la péninsule il y a cinquante millions d'années, durant l'éocène.

Au milieu des années quatre-vingt, des scientifiques de l'U.S. Geological Survey proposèrent une autre hypothèse : une série d'éruptions volcaniques sous-marines pendant la période carbonifère (entre deux cent cinquante et cinq cents millions d'années auparavant) aurait formé un grand bloc émergé, baptisé Wrangellia, qui se colla au bord de la plaque pacifique et dériva vers le nord pendant les quelque cent millions d'années suivantes [1]. Quand l'Amé-

1. La plaque pacifique est l'un des trente éléments rigides de la lithosphère terrestre – la fine croûte rocheuse qui compose la surface de la terre et forme toutes les terres émergées et le fond de tous océans. La lithosphère flotte sur le manteau, ou asthénosphère, fine couche plastique de roche en fusion qui à certains endroits atteint une température de deux mille degrés Celsius, laquelle repose sur le noyau dense de la

rique du Nord se sépara de la Pangée, qui regroupait l'ensemble des continents, pour se ruer à la poursuite de la plaque pacifique il y a cent cinquante millions d'années, la Wrangellia la heurta quelque part entre l'État de Washington et le sud de la Colombie britannique, et dérapa vers le nord le long de la côte, en arrachant des fragments à la manière d'un cascadeur hollywoodien. Poursuivant sa course folle, elle percuta à pleine vitesse les terrains sédimentaires du Yukon et de la Tanana, pour s'écraser dans le grand arc de roches enchevêtrées que nous appelons aujourd'hui les montagnes de Wrangell et de Saint-Elias.

« Tu me suis ? » demandai-je à Michio après avoir esquissé mon interprétation décousue sur une feuille de papier. Nous étions en septembre, il faisait un temps épouvantable et les rafales d'automne nous clouaient déjà depuis trois jours dans le port de Juneau. Des rumeurs récentes assuraient qu'un ours des glaciers avait été aperçu dans un fjord à quatre-vingts kilomètres au sud de la ville, et nous commencions à trouver l'attente frustrante – mais pas tout à fait aussi frustrante que d'essayer de clarifier la débauche de plaques de subduction, de glissements de terrain et d'effondrements de ceintures plutoniques qui composent le puzzle incompréhensible de la naissance de l'Alaska.

Michio posa la main sur le dessin, en fronçant les sourcils : « Alors, l'Alaska a quel âge ? »

J'hésitai à donner une réponse définitive, puis fis marche arrière en expliquant qu'un paléontologue travaillant pour l'U.S. Geological Survey près du glacier de Malaspina avait trouvé des plantes fossilisées vieilles de cinquante millions d'années. Les palmes découvertes par Jack Wolfe avaient poussé non seulement sous un climat chaud (que l'Alaska a pu connaître à différentes périodes de son histoire) mais

---

terre. La plaque pacifique comprend presque tout l'océan Pacifique, de l'Alaska aux Philippines, et s'étend vers le sud jusque dans l'Antarctique ; elle tourne lentement dans le sens inverse des aiguilles d'une montre à la vitesse d'une dizaine de centimètres par an.

aussi dans une région où les journées étaient égales tout au long de l'année – autrement dit, les fossiles n'avaient pu croître que près de l'équateur, avant de dériver vers le nord jusqu'en Alaska.

Cette découverte confirme l'hypothèse de Packer et de Stone, selon laquelle les parties sud de l'Alaska achevèrent leur dérive jusqu'à leur emplacement actuel cinquante millions d'années avant que Michio et moi y échouions. Mais elle ne correspond pas à la théorie du Geological Survey, qui estime que la Wrangellia s'est affalée sur les côtes de l'Amérique du Nord il y a entre cent et cent cinquante millions d'années.

La science (y compris la géologie) est une histoire de Kushtaka ; pas plus statique que le pays, elle se déplace à droite et à gauche au gré des courants d'enquête et de savoir, profitant de toute nouvelle preuve qui se présente pour se travestir en certitude – et cela depuis toujours.

Pline l'Ancien, né en 23 de notre ère, avait écrit à sa mort, à cinquante-six ans, au moins soixante-quinze livres, dont son *Histoire naturelle* en trente-sept volumes qui le plaça à l'avant-garde de la pensée scientifique pendant des siècles. Dans cette somme, disait-il, il avait essayé « d'exposer en détail tout le contenu du monde entier », prétention prodigieusement ambitieuse de la part de quelqu'un qui donnait également de très nombreux détails étrangers à son monde : hommes sans tête, les yeux dans les épaules ; hommes à la tête de chien qui communiquaient par aboiements ; serpents qui capturaient des oiseaux en plein vol ; et d'autres si venimeux que, lorsque l'un d'eux était tué par un homme à cheval, « l'infection remontant dans la lance ne tuait pas seulement le cavalier mais aussi le cheval ». Il n'y a probablement aucune vérité dans la légende selon laquelle Pline avait lancé son énorme compilation sur le marché avec le slogan *Satis veritatis superque* – tous les faits, et d'autres encore.

Sa perception du monde naturel finit d'ailleurs par lui coûter la vie, puisqu'il débarqua à Pompéi en 79 pour assurer à la populace effrayée que les flammes et le tonnerre

L'auteur. *(Photo Jon Pond)*

L'auteur et Michio Hoshino.

Michio Hoshino. *(Photo Naoko Hoshino/Minden Pictures)*

Le *Wilderness Swift*. *(Photo Lee Schooler)*

Une baleine à bosse, chassant les harengs à l'aide d'un « filet de bulles », jaillit à la surface.

Le front d'un glacier côtier, haut d'une centaine de mètres.

Un glacier côtier déversant des icebergs dans la mer.

Un gros grizzly fixe l'auteur.

Champ de choux puants dans l'épaisse forêt humide de l'Alaska.

Le chasseur professionnel Vladimir Ovsiannikov et un officier des forces spéciales russes contemplent l'ours qui a tué Michio Hoshino, après l'avoir traqué » et abattu de l'hélicoptère, à l'arrière-plan. *(Photo Curtis Hight/floraandfaune.com)*

Une baleine à bosse bondissant hors de l'eau
le soir où j'ai appris la mort de Mishio.

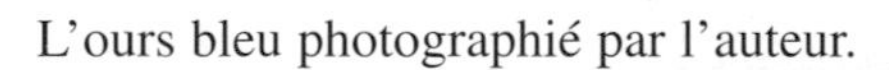

L'ours bleu photographié par l'auteur.

Un ours des glaciers. *(Photo John Hyde).*

Sauf mention spéciale, les photos sont de Lynn Schooler.

vomis par le Vésuve n'avaient rien de menaçant ; l'éruption le tua comme les autres. Néanmoins, sa curiosité, son énergie et son imagination sans limites perpétuèrent durablement son influence, jusqu'à ce que ses théories soient supplantées par les travaux d'autres penseurs, tel le naturaliste suédois du XVIIIe siècle Carl von Linné, qui éleva les concepts aristotéliciens de genre, espèce, propre et accident en un système moderne de taxinomie, encore en usage aujourd'hui.

C'est pourtant ce même Linné qui écrivit dans *Systema naturae* (1758) que l'*Homo sapiens afer* (l'Africain noir) était « gouverné par le caprice », tandis que l'*Homo sapiens europeanis* (l'Européen blanc) était lui « gouverné par les coutumes » – observation impliquant une hiérarchie des races qui consolida les sentiments racistes du XVIIIe siècle en un paradigme scientifique que, malheureusement, des bouffons pseudo-scientifiques s'efforcent encore parfois aujourd'hui de défendre.

C'est selon la classification linnéenne que George Thornton Emmons donna son nom à l'ours des glaciers en le baptisant *Ursus americanus emmonsii* pendant la frénésie de découverte et de taxinomie qui triompha au XIXe siècle et au début du XXe (voir note p. 100). Si Emmons était aussi prodigieusement fasciné que moi par cet animal insaisissable, l'ego affirmé qu'implique l'attribution de son nom est pardonnable, comme sa certitude erronée que l'animal bleu argent formait une espèce en soi.

Michio me regarda sortir une carte et l'étaler sur la table. « C'est le fjord Endicott, dis-je en en dessinant du doigt les contours. Il s'enfonce de cinquante-cinq kilomètres dans les terres et traverse plusieurs des terrains qui ont flotté jusqu'ici pour constituer la chaîne côtière.

– Et c'est là que nous trouvons un ours des glaciers ? » L'optimisme de Michio était un peu forcé. Nous avions fait presque une douzaine de voyages ensemble, et alors que nous étions toujours parvenus à photographier avec un succès remarquable grizzlys, baleines et autres espèces sauvages qui abondent dans le sud-est de l'Alaska, nous n'avions jamais trouvé le moindre signe d'un ours bleu.

Aller chercher Michio et son éternelle montagne d'équipement à l'aéroport était devenu depuis une demi-douzaine d'années une tradition de ma saison, que j'attendais chaque fois avec plus d'impatience. La légère inclination dont nous nous étions si maladroitement salués la première fois était devenue plus naturelle, plus profonde et plus aisée, à la mesure du plaisir que j'éprouvais à revoir cet ami. Je ne sais pas exactement pourquoi je le trouvais différent de mes autres clients ; le vocabulaire me manque pour décrire sa séduction. Immanquablement gentil ; courtois par-dessus tout ; doux, généreux et plein d'égards ; d'une honnêteté inébranlable ; apparemment dépourvu d'ego ? Il était une somme plus grande que ses parties. C'est peut-être Celia Hunter, l'un des principaux défenseurs de l'environnement en Alaska, qui a fait de lui le portrait le plus juste : « Il avait une sensibilité pour les " autres " qui se traduisait par un intérêt sincère pour chaque personne qu'il rencontrait, et par une compréhension instinctive de leur système de valeurs. Il était foncièrement timide, mais ne laissait jamais ce manque de confiance en soi l'empêcher d'accomplir le premier pas quand on faisait sa connaissance. »

Quoi qu'il en soit, lorsque nous ne nous étions pas parlé ou vus pendant de longues périodes (ce qui arrivait souvent, Michio participant à toutes sortes d'aventures remarquables, qu'il voyageât en Afrique avec Jane Goodall ou qu'il parcourût la Sibérie avec un groupe nomade d'éleveurs de rennes), il me manquait, et j'étais ravi d'avoir pu l'attirer de nouveau en Alaska grâce à cette rumeur de la présence d'un ours bleu.

Cette année-là il était arrivé avec encore plus d'équipement que d'habitude, et notamment un kayak pliant, un canot pneumatique de trois mètres soixante que nous prévoyions d'utiliser si la banquise était trop épaisse dans le fjord pour que le *Swift* y pénètre, et un exemplaire de son dernier livre.

Le livre était un cadeau, disait-il, et il contenait plusieurs photos prises pendant nos voyages. Après avoir admiré les images et la qualité de l'édition, je regrettai de ne pouvoir lire le texte japonais. Avec un air satisfait, Michio sortit un deuxième paquet, plus grossièrement emballé, et le plaça sur la table devant moi.

« Ça, c'est le *vrai* cadeau, Lynn. » Il se tortilla sur sa chaise, riant à l'avance.

Le paquet contenait un paquet de fiches. Sur un côté de chaque carré de carton blanc avait été laborieusement inscrit à la main un caractère de l'alphabet *hiragana* japonais, avec sa prononciation en anglais à l'envers. Il y avait aussi un livre pour enfants japonais et quelques feuilles volantes sur lesquelles Michio avait traduit le texte simple en anglais.

« Maintenant tu as de nouveau cinq ans, rit Michio, et il faut que tu apprennes à lire tout seul. »

Je me râclai la gorge une ou deux fois, puis bafouillai : « Merci... *arigato* », en regardant une mouette qui volait de biais frôler la fenêtre.

Pour changer de sujet, j'écartai les livres et les fiches, et traçai du doigt un cercle sur la carte. « Ce que j'ai entendu dire, c'est qu'une naturaliste qui faisait une tournée en bateau a vu un ours des glaciers dans le fjord Endicott. Et à en juger par sa description, ce devait être quelque part par là », dis-je en désignant une anse.

Nous nous penchâmes tous deux pour considérer l'endroit comme s'il pouvait nous apparaître par magie. Les amarres grincèrent, luttant contre le vent, et une violente averse crépita contre les vitres. La carte datait de 1961 et était inexacte par endroits. Une région aussi active que la chaîne côtière peut sensiblement changer en trente ans, et je fis remarquer à Michio à quel point le glacier de Dawes avait reculé à l'intérieur des terres pendant cette période.

« Il se trouve actuellement à près de cinq kilomètres de ce qu'indique la carte, dis-je, en mesurant la distance avec mes doigts.

– Cinq kilomètres ? » Michio se renfonça dans son siège, les sourcils froncés. Une expression pensive parcourut son visage, et il passa un doigt sur la buée de la vitre. « Rien que de notre vivant ?

– Exactement. Un bloc de glace de cinq kilomètres de long, un kilomètre et demi de large et épais de plus trois cents mètres a disparu depuis notre naissance. »

Michio grogna, puis se frotta le visage des deux mains. « Lynn, tu me trouves gros ? »

Je n'aurais pas dû rire, mais je savais d'où venait son inquiétude, et que la question n'était pas aussi saugrenue qu'elle le semblait. Parler du passage du temps éveillait toujours l'une de ses préoccupations les plus profondes : il avait atteint la quarantaine, il ne s'était jamais marié et ses perspectives de fonder une famille diminuaient rapidement. « Je veux faire quelque chose d'important de ma vie, m'avait-il dit plusieurs fois. Pas seulement de la photographie en permanence. »

« T'es superbe, Michio, le rassurai-je. Les femmes se jetteraient à ton cou si seulement tu décidais de te fixer [1]. »

Je roulai et rangeai les cartes, et allumai la radio pour écouter la météo. Une autre dépression approchait, assura la voix monotone, mais il lui faudrait quelques jours pour arriver.

La tempête faiblit pendant les premières heures du jour, remplacée par un vent du nord. La neige fraîche sur les sommets des montagnes pâlissait le bleu du ciel, et en engageant le *Swift* dans le chenal je fermai mon blouson jusqu'au menton, puis jetai un coup d'œil à l'arrière pour vérifier si le canot pneumatique de Michio voguait bien en remorque. Cela faisait plaisir d'être de nouveau en route, avec Michio qui fredonnait dans le rouf, une ou deux semaines de carburant et de vivres à bord, et le tourbillon de la saison estivale derrière moi.

À une vingtaine de kilomètres au sud de Juneau, une nageoire noire, grosse comme le poing, fendit la surface de

1. Les photographes de la nature peuvent passer deux cents jours par an ou plus sur le terrain – ce qui ne facilite guère la félicité domestique.

l'eau, et une troupe de marsouins de Dall annonça son arrivée en trompetant une rafale d'embruns.

Michio se précipita sur le pont avant et se pencha par-dessus la proue au moment où l'un des cétacés noirs et blancs soufflait bruyamment le long de la quille et creusait l'onde d'un arc pur. « Je vais chercher mon appareil ? » demanda-t-il, très tenté de prendre une photo mais craignant de manquer quelque chose le temps d'aller le prendre dans la cabine. Le marsouin plongea brusquement sous la proue, faisant siffler l'eau de sa petite nageoire dorsale.

« T'as intérêt à te grouiller, dis-je en désignant du menton le fringant animal. Ils ne vont peut-être pas traîner ici longtemps. »

Le marsouin de Dall est un cétacé compact et musculeux qui ressemble à un épaulard miniature ; aucun mammifère n'a un rapport cœur-masse corporelle plus élevé, et cette puissance cardiaque lui donne une énergie si prodigieuse et si frénétique qu'il semble incarner la joie de vivre.

Ce groupe ne faisait pas exception. D'abord un mâle (à en juger par la taille et le regard hardi), puis deux spécimens légèrement plus petits surgirent des profondeurs pour chevaucher tour à tour la vague de proue pendant quelques secondes enivrantes avant de s'écarter en ondulant, d'un coup de leur queue vigoureuse.

Je suis très intrigué que les marsouins ne figurent dans aucune des légendes indigènes du Nord-Ouest pacifique ; épaulards, ours, corbeaux, chèvres, phoques, aigles, otaries, loutres – et même les requins et les crapauds – peuplent les histoires des Tlingits et des Haidas, alors que les membres de la famille des *phocænidae* sont largement méprisés, même comme nourriture, tout juste digne des esclaves. Dans sa copieuse anthologie des travaux de George Thornton Emmons sur les Indiens tlingits, Frederica de Laguna note que ces derniers reprochaient à la viande de marsouin de donner des hémorragies nasales et une mauvaise odeur corporelle.

Comme insultée par mes réflexions, la troupe qui jouait à chat avec le *Swift* s'éloigna soudain vers l'est pour se lancer dans une série de lentes roulades soyeuses, se renversant dans une révérence pour aspirer une rapide gorgée d'air. Après quelques cercles décontractés, les marsouins se ruèrent de l'avant pour disparaître aussi vite qu'ils avaient surgi.

Michio reposa son appareil photo et sourit à l'horizon vide. « Les *iruka* s'amusent toujours », dit-il, avec un geste onduleux de la main. Il se tourna vers moi et ajouta, pointant l'épaule dans la direction des marsouins : « C'était une gentille famille. »

Je hochai la tête, incertain. L'importance de la parenté varie considérablement chez les mammifères ; si, par exemple, les liens durables sont rares chez les caribous ou les élans, les épaulards sont rigidement organisés en clans matriarcaux. Je ne savais pas grand-chose des petits dauphins et des marsouins, sinon qu'au moins une espèce de l'Atlantique forme parfois des bandes qui se livrent pour le plaisir à une sexualité de groupe, tandis que d'autres, comme les dauphins longirostres des îles Hawaii, se rassemblent par centaines pour chasser en meute. Je ne pouvais absolument pas dire si le marsouin de Dall se souciait des liens familiaux.

Michio secoua la tête devant mes hésitations. « C'était une *famille*, Lynn. » Il n'avait pas besoin d'autre preuve que la félicité du petit groupe. Des êtres si manifestement heureux, insista-t-il, doivent nécessairement composer une famille.

Je dépliai une carte sur la table, l'aplatis de la main, et déterminai en gros la position du *Swift*. J'avais cette carte, comme tant d'autres, depuis des années, et son contact doux et usé éveilla en moi une sorte de tendresse. Elle était cornée et déchirée, et j'avais griffonné dans ses marges divers souvenirs : « *Baie de Gilbert, une ourse et quatre oursons, juin 1987 ; Pointe Coke, nid d'autour, avril 1981.* »

Sous un chevauchement de taches de café, la carte numéro 17300 (du passage de Stephens au détroit de Cross) signalait une zone de « perturbations magnétiques extrêmes » où l'on ne pouvait se fier au compas. Sur d'autres cartes rangées sur l'étagère à côté de la barre, les lettres PA ou PD près d'un récif ou d'une épave prévenaient les marins que la position du danger était approximative ou douteuse. Après la disparition de Kelly, alors que je ne pouvais plus regarder un autre humain en face sans voir en lui tromperie et corruption, cet aveu de leur faillibilité devint pour moi une sorte de preuve que les cartes étaient plus honnêtes et plus fiables que les gens, et lorsque j'eus appris à tirer parti du vent dans le creux d'une voile et à transformer sa force en mouvement, elles devinrent des passeports pour un univers où le déplacement comblait le vide laissé par la perte de toute confiance, un univers où l'existence se réduisait aux nécessités les plus simples de la survie. Un repas chaud, des bottes sèches, un pont qui ne fuyait pas au-dessus de ma couchette étaient importants ; communiquer avec les autres humains ne l'était pas.

Je rageais, plein d'un chagrin à la fureur tranquille, qui, pareil à du goudron sur les mains, souillait tout ce que je touchais. Jamais je ne retournai à la baie de Johnstone. Je me mis à vagabonder sans but ni intention d'un bateau à l'autre, d'un bar à l'autre, du jour à la nuit, attendant (sans en être conscient) une résolution quelconque de la disparition de Kelly. Lorsque, après dix ans de ce genre d'errance, le drame trouva sa conclusion, ce fut comme la trappe d'un gibet qui s'ouvrit brusquement pour me laisser suspendu au-dessus d'une fosse bien pire que tout ce que j'avais imaginé – un lieu horrible, où même les cartes, malgré toutes leurs mises en garde contre les risques et les dangers, devinrent indignes de confiance [1].

1. Je n'ai pas donné le vrai nom de Kelly et j'ai omis certains faits dans ce récit, par respect pour tous ceux qui ont vécu l'horreur de sa disparition et qui n'apprécieraient pas de retrouver ce drame sous une forme aussi publique. S'il devait leur arriver de lire ces pages, qu'ils sachent que je ne les ai pas oubliés et que j'ai la plus grande estime pour la force et le courage avec lesquels ils ont reconstruit leur vie brisée.

*

Le 13 juin 1983, « Kitty Larsen », prostituée de dix-sept ans qui faisait le trottoir à Anchorage, fut enlevée et enchaînée à un poteau dans le sous-sol d'une maison appartenant à un boulanger appelé Robert Christian Hansen. Hansen était un chasseur qui collectionnait les trophées, et les yeux de verre des caribous et des chèvres des neiges accrochés aux murs de son repaire avaient assisté bien des fois à ce que Hansen appela par la suite son « projet pour l'été ». Après avoir violé sa prisonnière adolescente et lui avoir fait subir les plus effroyables sévices, Hansen lui mit des menottes, l'obligea à s'étendre sur le plancher de sa voiture et jeta sur elle une couverture, en lui disant : « Je t'aime tellement que je vais t'emmener en avion dans ma cabane et t'y garder quelque temps. »

Petit homme laid aux cheveux noirs et graisseux, la peau grêlée de cicatrices d'acné juvénile, Hansen parle en bégayant et en crachotant ; ses yeux s'agitent derrière des lunettes à grosse monture. S'il n'a jamais été particulièrement intelligent, il était suffisamment retors pour afficher une façade d'homme d'affaires raisonnablement prospère, marié et père de deux enfants.

Il habitait une villa de banlieue, possédait un avion privé et avait un petit bateau dans le port de Seward. Plusieurs des trophées de chasse tués à l'arc par ce « fanatique de la vie au grand air » étaient suffisamment impressionnants pour figurer dans l'annuaire de Pope et Young. Quelque prodigieusement vantard qu'il fût dans tous les domaines ou presque, la peau d'ours qui montrait les dents sur le sol de sa cave n'était pas le fruit d'un exploit cynégétique : il s'était contenté d'attirer l'animal à découvert avec un paquet de rognures de viande et de l'abattre bien en sécurité du haut d'un arbre. Lorsqu'il ouvrit les menottes pour pousser Kitty dans son avion, il pavoisait presque ; après tout, devait-il se dire, depuis le temps que je fais ça, aucune ne s'en est encore tirée.

Malgré la peur et les terribles sévices qu'elle avait subis,

Kitty eut la présence d'esprit de tenir ses élégants talons hauts à la main. « Je savais que je ne pouvais pas courir avec », expliqua-t-elle par la suite. Et elle courut de toutes ses forces jusqu'à une route non loin de la piste d'envol, où elle se planta en hurlant au milieu de la chaussée, obligeant un camion à s'arrêter et à l'emmener.

Aucune charge ne fut retenue contre Hansen. La police le remit en liberté, ne prit aucune photo de son sous-sol, ne saisit aucun indice (ni un rouleau de fil de haut-parleur identique à celui qui liait les poignets d'une femme retrouvée morte de froid au pied d'une chute d'eau au sud de la ville, ni une couverture identique à celle dont Kitty disait avoir été recouverte). Malgré sa description précise de Hansen, de son sous-sol, du contenu de celui-ci, du poteau où elle disait avoir été attachée, la police exigea de Kitty qu'elle se soumette au détecteur de mensonges. Comme elle refusa, la police suspendit l'enquête, considérant que l'alibi de Hansen valait mieux que son histoire. Un cadre d'une des principales compagnies d'assurances d'Anchorage et un entrepreneur et constructeur naval honorablement connu assuraient en effet qu'ils se trouvaient en compagnie de Hansen au moment où la jeune hystérique prétendait avoir été kidnappée et violée.

« On a réparé un siège d'avion, puis on a regardé la télévision en buvant des bières », racontèrent-ils. Les enquêteurs ne trouvèrent apparemment rien d'étonnant à ce que ces responsables d'entreprises importantes se livrent à d'aussi triviales occupations avec un copain jusqu'à cinq heures du matin [1].

L'année précédente, en septembre, un chasseur avait trouvé une tombe peu profonde sur les rives du Knik, rivière glaciaire qui descend des montagnes de Chugach pour se jeter dans l'anse de Cook. Hérissé d'épais fourrés de saules, de bouleaux et d'aulnes, l'estuaire offre un excellent

1. Des mois plus tard, lorsque Hansen fut finalement inculpé, non cette fois d'enlèvement et de viol, mais d'assassinat, John Sumrall et John Henning rétractèrent leurs témoignages.

refuge aux élans et aux lièvres arctiques. Adolescent, je fis plus d'une fois l'école buissonnière pour chasser sur ses berges touffues, et lors d'une infructueuse mais mémorable traque aux mouflons de Dall, j'escaladai le pic Pioneer tout proche pour observer le lacis changeant des bancs de sable qui jalonnaient la rivière. Trente ans après, je ne me rappelle pas exactement quelles pensées j'avais en haut de mon perchoir de mille huit cents mètres, hormis une légère peur (les hauteurs me mettent mal à l'aise) et un nœud d'inquiétude dans l'estomac en songeant aux coulées de schistes friables, aux surplombs et aux étroites corniches de la descente. Mais nul doute que je n'imaginais pas une seconde que les bancs de sable en contrebas cacheraient un jour une fosse commune.

Quelques mois après la découverte du premier cadavre, un autre s'exhuma des sables, puis un troisième. La police dut alors enfin reconnaître que quelqu'un s'amusait à massacrer les femmes de l'Alaska. Et lorsqu'un enquêteur plus astucieux et plus consciencieux que ses collègues fit le rapport entre les cadavres recrachés par le Knik et l'histoire de Kitty Larsen, il ne fallut pas longtemps pour mettre enfin un terme au « projet pour l'été » de Hansen.

J'étais à Hawaii lorsque je reçus ce télégramme :

> Le tueur en série Robert Hansen responsable de la mort de Kelly STOP Avoue dix-sept meurtres STOP D'autres aveux attendus STOP

Ces quelques phrases laconiques résumaient plus d'une douzaine d'années de terreur. À mesure que les enquêteurs exhumaient et passaient au tamis les agissements de Hansen, les chiffres se muèrent rapidement en un logarithme de cruauté dépassant tout ce que j'avais imaginé. Il avait jeté une femme du haut d'un pont dans une rivière ; il fut inculpé de quatre chefs d'assassinat ; indiqua l'emplacement d'une douzaine de tombes ; avoua dix-sept meurtres et plus de trente viols dont les victimes avaient survécu.

L'instruction révéla que les allées et venues de Hansen concordaient avec près de quarante disparitions, et les enquêteurs étaient convaincus qu'il y avait beaucoup d'autres cadavres à découvrir : une carte aérienne trouvée à son domicile était marquée de vingt-trois croix, dont dix-sept correspondaient aux tombes des victimes dont il avait déjà avoué le meurtre [1].

« Il y avait des affiches dans toute la ville de Seward, dit-il quand on l'interrogea à propos de Kelly. Mais celle-là, non, j'y suis pour rien... Celle-là n'a pas été à moi. »

À moi. Ce possessif démentiel, qui m'écœure, révèle le mécanisme tordu de son esprit : *à moi* – mes jouets, dont je fais ce qui me plaît ; *à moi* – dont je joue et que je casse si j'en ai envie ; *à moi* – que je jette quand j'en ai assez. Le seul bon chiffre à sortir de la litanie de ses perversions fut 461 – le nombre d'années de prison, plus la perpétuité, auxquelles le juge Ralph Moody le condamna pour ses crimes [1]. Le juge ordonna également que Hansen soit contraint à suivre un traitement psychiatrique, simplement « pour qu'il puisse un jour se rendre compte à quel point il est mauvais ».

Nul doute que Hansen mentait à propos de Kelly, même si on ne retrouva jamais son corps. Il était à Seward le jour où elle disparut, et sa manie névrotique de noter ses crimes prouve qu'il fut son assassin. Sur la carte où il inscrivait l'emplacement des tombes de ses victimes, les eaux froides et bleues de la baie de la Résurrection sont marquées d'une petite croix au crayon.

*

Il me fallut encore cinq ans d'errances sans but pour que les cartes retrouvent pour moi un peu de leur magie, puis,

---

1. Hansen ne reconnut avoir torturé et assassiné que des femmes qui se livraient à la prostitution ou qui dansaient seins nus dans des bars, mais il nia sa responsabilité dans toutes les autres disparitions, y compris celle de Kelly.

2. La peine capitale n'existe pas en Alaska.

les années passant, les expériences comme celle dans laquelle je m'embarquais avec Michio finirent par recouvrir ces terribles révélations. Tandis que nous voguions plein sud vers le fjord Endicott, je racontai à Michio l'histoire des divers amers jalonnant notre route : Grand Island, où les cartographes de Vancouver furent bloqués par une tempête en août 1794 ; la pointe Stockade, où la Compagnie de la baie d'Hudson construisit un fort dans les années 1800 ; le détroit de Limestone, où un trappeur mourut de froid dans sa cabane pendant un hiver particulièrement rigoureux des années 1930.

Une demi-heure après avoir vu les marsouins, le dos luisant d'une baleine à bosse roula à la surface, souffla une ou deux fois et disparut de nouveau. Par-delà la baleine un iceberg se blottissait sur la plage, et d'autres encore un peu plus loin. La lune avait dépassé le premier quartier et sous son attraction croissante le niveau de la marée avait suffisamment monté pour faire franchir aux icebergs le banc de sable du fjord Tracy. Dans la brillante lumière d'automne la glace scintillait d'argent et de topaze ; l'iceberg le plus proche était couvert de mouettes au repos.

« Qu'est-ce que c'est ? demanda Michio en désignant la grève.

– T'as jamais vu d'iceberg ? » plaisantai-je avant de regarder de plus près dans la direction qu'il indiquait. Un animal reniflait les débris abandonnés sur la grève par le flux.

Michio attrapa une paire de jumelles qu'il porta à ses yeux. « *Kuma !* » murmura-t-il. Un ours !

À en juger par la taille de sa tête et l'étroitesse de ses épaules, c'était un jeune, et, comme la plupart des ours, il furetait avec son nez.

Je mis le moteur au point mort. Nous étions à environ un kilomètre de la côte, mais si j'évaluais correctement la marée, en gouvernant le bateau dans la bonne direction nous parviendrions peut-être à intercepter l'ours en nous laissant dériver le long de la plage, afin que Michio puisse prendre une photo unissant la glace bleue, la forêt verte et l'ours noir – tout ce dont avait besoin un photographe de son talent pour raconter « toute une histoire » en une seule image.

L'ours avait d'autres projets. À peine eus-je raccourci la remorque du canot et réorienté le *Swift*, l'animal donna un dernier coup de patte dans le varech, puis nous montra sa croupe et disparut dans les arbres.

Ma grimace de déception fit rire Michio, qui leva son appareil photo pour prendre un instantané de la côte. « Magnifique iceberg ! Heureusement que l'ours est sorti du champ ! »

La côte du passage de Stephens s'incurve vers l'est à la pointe Coke pour former la baie d'Holkham, d'où deux longs bras sinueux s'enfoncent vers le nord et vers l'est, en un Y vrillé. Le fjord Tracy s'étire sur trente-quatre kilomètres dans les terres, jusqu'à ce qu'il touche le glacier Sawyer ; le fjord Endicott, barré à son extrémité orientale par le glacier Dawes, plonge sa lame à cinquante-six kilomètres de distance. Parfois profonds de plus de trois cents mètres, les deux bras se relèvent à leur embouchure, où l'avance des glaces pendant la dernière glaciation a refoulé une colline de débris et de rochers. Les marées découvrent et recouvrent le haut-fond créé par la moraine, et au moment où nous atteignîmes la pointe Coke, plus de cent cinquante kilomètres carrés d'eau se déversaient des fjords, formant d'immenses tourbillons et des courants violents au-dessus de l'obstacle et essayant de me disputer la maîtrise du bateau.

Le *Swift* ahanait de l'avant, tandis que le canot de Michio sautait par saccades, en tirant sur la remorque. Des milliers de mouettes de Bonaparte et d'alques marbrées plongeaient et nageaient alentour, se gorgeant d'un nuage épais d'invertébrés marins projetés à la surface par le jusant qui butait sur la digue. Les alques sont des Alcidae – famille de petits palmipèdes râblés qui marchent en se dandinant comme les pingouins mais qui sont des nageurs et des plongeurs extraordinaires. Contrairement à ses cousins les macareux, les marmettes, les mergules et les guillemots, qui nidifient en bruyantes colonies sur les falaises maritimes, l'alque est une nicheuse discrète qui élève ses poussins sur des branches moussues, dans les profondeurs ombreuses de la forêt humide primitive [1]. Plus de quatre-vingt-quinze pour cent de l'habitat des alques au-dessous du 48e parallèle ont été détruits par l'exploitation forestière à blanc-étoc, si bien que moins de cinq cents couples survivent le long des côtes de la Californie du Nord, du Washington et de l'Oregon.

« Il y en a probablement en ce moment dix fois autant autour de nous, criai-je à Michio par-dessus le vacarme des oiseaux. Pendant l'hiver, j'ai vu par ici des armées de peut-être vingt mille hareldes et macreuses brunes [2]. »

Quand le *Swift* eut franchi le haut-fond, nous mîmes en panne dans les eaux calmes. Je coupai le moteur. « Écoute simplement », répondis-je au regard interrogateur de Michio. Un instant perplexe, il comprit soudain ce que j'essayais de lui offrir.

Il n'y avait pas un souffle de vent et la surface du fjord était placide et lisse. Au nord, des volutes de vapeur se tordaient au-dessus d'une gorge boisée au pied d'un glacier profondément crevassé. L'eau reflétait le bleu du ciel, et quelques lambeaux de nuages immobiles s'accrochaient aux pics. Sans le bourdonnement du moteur ni le chuintement de l'eau sur la coque, le monde semblait totalement silencieux.

« Si calme, murmura Michio.

– Les Tlingits appelaient cet endroit Soun-doun. Le clan Sit'kweidi avait un village par là-bas », ajoutai-je, en désignant la côte par-delà le glacier. (Sit'kweidi veut dire « les gens de Sit'ku », nom que le clan donnait à la baie.)

Soun-doun, expliquai-je, signifie « l'endroit sans tempêtes » ou « le bruit que fait le glacier en tombant dans la mer ». Prises ensemble, ces deux interprétations apparem-

1. On a jusqu'à présent découvert moins d'une demi-douzaine de nids d'alques marbrées.

2. Malheureusement, la population de hareldes a diminué de plus de quatre-vingt-cinq pour cent ces dix dernières années, et les autres espèces de canards marins et d'oiseaux de mer se réduisent vertigineusement aussi.

ment hétérogènes révèlent une compréhension intime du lieu, d'une simplicité et d'une justesse qui confinent à la poésie. Les eaux de la baie sont souvent paisibles alors que le passage de Stephens bouillonne de vagues déferlantes, et entendre un ancien à la voix rocailleuse prononcer Soun-doun au fond de sa gorge est comme entendre le glacier marmonner son nom.

La langue tlingit est pleine d'accents et de tons subtils que l'Occidental a peine à distinguer. Après que les prospecteurs eurent déformé Soun-doun en Sum Dum à la fin des années 1800, les cartographes condamnèrent l'Endroit Sans Tempêtes à un avenir d'inévitables plaisanteries vaseuses en inscrivant la transcription erronée sur les cartes.

Les Occidentaux qui se succédèrent éliminèrent complètement tous les autres noms tlingits, à commencer par George Vancouver, qui en 1794 rebaptisa Sit'ku baie de Holkham, en l'honneur d'une petite ville du Norfolk, en Angleterre. Un siècle après, le capitaine de corvette H. B. Mansfield de la marine américaine donna au fjord Endicott le nom du ministre de la Guerre du président Cleveland, et au fjord Tracy celui du ministre de la Marine. Deux ans plus tard, le U.S. Geological Survey honorait Henry Lauren Dawes (avocat et homme d'État du Massachusetts) en appelant de son nom le glacier fermant le fjord Endicott à l'est [1]. Les Tlingits de l'endroit connurent un sort

1. En 1880, John Muir parcourut en canot les fjords Endicott et Tracy (qu'il appela baie de Yosemite tant l'endroit lui rappelait la célèbre vallée) et donna au glacier le nom du pasteur S. Hall Young. « Pendant dix ans les cartes inscrivirent mon nom sur ce glacier ; puis je ne sais quel apprenti cartographe, sans nul doute par flagornerie, le remplaça par celui de Dawes – me vola *mon* glacier ! se lamenta le “ pasteur *musher* ” (voir la note 1 du chapitre XVIII) dans son autobiographie. Je pleurai cette perte en silence et c'est seulement après la visite du président Harding en 1923, lorsqu'un des responsables du département de la Topographie apprit ma déchéance et évoqua l'affaire avec le département, que je recouvrai mon glacier. » (Quelque humoristique que puisse paraître la déploration du révérend Young, il se trompait néanmoins : les cartes de l'USGS l'appellent toujours glacier Dawes.)

guère plus favorable que leur langue ; le dernier membre du clan Sit'kweidi à habiter Soun-doun, dans une complète solitude, un vieillard surnommé « Sumdum Charlie », s'y éteignit en 1931.

Michio s'assit sur le panneau d'écoutille et ferma les yeux ; je l'imitai, inspirant profondément pour absorber le silence et apaiser mon esprit, puis j'écoutai intensément la musique que le fjord se mit à jouer.

D'abord le grondement léger d'une cascade lointaine ; derrière nous, un nuage d'oiseaux de mer poussait des cris stridents et se chamaillait ; des icebergs éparpillés çà et là applaudissaient et sifflaient leurs propres reflets ; un aigle jappa après une volée de corneilles, lesquelles crièrent pour leur part des obscénités à un corbeau. Le corbeau se réfugia dans les ombres d'une petite île pour bouder, en grommelant une rafale de récriminations glougloutantes.

J'ignore combien de temps nous sommes restés plongés dans cette symphonie paisible, mais lorsque j'en émergeai, j'étais étalé sur le pont et le soleil avait bien avancé dans le ciel. « *Totemo ki-re*, dit Michio avec un sourire. *Très beau.*

– C'est l'un de mes endroits préférés, acquiesçai-je. Il paraît toujours si *vivant.* »

Michio regarda vers le fond du fjord, où une série de crêtes bleu et blanc pastel se fondaient à l'horizon.

« Tu viens souvent ici ? demanda-t-il.

– J'ai perdu le compte. » Je haussai les épaules, puis comptai sur mes doigts. Entre deux missions avec des photographes et des équipes de cinéma, je comblais souvent les trous de mon agenda en emmenant des touristes pour la journée au fjord Tracy ou en guidant des kayakistes et des fanatiques de la nature lors d'excursions qui pouvaient se prolonger plusieurs jours. Mais si souvent que j'y vienne et si longtemps que j'y reste, la beauté absolue de l'endroit m'attire toujours autant.

« Alors tu devrais faire un livre, dit Michio. Tes photos deviennent pas mal. »

« Pas mal » était un fourre-tout dans son glossaire d'expressions anglaises ; ça pouvait signifier n'importe quoi depuis « à peine acceptable, beaucoup de progrès à faire » jusqu'à beaucoup mieux que « pas mal du tout ». J'avais appris à interpréter les subtiles nuances de ses jugements selon l'inflexion (montante ou descendante), l'accent (sur le premier ou sur le dernier mot), et d'après l'intensité avec laquelle il plissait le front.

Quand je lui avais demandé de regarder certaines de mes diapositives à la fin d'un de nos premiers voyages, il avait plissé les yeux, et, levant la tête de biais, m'avait dit qu'elles étaient « pas mal » – équivalent diplomatique de « nul... mais ne te décourage pas ». Cette fois, après plusieurs années de préceptorat intermittent sous son œil bienveillant mais insistant, quelques-unes de mes photos étaient jugées dignes d'une légère accentuation des *deux* mots.

« C'est une toute petite région », objectai-je. La plupart des livres de photos sur l'Alaska couvraient d'immenses portions du territoire. Qui plus est, ayant assisté au prodigieux travail de mes clients sur leurs propres livres, me lancer seul dans une telle entreprise paraissait trop intimidant.

Michio secoua la tête. « Si un endroit est très important pour toi... » Il buta, séparant chaque syllabe d'*im-por-tant*, puis il leva l'index pour souligner ses paroles suivantes : « C'est... ça devient ta *responsabilité* de faire un livre. »

J'ai juste hoché la tête, en disant que j'y réfléchirais. Son usage des mots était souvent créatif (ainsi, au début de notre amitié, avant que son anglais ne s'améliore, il s'était extasié sur la « fruitilité » de la forêt et sur sa richesse en plantes comestibles) ; et, sur le moment, je ne savais pas trop ce qu'il entendait par *responsabilité*.

Comme s'il lisait dans mon esprit, il ajouta : « Beaucoup de gens ne peuvent jamais voir une chose pareille, fit-il en désignant d'un geste large les montagnes et l'eau. Et peut-être que les choses vont changer.

– Qu'est-ce que tu veux dire par là ? »

Il croisa les chevilles et glissa ses mains entre ses cuisses. « Tout est toujours en train de changer. On va abattre la forêt ou peut-être qu'on va construire un grand hôtel et que trop de gens vont venir. » Il haussa les épaules pour illustrer l'incertitude de l'avenir. « Peut-être même que les glaciers vont revenir !

– Et si je ne fais pas de livre ?

– Alors toute cette... *histoire* risque d'être perdue, dit-il, secouant la tête devant cette perspective. C'est comme *at-ow.* »

Je fronçai les sourcils pour marquer ma perplexité. « *At-ow,* comme les histoires des indigènes », dit-il en désignant la direction du village tlingit disparu.

Je compris alors où il voulait en venir. Pour son dernier anniversaire, je lui avais offert un livre de légendes tlingits, dont la préface décrivait l'*at.oow,* le système indigène des droits de propriété. *Grosso modo,* l'at.oow fonctionne comme une sorte de copyright qui attribue les droits sur certaines chansons, histoires et légendes au clan qui en est à l'origine. Littéralement, at.oow signifie « possession » et peut s'appliquer à des objets matériels – masques, crécelles, casques et écrans de bois sculpté utilisés pour raconter des histoires – comme aux ressources telles que les rivières à saumon ou les coins à airelles. Mais pour qui est imprégné du système occidental de propriété privée moderne, ce concept devient un peu confus dans la mesure où il ne distingue pas entre le droit de propriété (avec pour corollaire le pouvoir de refuser la ressource aux autres ou de l'utiliser à son gré) et l'obligation d'intendance : en effet, si un individu peut revendiquer l'at.oow d'un lieu ou d'une chose, cette possession est réputée profiter au clan et pas nécessairement à lui seul. Les fondements de la culture, comme les ressources alimentaires et les chants, sont donc considérés comme propriété privée mais non comme des biens personnels.

C'est une conception complexe qui déconcerte les juristes, et si je n'étais pas sûr que l'interprétation de Michio fût correcte je croyais comprendre ce qu'il voulait dire.

Si on aime un endroit pour ce qu'il procure (en l'occurrence la paix que j'ai toujours trouvée dans la baie d'Holkham), on a la responsabilité de partager sa beauté et, ce faisant, de permettre aux autres de l'aimer à leur tour et de participer à sa protection.

Cela expliquait aussi pourquoi Michio avait pris la peine de travailler plus de dix ans à un livre sur les caribous de l'Arctique, alors même qu'il avait peu de chances d'en amortir jamais les frais. C'était avec émerveillement que Michio décrivait le spectacle de cent mille caribous nomadisant dans la toundra – et avec souffrance qu'il évoquait le risque de voir cette splendeur anéantie [1].

« Il va falloir y aller », dis-je, en regardant ma montre. La marée commençait à baisser, une phalange d'icebergs dérivait dans notre direction et je voulais trouver un mouillage sûr avant la tombée de la nuit.

---

1. Il y a du pétrole sous la plaine côtière arctique. Malgré les protestations des Indiens gwi'chin, dont le mode de vie dépend de la prospérité du troupeau de caribous, des territoires vitaux pour la reproduction de ces animaux, dans le Parc naturel national de l'Arctique, risquent d'être sacrifiés pour fournir aux raffineries américaines le maigre fruit de neuf mois d'exploitation pétrolière par an. Lorsque des délégués de la nation gwi-chin allèrent plaider à Washington pour la survie de leur mode d'existence, la ministre de l'Intérieur de l'Administration Bush, Gale Norton, les engagea, pour toute réponse, à « élargir leur vision du monde ».

10

L'ENDROIT SANS TEMPÊTES

Je fis rouler mes épaules pour soulager la tension de ma nuque. Chercher un chemin dans l'obscurité semée de glaces flottantes pour gagner la sécurité d'une crique avait pris beaucoup de temps, mais juste au moment où nous allions nous mettre en route, Michio avait remarqué que le soleil couchant nimbait les icebergs d'or, et nous nous étions attardés pour qu'il puisse capturer la lumière irides-cente. Mais maintenant que le sondeur indiquait que le fond diminuait et que, longeant la côte, nous approchions de notre mouillage, les muscles noués entre mes omoplates commençaient à se détendre.

Quand je sortis sur le pont pour filer l'ancre, la fraîcheur de l'automne tombait et l'odeur verte de la forêt me remplit les narines. Michio s'affairait dans le rouf ; il faisait rissoler quelque chose dans une poêle et tisonnait le réchaud. Quand je regagnai la cabine, il leva les yeux d'une casserole fumante et dit : « Un ours *graysha* demain, Lynn ? »

J'acquiesçai de la tête, puis j'écartai une pile d'assiettes pour déplier une carte. « On est ici, dis-je en indiquant la crique du doigt, et on va commencer à explorer l'autre côté. »

Michio s'essuya les mains à un torchon et se pencha pour mieux voir. Le fjord faisait cinq kilomètres de largeur, une traversée facile en canot, mais nous ne disposions guère que de la description approximative d'une naturaliste qui avait vu de son bateau un animal bleu argent disparaître au détour d'une rivière avec un poisson dans la gueule. C'était quelques semaines auparavant, en août, et Michio leva les sourcils comme pour demander : « Pourquoi ici ? »

« Il y a des torrents à saumons sur les deux rives du fjord, expliquai-je, mais lors de leurs tournées les navires de l'Administration préfèrent ce côté-ci. » Pour économiser le carburant, le bateau de la naturaliste avait dû suivre le chemin le plus court, et par conséquent longer la rive nord du fjord Endicott.

Michio fit la moue, puis traça une ligne sur la carte d'un doigt hésitant. « Si tard en sep-*tem*bre ? s'étonna-t-il, mettant dans le mot toutes sortes d'interrogations. Les saumons fraient-ils encore ? »

Il avait raison de s'inquiéter. La saison était bien avancée et la plupart des saumons roses remontant les rivières étaient déjà morts, après avoir frayé [1].

« Il se peut que l'ours soit encore dans le coin, dis-je en tapotant la carte de mon crayon avec plus de confiance que je n'en avais. En tout cas, on sait qu'on est ici dans sa zone de parcours [2]. »

Michio était trop poli pour contester mon raisonnement boîteux. S'il n'avait pas trouvé de quoi se nourrir dans les parages, l'ours pouvait fort bien s'être éloigné d'une vingtaine de kilomètres – à moins qu'il ne fût que le produit de l'imagination d'une naturaliste trop enthousiaste. Les torrents de l'Endicott semblaient néanmoins un bon endroit

---

1. Il existe cinq espèces de saumon dans le Pacifique nord : rose, rouge, argenté, keta et royal. En général (mais avec d'importantes variations d'un endroit à l'autre), ces différentes espèces remontent leurs cours d'eau natals pour frayer dans l'ordre suivant : le royal au début du printemps, le rouge au début de l'été, le rose et le keta au milieu de l'été et l'argenté bien avant dans l'automne. Il y a, bien sûr, des exceptions à cette règle, comme le keta qui fraie dans le Chilkhat jusqu'à la fin de novembre, tandis que le saumon rouge retourne dans certains lacs et cours d'eau du Kamtchaka, en Russie, jusqu'en décembre.

2. La « zone de parcours » d'un ours chevauche souvent celle de plusieurs de ses congénères et se distingue de son « territoire », plus restreint, où il n'accepte aucune intrusion de ses semblables.

pour commencer nos recherches. « Et si ça ne donne rien, conclus-je, on ira voir ailleurs. »

Michio remplit deux assiettes d'une portion égale de riz et de légumes frits, et ouvrit la fenêtre coulissante près de la table. Nous mangeâmes sans parler, préférant écouter les volettements et les sifflements des oiseaux de mer dérangés dans leurs rêves. Puis nous entendîmes quelque chose se déplacer derrière les arbres avec un bruit de froissement. Après qu'un iceberg eut barytonné un grognement en se retournant dans son sommeil, Michio racla les restes et les versa dans un bol.

Je fis la plonge et il essuya la vaisselle, selon notre habitude silencieuse. Après avoir fermé le réchaud, je déroulai mon sac de couchage, tandis que Michio savourait un livre entre deux gorgées de thé. Il lisait encore quand je sombrai dans le sommeil.

À six heures et demie le lendemain matin, le ciel sombre commençait à se nuancer légèrement de gris. Je mis la bouilloire à chauffer, secouai doucement Michio quand le café fut prêt, et regardai l'aube dévoiler lentement le paysage. Lorsque nous prîmes le petit déjeuner, la forêt noire s'était transformée en un camaïeu de verts.

Je déposai dans le canot un équipement de survie, m'assurai que la radio portative était bien chargée et vérifiai le moteur hors-bord, tandis que Michio rassemblait des provisions pour le déjeuner. Le canot était couvert d'humidité ; une pluie légère était tombée pendant la nuit et le froid m'ankylosait les mains.

Michio grogna « *omoi* » – lourd –, en se penchant pardessus la rambarde du *Swift* pour me passer nos bagages. Au dernier moment, je décidai de bourrer un sac de couchage de rechange, une couverture de survie, et une tente biplace dans un sac étanche en vinyle épais, que je tassai à l'avant avec une trousse de rustines et une pompe à air. Nous ne serions qu'à quelques kilomètres du confort et de la sécurité du *Swift*, mais il n'est pas rare qu'un canot ou un kayak sans surveillance soit emporté par la marée ou détruit par un ours, et si cela nous arrivait nous risquions d'être coincés quelques jours sur la grève avant de pouvoir héler un bateau de passage.

Quand nous quittâmes le mouillage, Soun-doun tenait toutes ses promesses et le sillage qui s'élargissait en V derrière le canot brisait le miroir de l'eau en tessons gris vert. De nouveaux blocs de glace avaient surgi dans la nuit, arrachés par la marée au glacier Dawes, et c'est avec un peu d'appréhension que je regardai par-dessus mon épaule la crique s'éloigner et disparaître derrière nous. Le *Swift* était normalement à l'abri, mais c'était mon foyer et mon gagne-pain, le centre de mon univers, et j'avais entendu parler de bateaux embossés dans le fjord Endicott qui avaient été coulés par des icebergs à la dérive.

Les mouvements de la glace sont imprévisibles. En se déversant des glaciers, elle se rassemble en pâturages denses et en plaines onduleuses qui vont et viennent dans le fjord au gré des marées, s'enroulant en bandes qui se tordent et se lovent sur la longueur et la largeur de l'étroite baie. Elle semble apparaître et disparaître, tournoyant en spirales de plusieurs kilomètres qui se désagrègent et se dispersent comme des graines de pissenlit au premier souffle de vent, pour se ressouder à la marée suivante. Le chenal peut être entièrement bouché le matin et aussi limpide à midi qu'une mer tropicale. Après quinze ans de navigation dans des fjords encombrés d'icebergs, j'hésite toujours à faire des prédictions sur les déplacements de la glace.

Je me faufilai à travers un alignement de blocs gros comme des rochers, veillant à me tenir bien à l'écart d'un iceberg de la forme et de la taille d'un chalet ; la stabilité de la glace flottante est toujours hasardeuse, et les plus gros blocs peuvent fort bien s'effondrer et se désintégrer sans avertissement.

Michio désigna un iceberg d'un bleu intense et prit son appareil photo. La glace scintillait comme du cobalt humide et sa surface luisante avait été sculptée en festons et en volutes par la langue douce de la mer. Quand je coupai le moteur, l'eau qui fondait goutte à goutte remplit le silence d'un léger son argentin.

« *Hidjo ni outsou kouchii.* C'est si... délicat, murmura Michio, comme si parler plus fort risquait de faire chavirer l'iceberg. Comment peut-il être si *bleu* ? »

Question purement rhétorique. Michio savait aussi bien que moi que les surfaces convexes de milliers de minuscules bulles d'air prises au piège pendant la lente transformation de la neige en glace reflètent tout le spectre de la lumière – d'où le fait que la plupart des icebergs paraissent blancs –, tandis que la glace formée dans les parties les plus profondes d'un glacier est soumise à des pressions d'une telle intensité que le gaz est expulsé, laissant la glace si pure qu'elle ne reflète que les longueurs d'onde bleues de la lumière [1].

Michio prit quelques photos, puis me fit signe de déplacer le canot pour une autre perspective. Sa masse donnait à l'iceberg la présence immobile d'un être vivant assoupi, animal somnolent qui pouvait soudain bondir sur ses pieds en grondant.

Il y a longtemps, très longtemps, peut-être du vivant de Charlemagne, un minuscule flocon de neige était tombé en voletant dans une lointaine vallée montagnarde, tel une semence pénétrant une matrice, et avait été enseveli sous le poids de milliards de ses semblables. Au terme d'un siècle ou deux le poids combiné d'un millier de tempêtes hivernales avait comprimé la neige en glace, laquelle accrut sa masse et sa densité jusqu'à ce que la gravité la contraigne à un long et lent glissement à travers les montagnes, pour la laisser finalement choir dans les mains tendues de la mer.

Maintenant l'eau tuait doucement la glace, à force de lèchements et de caresses, l'absorbant goutte à goutte dans le système circulatoire de la planète. Certaines des molécules d'eau cristallisées dans le duvet du flocon originel s'éloigneraient peut-être vers le sud portées par un courant

1. Le temps nuageux fait également paraître la glace plus bleue en filtrant les longueurs d'onde plus chaudes de la lumière.

océanique, pour traverser le Pacifique, dépasser l'équateur, être entraînées vers l'est autour du cap Horn, et de l'Atlantique s'aventurer jusqu'en Baltique ou en Méditerranée ; d'autres s'évaporeraient en nuages, surferaient au-dessus des montagnes sur la vague dépressionnaire d'une violente tempête d'hiver, et retomberaient en neige pour être transformées en glace et recommencer leur long voyage.

L'appareil de Michio ravissait la fugitive vie bleue de l'iceberg aussi vite qu'il parvenait à changer d'objectifs et à varier les réglages. À petits coups d'aviron je maintenais le canot immobile dans le faible courant, tandis que se creusaient les petites rides au coin de ses yeux. C'était le signe qu'il était totalement absorbé par la recherche d'une certaine image, et lorsqu'il eut un petit sourire avant de prendre une dernière photo, je me dis qu'il y était parvenu. C'est seulement bien après que nous nous fûmes éloignés de l'iceberg que je me rendis compte que, distrait par les incarnations migratoires de la glace, j'avais oublié de prendre des photos moi-même.

Il n'y avait pas de saumons dans le premier torrent. L'odeur lourde de pourriture laissée par leur passage imprégnait encore l'herbe des berges, et quelques carcasses à un stade avancé de décomposition s'accrochaient aux galets luisants du ruisseau peu profond.

« Forte odeur, dit Michio en reniflant bruyamment.

– Bonne odeur si tu es un ours. » Je poussai du pied une mâchoire anguleuse, tout ce qui restait du dîner d'un charognard.

Aigles, ours, mouettes, loups, loutres et visons s'étaient repus tout l'été de saumon frais, mais il ne restait plus que des détritus. Le sol était jonché d'opercules branchiaux, minces et translucides comme des ailes de papillon, et de vertèbres éparpillées. Des lambeaux de peau et d'arêtes parsemaient les rives du torrent.

Michio donna un coup de pied dans l'herbe à la lisière de la forêt et me fit remarquer un certain nombre de carcasses pourrissantes, toutes curieusement complètes en dehors d'une morsure unique à la tête et, pour les femelles, d'un ventre arraché. Après avoir dévoré tout l'été jusqu'à une quarantaine de kilos de viande par jour, un ours gorgé de protéines avait pêché tous ces poissons pour n'en déguster que la cervelle et les œufs.

À première vue, massacrer des douzaines ou des centaines de gros saumons pour une bouchée de perles orange ou une noix de cervelle peut paraître un effroyable gaspillage (à moins qu'on ne prenne le temps de compter le nombre de mouettes, d'aigles, de geais de Steller, de corbeaux, de corneilles et de petits mammifères qui subsistent en nettoyant les restes du seigneur), mais c'est peut-être la seule manière pour un ours de satisfaire sa faim dévorante d'hydrates de carbone et de graisse, dont il a besoin pour passer l'hiver. Répandre tant de bonne viande et la laisser pourrir est en réalité un investissement intelligent de la part de l'ours, puisque les substances nutritives que recèlent les cadavres de poissons resurgissent au printemps suivant sous forme d'herbe riche en protéines au moment où il s'éveille affamé et amaigri de son long sommeil hivernal.

Nous installâmes nos trépieds sur une éminence d'où l'on voyait le torrent dans les deux sens et nous attendîmes. Le vent avait peigné l'herbe olive et brun grisâtre en épis moelleux. Nous nous assîmes en silence et écoutâmes l'eau rire en s'enfuyant derrière le méandre. Un vison qui longeait le ruisseau en bondissant s'immobilisa brusquement ; il enfonça le nez dans notre odeur et renifla avec un mépris dont seul un putois est capable, avant de repartir au galop. Quelques minutes après, une minuscule musaraigne fit frissonner l'herbe, se dirigea vers le cours d'eau où elle plongea, nageant de toutes ses forces pour gagner l'autre rive avant d'être emportée par le courant.

Des heures durant nous regardâmes toute une galerie de personnages de la forêt entrer sur scène côté cour et côté jardin pour gazouiller, croasser ou mimer quelques reparties, avant de retourner dans les coulisses. Des mésanges à dos marron, des sygmodontes et une hermine firent de brèves apparitions, un porc-épic prognathe et strabique traversa la scène en se dandinant. Après un entracte particulièrement long, un bouillonnement de fauvettes, de pipits et de roitelets brisa le silence, suivi du cri rauque d'un geai. À voir toutes ces minuscules allées et venues, nous avions l'impression que nous pouvions à tout instant entendre une grosse bête se déplacer avec légèreté dans les broussailles ou entrevoir un reflet de fourrure bleue, mais à la fin de la journée aucun ours n'avait donné le moindre signe de vie.

Même chose le lendemain : café, œufs et pommes de terre à l'aube et une légère averse. Les deuxième et troisième torrents grouillaient de petits animaux, et une trace fraîche de loup creusait la boue du quatrième auprès des empreintes d'un cerf. À marée basse nous canotâmes le long de la plage, dans l'espoir d'apercevoir des ours en train de se nourrir dans les rochers, mais nous ne vîmes qu'un héron solitaire, debout immobile sur une patte au bord d'une grande flaque, et un couple de phoques curieux qui nous suivirent quelque temps.

« Accostons ici, dis-je, en désignant une anse. J'ai quelque chose à te montrer. »

La petite cabane était en piteux état. Le toit de métal galvanisé était un patchwork de rouille et de gris sourds ; des épilobes et des cassis velus pointaient à travers les fentes de la terrasse, et les planches encore en place ployèrent sous mon poids ; sur le côté nord, où le soleil ne parvenait jamais, le mur pourri se désagrégeait. À l'intérieur, le sol était jonché d'aiguilles de sapin et de crottes de souris qui crissaient sous le pied.

Henry « Tigre » Olsen débarqua en Alaska en 1918 après avoir été berger au Montana dans les monts Bitterroot. Il résumait ainsi son périple de mille cinq cents kilomètres depuis Seattle dans une chaloupe qui prenait l'eau avec deux autres voyageurs : « Un gars ramait, un autre écopait et le troisième criait au secours ! »

L'un de ses compagnons était Doc Foche, qui mourut de froid dans sa cabane à quarante kilomètres de là dans le fjord Limestone pendant un hiver particulièrement sévère des années trente. Ce fut Tigre qui retrouva Doc et qui l'enterra.

« On était amis, disait Tigre de l'homme avec qui il avait prospecté pendant des années. Mais si on avait découvert un bon filon, chacun se serait précipité sur son fusil, et après on aurait vu qui garderait l'or. »

Tigre s'établit à Taku Harbor, à une trentaine de kilomètres au sud de Juneau. Gardien dans une conserverie de saumon l'été, il prospectait les hautes vallées de la chaîne côtière à ses moments de loisir. Pendant les années vingt ou trente, il avait soigneusement entaillé et équarri chaque rondin de la petite cabane du fjord Endicott pour y passer l'hiver à piéger les animaux à fourrure. Soun-doun lui inspirait sans doute les mêmes sentiments qu'à moi, puisque, dans une brève biographie rédigée pour la bibliothèque locale, un écrivain de Juneau rapporte ces mots de Tigre : « J'aurais dû m'installer dans la baie d'Holkham, c'est un endroit tellement riche. »

Bien qu'il ait vécu seul plus de cinquante ans, Tigre n'avait rien d'un ermite. Il appréciait la compagnie, surtout des enfants, et les marins qui jetaient l'ancre près de sa cabane ne manquaient pas de mettre la cafetière sur le feu, sachant que Tigre viendrait probablement leur rendre visite en canot.

S'il n'avait fréquenté l'école que pendant trois mois quand il était enfant (« C'était le bon vieux temps de la République »), Tigre était un lecteur et un penseur passionné. Comme tant de ceux qui passent beaucoup de temps seuls, il évitait les bavardages inutiles, préférant plonger directement dans les sujets philosophiques et métaphysiques qui se bousculaient dans sa tête.

Où allons-nous quand nous quittons ce monde ? Ça c'est une question, qui dépasse l'esprit humain.

Pour expliquer sa conception de l'infini, Tigre préférait recourir à des images du monde physique qui lui était familier : « S'il y a un buisson d'airelles [...] et qu'il pleuve dessus [...] et que l'eau de la pluie tombe à Taku Harbor, elle devient immédiatement l'océan Pacifique, elle se trouve immédiatement sur toutes les côtes de ce monde. Et c'est ce qui se passe avec l'âme humaine. Quand celle-ci tombe dans l'esprit éternel, elle est partout dans le monde et partout dans l'éternité. »

Tigre croyait aussi à la réincarnation, mais estimait que celle-ci ne le concernait pas. « Non, disait-il, je pense que je suis un loup qui s'est fait piéger de justesse cette fois-ci. Je ne ferai jamais l'erreur de revenir ici. »

Michio écouta attentivement ce que je racontais de Tigre, puis demanda quand il était mort.

« À la fin des années soixante-dix, je crois. Il avait au moins quatre-vingts ans. »

Il tâta une bande de toile pourrissante clouée sur l'un des murs ; le bois en dessous était mou. « Je ne crois pas que cette cabane va durer beaucoup plus longtemps.

– Rien ne dure », répondis-je, voulant dire que la forêt humide finit par tout recouvrir. À la fin du XIXe siècle la crique où était ancré le *Swift* abritait un village minier de cent trente-sept habitants, qui comptait une épicerie, un bureau de poste, une école et un café. Il n'en restait plus rien hormis une rangée de moignons de pieux à l'embouchure d'un torrent et quelques troncs abattus couverts de mousse dans la forêt. Et d'ailleurs, avais-je envie d'ajouter, à Juneau, où il pleut encore plus que dans la baie d'Holkham, la mousse pousse jusque sur ma voiture – et elle n'a que quinze ans.

Michio disposa son trépied devant la cabane et choisit un objectif. Les sourcils froncés, il se mit au travail avec une intensité que je lui avais rarement vue. *Cadrage, mise au point, armement. Clic.* « Il ne s'est jamais marié. » *Clic.* « Pas d'enfants. » *Clic.*

Il dit cela sans interrogation, d'un ton entre la tristesse et la colère, puis s'interrompit un instant pour regarder dans le viseur. Après un minuscule réglage, il pressa le déclencheur et se redressa pour me faire face. « Maintenant voilà ce qu'il... *est.* »

Il déplaça le trépied, le calant fermement dans le sol.

Après avoir encore changé d'objectif, il composa une image, puis s'écarta et m'invita de la main à regarder.

Le résultat était poignant : une seule tige d'épilobe brun roux qui poussait à travers un plancher délabré. Terminée par une hampe de graines blanches duveteuses et spumeuses, la plante vieillissante en disait plus long que des volumes entiers sur le processus de création et de procréation, et sur la manière dont le temps érode les efforts de l'homme. Les graines parlaient d'espoir et de promesse, les feuilles de la flétrissure de la beauté, et une petite tache de mousse qui recouvrait lentement une tête de clou rouillée suggérait l'inéluctable.

Michio photographia la fenêtre, organisant le cadre de bois et le mur de rondins en train de s'écailler en une composition où l'on imaginait aisément Tigre, le visage buriné, jeter un coup d'œil à travers les vitres fendues ou manquantes. Me penchant pour regarder dans le viseur, je m'émerveillai de constater que la cabane ne paraissait plus tout à fait aussi vide, et je m'émerveillai de nouveau quand Michio fit un cadrage encore plus serré pour saisir les marques laissées par la scie de Tigre sur la tranche des rondins.

Il recula de quelques pas, monta un grand angle sur son boîtier et prit quelques clichés, fondant les murs gris marbrés et le toit de tôles rouillées de la cabane dans les pastels de la forêt automnale.

« Il est temps de rentrer », dit-il, en jetant le film dans son sac. Nous étions à mi-chemin du canot quand il fit demi-tour et revint sur ses pas. Traversant précautionneusement l'étroite terrasse qui s'affaissait sous son poids, il posa les deux mains sur la porte gondolée et la ferma d'une poussée.

*

« On devrait aller plus haut », dis-je, en regardant par la fenêtre. Une brume grise et froide s'était installée pendant la nuit, voilant les montagnes et les arbres. « Nous n'avons vraiment pas de chance avec les cours d'eau. »

Michio leva les yeux de l'appareil photo qu'il était en train de nettoyer et acquiesça. Cela faisait plusieurs jours que nous surveillions les torrents à saumon sans voir un seul ours. Une fois, deux corneilles avaient voleté d'arbre en arbre en croassant sur l'autre rive d'un ruisseau comme si elles suivaient quelque chose par terre, mais après avoir observé pendant plusieurs minutes sans voir une branche remuer ni entrevoir le moindre glissement de fourrure sombre, je commençai à soupçonner ces oiseaux farceurs de crier ainsi au loup pour faire peur aux pitoyables bipèdes cloués au sol. Le temps devenait de plus en plus couvert et désagréable, mais si nous voulions trouver un ours des glaciers, il nous fallait continuer à battre la campagne.

« Ils cherchent des baies maintenant », dis-je d'un ton songeur, imaginant une armée d'ours affamés de sucre qui passait lentement les sous-bois au peigne fin. Il serait difficile de trouver un animal dans ce dense chaos, où seul le craquement de branches brisées révélerait sa présence, et je me dis que nous ferions mieux de grimper à cinq cents mètres ou plus, jusqu'à l'alpage d'où nous aurions une vue sans obstacle sur un vaste espace à découvert. Il y avait là des empêtres et des airelles naines, entre autres rabougris délices. De ces hauteurs, nous dominerions aussi une ceinture de luxuriantes prairies subalpines tapissées d'héraclées, de crêtes-de-coq et de toutes sortes d'autres herbes que les ours considèrent comme un fourrage acceptable.

Notre bagage était plus lourd que jamais. Outre mon matériel photographique, je transportais une tente, des vêtements secs, des vivres, des gamelles et un réchaud, une bouteille de pétrole, deux lampes torches, une lampe casque et des piles de rechange. Les jours devenaient trop courts pour gravir la montagne et en redescendre dans la journée, aussi prévoyions-nous de camper au moins deux nuits. Comme il n'y avait pas la place dans nos paquetages pour les sacs de couchage, je tassai ceux-ci dans une poche de vinyle qui faisait une grosse bosse sur le haut de mon chargement. Je coltinais également un tapis de sol imperméable, une bâche munie d'œillets, un tube d'allume-feu, la radio portative, une combinaison imperméable, une carte, une boussole et des jumelles, un piolet, trois mousquetons, un assortiment de pitons, deux grappins et une corde. Enfin j'avais accroché une petite trousse de premiers secours à l'extérieur de mon sac à dos, glissé un couteau à ma ceinture et chargé sur l'épaule mon trépied et mon fusil.

Michio se releva avec un ahan. Le poids de deux appareils photo (24 × 36 et 6 × 6) avec leurs objectifs lui sciait les épaules et, titubant sous le fardeau, il grommela quelque chose, sans doute l'équivalent japonais de « putain de merde ».

Je jetai un coup d'œil au canot avant que nous commencions à remonter le torrent. La seule note de couleur dans le décor gris de brume était un sac jaune vif qui pendait à un arbre – ce qu'un ami, qui campe souvent dans des coins fréquentés par les grizzlys, appelle « piñata [1] des ours ». Il contenait des tablettes de chocolat et des fruits en conserve pour agrémenter un peu notre attente si un ours endommageait le canot.

À la première courbe du torrent une douzaine d'oies s'envola d'un étroit banc de sable en lançant des cris d'alarme nasillards. Michio s'arrêta pour imiter le *lonk*, *lonk*, *lonk* de leurs appels tandis qu'elles filaient au-dessus de nous, puis gravit derrière moi la berge escarpée du ruisseau pour pénétrer dans les bois. Là il s'immobilisa pour observer la base d'un arbre curieusement formé et me jeta un regard interrogateur. Le pied de l'arbre était ouvert, comme s'il se dressait sur la pointe de ses racines, et derrière lui deux autres s'élevaient, de taille et de forme identiques. L'ensemble de leurs racines dénudées formait un tunnel que j'aurais trouvé irrésistible si j'avais eu une boule de bowling.

---

1. Une piñata est une poterie décorée, remplie de confiseries, de fruits et de cadeaux, que les Latino-Américains accrochent au plafond à l'occasion d'une fête (Noël, un anniversaire, etc.) ; les enfants, les yeux bandés, doivent la casser avec un bâton pour en libérer le contenu. (*N.d.T.*)

« Le tronc nourrice, expliquai-je en désignant un arbre abattu un peu à l'écart du sentier. Tu vois les jeunes plants qui poussent sur le dessus ? »

Le tronc que je montrais gisait à plat sur le sol et était enveloppé d'une épaisse couverture de mousse. Des écailles de cônes d'épicéa, larges comme le pouce, en jonchaient la surface, sur laquelle s'alignait une rangée de petites pousses.

« Si les arbustes survivent assez longtemps, leurs racines atteignent le sol. » J'étendis une main, les doigts vers le bas, en traçant de l'autre un cercle en dessous. Puis le tronc se délita, laissant une ligne de jeunes arbres.

Le visage de Michio s'illumina. « *Ouba*, dit-il, repliant le bras comme s'il nourrissait un bébé, ce genre de nourrice ! »

Dans la forêt humide, comme plus de quatre-vingt-dix pour cent de la matière organique est constituée de plantes vivantes ou de végétation en décomposition, le sol est notoirement pauvre, et les éléments nutritifs sucés dans le tronc pourrissant peuvent donner aux plants une avance sur ceux qui essaient de pousser sur le sol. Et si les jeunes arbres dressés sur la pointe des pieds sont peut-être plus vulnérables dans l'avenir aux vents forts, ce sont les hasards de la survie.

Chaque plante doit lutter de son mieux pour la lumière et pour la nourriture tout en résistant à une multitude d'ennemis qui veulent la brouter, la mâcher, l'étouffer, la sucer ou la priver de soleil, et à une centaine de mètres au-delà des troncs nourrices, le sentier disparaissait dans un taillis de plantes armées jusqu'aux dents. Le gourdin du diable est le seul membre de la famille du ginseng qui pousse en Alaska, et chacune de ses parties, y compris la tige (qui peut atteindre trois mètres) et le revers des feuilles vertes et luisantes, est hérissé d'épines cassantes d'un centimètre qui se brisent et s'enveniment sous la peau de quiconque est assez insouciant ou malchanceux pour l'effleurer. Les piquants sont une solution astucieuse pour une plante aussi nutritive ; au printemps j'aime à faire infuser une casserole de bourgeons étroitement serrés pour leur goût net et épicé. Sans les épines qui se développent peu après le déploiement des feuilles, le gourdin du diable serait probablement l'un des mets favoris de tous les animaux broutant dans la forêt.

Comme la plupart des plantes, néanmoins, le gourdin du diable sait quand il doit combattre et quand il doit séduire, et une grappe de baies dépourvues de piquants, d'un rouge éclatant, surmonte chaque tige menaçante. Ces fruits n'ont pas d'épines parce que toutes les baies sont destinées à être mangées, et elles sont rouges parce que c'est la couleur de l'attraction. Ce que le gourdin du diable veut par-dessus tout, c'est que ses graines attirent l'attention d'un ours, parcourent le système digestif de l'animal et soient déposées avec leur fertilisant dans un endroit propice à leur propagation. C'est-à-dire le sol bien drainé le long des cours d'eau et dans les plaines alluviales comme celle que nous traversions. Et je me consolai en pensant que mes efforts pour me faufiler, me tortiller et me contorsionner à travers les épineux sans être lardé étaient la preuve du succès des baies à attirer les ours mêmes que nous cherchions. Par conséquent, me dis-je, il me fallait apprécier les déchirures, piqûres et brûlures et *mettre un terme à mes fichues imprécations*.

La sueur me dégoulinait dans les yeux ; j'écartai une tige épineuse du canon de mon fusil et voûtai le dos pour alléger mon fardeau. « On arrive au bout, lançai-je pardessus l'épaule.

– Très bien, répondit laconiquement Michio, qui se servait de son trépied comme d'un bouclier. J'aimerais bien avoir une machette », ajouta-t-il, avec un geste tranchant de la main.

Heureusement, j'avais bien jugé la dimension du fourré, et avant que j'aie eu le temps de succomber entièrement à mon épineuse détresse, nous débouchâmes sur une prairie marécageuse, où le pied s'enfonçait en gargouillant comme dans une éponge. Avant de m'avancer à découvert, je m'arrêtai pour observer l'orée du bois, l'oreille aux aguets. Il y avait peu de chances que les craquements et les jurons émaillant notre progression à travers les gourdins du diable aient échappé à la faune de l'endroit, mais ça ne fait jamais de mal de regarder.

C'était une petite prairie, de la taille d'un grand terrain vague. Au milieu, un rideau de lin des marais bordait une mare d'eau noire. Par une journée claire et sèche, la boule blanche couronnant les tiges fraîchement épanouies est soyeuse et belle, mais la pluie en avait jauni et échevelé les ombelles.

Au bord de la prairie les feuilles épaisses et lourdes du chou puant commençaient à s'étaler sous leur poids propre et sous celui de l'automne. Lointain parent de l'ériophoron, le chou puant est une plante aux feuilles sombres qui peut atteindre un mètre cinquante et semble directement sortie du pléistocène. Vigoureux, il déborde tellement de vitalité que sa spathe étroitement enroulée est la première chose à jaillir du sol au printemps, et il pousse si rapidement que la chaleur engendrée par sa respiration cellulaire fait fondre la neige. La spathe jaune beurre et le spadice en forme de massue qu'elle abrite sont un des régals préférés des cerfs et des ours au printemps, mais malgré son apparence croquante et succulente, le *symplocarpus fœtidus* ne se prête guère à la consommation humaine – les cristaux d'oxalate de calcium que contiennent ses tissus crissent sous la dent comme du verre brisé. On peut obtenir un ersatz de farine en faisant rôtir les racines pour éliminer les cristaux, mais en règle générale il vaut mieux s'abstenir de porter le chou puant à sa bouche.

Nous traversâmes la clairière en oblique, contournant la mare pour gagner une arête basse qui nous mènerait jusqu'à l'épaulement de la montagne. En terrain découvert, la pluie tombait plus fort et je relevai mon col. Marcher à la bonne allure est essentiel quand on porte une combinaison imperméable – si l'on va trop vite on transpire, et on a froid quand on s'arrête ; si l'on avance trop lentement ou qu'on se déboutonne excessivement, on se retrouve tout aussi trempé. Enjamber les troncs n'est pas commode avec les pantalons amples ; on entend mal avec le capuchon ; on passe à côté de tout si l'on décide d'avancer tête baissée sous la pluie comme une bête de somme, sans compter qu'on risque de rentrer dans un ours.

C'est pourtant l'allure que j'adoptai pour traverser la prairie, hypnotisé par le bruit de succion de mes bottes dans le marécage. Je pensais à la queue-de-cheval – plante curieusement grêle, segmentée, qui ressemble un peu à un balai, pousse bien dans les terrains saturés d'eau et a très peu évolué depuis des millions d'années [1] – quand je m'aperçus que nous étions tombés en plein sur une colonie de plantes carnivores.

« Des rossolis », m'écriai-je, en désignant à Michio les plantes minuscules. Très acide, le sol des prairies marécageuses fournit aux végétaux des quantités limitées d'azote et de phosphore ; les rossolis compensent cette insuffisance en capturant les insectes grâce à un liquide gluant sécrété par une rangée de glandes rouges et luisantes disposées au bord des feuilles. Les feuilles s'enroulent ensuite autour de la malheureuse bestiole, dont la plante absorbe l'azote et le phosphore à l'aide d'enzymes digestives.

Les rossolis semblent avoir mené encore plus loin cette stratégie éminemment spécialisée, en poussant des feuilles dont les formes varient selon l'environnement. Les feuilles de celles qui vivaient au bord de la mare aux eaux noires étaient longues, plutôt ovoïdes et dressées en l'air, tandis que celles qu'on trouve en terrain plus sec ont généralement des feuilles rondes et posées à plat sur le sol. Peut-être parce que les plantes « chassent » des variétés d'insectes différentes selon leur habitat. Le droséra des marais mange-t-il plutôt des moustiques et sa cousine des prés plutôt des fourmis ? Je titillai les mâchoires luisantes d'une feuille avec une brindille de laurier des marais, espérant imiter les pas légers d'un insecte, mais à ma grande déception la plante resta sans réaction. Je me demandai à haute voix si un bota-

1. On trouve des empreintes fossilisées de prêles dès le carbonifère, il y a donc plus de deux cent cinquante millions d'années. (*N.d.T.*)

niste considérerait les différentes variétés de rossolis comme des espèces distinctes [1].

Savoir ce qui constitue une espèce est une question énigmatique : des guirlandes d'usnée barbue pendaient aux arbres entourant la prairie marécageuse – longues pendeloques de lichens gris olive qui se soulèvent et flottent au vent comme des banderoles de prière. Il y a trois types de lichens – crustacé, qui forme des croûtes très minces, comme de la peinture qui pèle ; foliacé, qui ressemble davantage à des feuilles ; et fruticuleux, qui présente des tiges dressées ou pendantes, comme l'usnée.

Chacun de ces types compte de nombreuses variétés qui sont cataloguées comme espèces distinctes, mais l'énigme s'éclaire quand on considère ce qu'est véritablement un lichen. C'est, en effet, une relation de coopération entre une algue et un champignon, organismes nullement apparentés, qui sont eux-mêmes des espèces différentes. (Le champignon constitue le corps du lichen tandis que l'algue utilise sa chlorophylle pour fabriquer la nourriture de la plante.) Ajoutez une troisième espèce – la bactérie bleu vert qui entre dans la composition de plusieurs lichens – et cette mystérieuse forme de vie devient une petite communauté qui exige d'être définie comme espèce.

« Comme une famille, commenta Michio, enfourchant son dada. Tous pour un et un pour tous. » Sa tirade était si manifestement étudiée qu'elle en prenait un sens nouveau, et pendant un instant je l'imaginai seul dans sa cabane en train d'en articuler soigneusement les syllabes.

Nous commençâmes à gravir le coteau, haletant et pestant sur le sol inégal d'un sentier imperceptible tracé par des animaux, qui contournait un bouquet d'airelles, montait en pente raide jusqu'à un épaulement étroit, avant de courir le

1. J'ai appris depuis qu'il existe effectivement deux espèces différentes de *drosera* en Alaska : le rossolis à longue feuille et le rossolis à feuille ronde. Je recommande au lecteur *The Nature of Southeast Alaska* de Rita O'Clair, Robert Armstrong et Richard Carstensen, ouvrage très agréable et plein d'informations sur la région.

long d'une ravine peu profonde. Un torrent glougloutant, brun comme du thé des tanins lessivés sur le sol, étouffait de son babillage le bruit de nos pas.

Devant la singularité primitive des champignons, les biologistes leur ont attribué dans le règne végétal un groupe taxinomique particulier, regroupant tout ce qui se reproduit en éparpillant des spores, lesquelles s'épanouissent en hyphe – puis ces minuscules filaments s'agglomèrent en corps fructifères : les formes qui nous sont familières des ascomycètes, basidiomycètes et autres myxomicètes [1].

« Regarde celui-ci, Michio. » Je lui tendais un rameau constellé de minuscules nodosités. Pourrie, la branche était légère et fragile, et je devais la tenir avec précaution pour éviter de l'abîmer. Une nidulaire, champignon en forme de nid rempli d'œufs minuscules, formait une protubérance à la surface. Je l'approchai du visage de Michio pour qu'il puisse l'examiner de près.

« Quand une goutte de pluie tombe en plein milieu du " nid ", expliquai-je, les rebords arrondis créent une force hydraulique qui fait gicler les " œufs " en tous sens. »

Michio remua la tête d'émerveillement. Le nid miniature aurait tenu à l'aise sur le bout du doigt d'un bébé. « Si je ne pouvais plus faire qu'un seul livre, dit-il, ce serait sur des détails comme ça. »

Même les champignons sont beaux si on les voit de la bonne manière.

Une demi-heure après, je m'arrêtai pour suspendre mon fusil à l'épaule, crosse en l'air ; la pluie redoublait et je ne voulais pas d'eau dans le canon. Michio déplia son trépied pour s'en servir d'alpenstock, et j'en fis autant. J'avais mal aux genoux et mon cœur cognait à se rompre. L'effort de hisser notre corps surchargé de quadragénaire par-dessus des troncs abattus et de se frayer un chemin à travers les fourrés de broussailles nous faisait haleter. Un grand calme régnait

---

1. Toutes les formes vivantes sporulifères ne sont pas des champignons. Un certain nombre de plantes terrestres, comme les fougères, se reproduisent à l'aide de spores au lieu de graines.

– les oiseaux ne chantent pas sous la pluie battante – et nous nous sentions totalement seuls.

Fausse impression, bien sûr. Chacun de nos pas assourdis par la mousse bouleversait un univers. Tandis que nous gravissions les pentes dans l'espoir de trouver un ours bleu argenté, un animal microscopique long de moins d'un millimètre appelé « ours d'eau » s'accrochait de ses griffes acérées aux brins de mousse que nous foulions. La mousse est trop riche en cellulose pour que la plupart des animaux puissent s'en nourrir, mais le tardigrade est armé de stylets aigus qui lui permettent de percer les cellules des plantes et d'en sucer le contenu, n'en laissant que les parois indigestes. Le monde grouille de formes de vie qui échappent à notre attention.

Je m'assurai une prise dans la pente d'un coup de botte et empoignai une racine à hauteur de mon visage. La vie de l'ours d'eau doit ressembler à ça, me dis-je. Il passe son temps à grimper et à ramper dans la mousse.

La forme de vie la plus bizarre de la forêt n'est pourtant pas le tardigrade. Ce titre revient de droit au myxomycète. Faute d'une meilleure définition, celui-ci est considéré comme une sorte de champignon mais semble en fait errer sur les marges du royaume animal. La première partie de son existence se déroule comme celle de milliers de cellules du style amibe qui rampent dans la forêt. Pour des raisons que personne ne comprend exactement, il arrive que les cellules individuelles se rassemblent et s'agglutinent en une sorte d'énorme protoplasme qui évoque les œufs brouillés. Cette chose se traîne à la surface du sol et jusque sur les feuilles des arbres, pour finir par fructifier en millions de spores microscopiques qui se répandent dans la nature et deviennent des cellules individuelles, bouclant ainsi l'étrange cycle de vie de cette créature.

Il existe d'autres champignons, les mycorhizes, dont on comprend mieux la raison d'être. Dans une relation qui rappelle le mariage d'algues et de champignons qui constitue les lichens, les mycorhizes infectent les racines d'arbres et d'autres plantes pour y puiser des principes nutritifs tels que des sucres et des acides aminés. Ce phénomène est moins parasitaire qu'il ne semble de prime abord, dans la mesure où il implique un transfert égal de phosphore, de potassium, de calcium et d'azote entre le sol et les racines de l'arbre contaminé, par l'entremise des hyphes minuscules que le champignon étend dans le sol tout autour de son hôte. La plupart des arbres de la forêt ne pourraient tout simplement pas atteindre l'âge adulte s'ils n'étaient pas convenablement infectés par des mycorhizes, et l'on a découvert il y a une dizaine d'années que les arbres reliés par cet « internet » mycorhizien peuvent se faire parvenir mutuellement de l'eau et d'autres principes nutritifs par l'intermédiaire de l'hyphe environnante, les arbres les plus vigoureux transmettant ainsi une partie de leurs réserves à leurs congénères dans le besoin.

Je remontai ma manche pour regarder ma montre. Deux heures de l'après-midi. Nous grimpions depuis plusieurs heures, et à mesure que nous nous élevions dans les nuages la pluie s'était transformée en un rideau de brume épaisse qui ornait toutes les surfaces de perles d'eau froide. Le vent commençait à tirailler les arbres.

Avec un grognement, je me forçai à faire un pas, puis un autre, et tentai d'oublier mes efforts en imaginant l'immense réseau d'hyphes délicates et de radicelles qui acheminaient sous mes pieds un flux incessant de substances nutritives, suçant et pompant comme ces tubes pneumatiques qui reliaient autrefois caissiers et vendeurs dans les grands magasins. Et parmi les nutriments transportés par cette toile biologique, figuraient les isotopes stables d'azote marin que les carcasses de saumons transmettent à la forêt (voir p. 88). J'étais déjà si épuisé que j'avais presque envie de jeter ma propre carcasse sur la mousse et de laisser mon azote se mêler au flot alimentaire irriguant la nature. Michio n'était pas moins fatigué ; lorsque nous fîmes une brève halte pour nous reposer, il s'étendit sur le sol et s'endormit aussitôt, la figure baignée de pluie.

Une averse me réveilla. De durs projectiles me criblaient le visage. Je m'épongeai les yeux pour observer la cime des arbres. Je tremblais, trempé de sueur sous ma combinaison de pluie, et j'étais endolori de la nuque jusqu'aux genoux. Une rafale de vent fouetta une pruche dentelée, qui se lança dans une danse polynésienne, et je me remis péniblement sur pied.

« Le temps se gâte ? demanda Michio, en se frottant les yeux.

– Ça ne s'arrange pas, dis-je inutilement. Et si ça continue, ce sera invivable au-dessus des arbres. Il faudra dresser le camp dans les bois. »

Deux cents mètres plus loin, nous débouchâmes dans les alpages. Une végétation qui nous arrivait à la taille assiégeait des bosquets d'aulnes et d'arbres rabougris par le vent. Tout arborait la livrée sourde de l'automne, et quand la pluie s'interrompit un instant le glacier bleu pâle nous jeta un coup d'œil furtif à travers les nuages. Une butte de roc nu à la lisière de la prairie s'imposait comme belvédère, d'où surveiller la pente, mais, fit remarquer Michio, même si nous avions la chance de repérer un ours des glaciers, il faisait trop mauvais temps pour sortir les appareils photo.

Il nous fallut une heure pour atteindre le pied du piton, tant nous avancions lentement et précautionneusement à la recherche d'ours. Çà et là, des touffes de panais et d'aconits vieillissants avaient été aplaties par des plantigrades à la recherche de nourriture, mais rien n'indiquait que leur passage était récent.

Au pied de la butte je m'immobilisai brusquement. Un os ivoire terminé par des sabots noirs se dissimulait dans la bruyère à mes pieds. Une touffe de poils blancs gainant la cheville indiquait qu'il s'agissait des restes d'une chèvre.

« Un chevreau », dis-je en prenant l'os dans la main. Il était poli et fragile, comme une coquille délicate. En dehors des poils blancs, il avait été entièrement nettoyé.

« Il s'est aventuré un peu trop loin dans la prairie. » Il était facile d'imaginer un loup surgi des bois et la brève lutte qui s'était ensuivie. Il était triste, pensai-je, que le chevreau ait été rattrapé si près du refuge vertical du rocher.

Michio haussa les épaules avec fatalisme. « La nature, dit-il. Tout doit mourir. Voilà pourquoi nous aimons tant la nature. C'est ce contrat qui fait que je veux tirer le maximum de ma vie. *Vivre vraiment.*

– Comme le martin-pêcheur ? Tu te rappelles, pendant notre premier voyage à la baie du Glacier ? »

Michio réfléchit un instant, puis sourit en se souvenant que j'avais voulu lancer une pierre sur une bande de corneilles qui tourmentaient un martin-pêcheur blessé. Et en fin de compte un jeune aigle avait fondu sur l'oiseau éclopé et l'avait emporté avant que je puisse intervenir.

« Ours, corneille, aigle, ours, déclama-t-il comme une sorte de poème. Tout vit de son mieux, jusqu'à ce que vienne pour lui aussi le moment de mourir.

– *Ngane ngane Iko !* » répondis-je, plaçant l'une de mes rares expressions japonaises. C'était une pauvre interprétation de ce qu'il essayait de dire, mais la vue d'une feuille d'automne nous émeut précisément parce qu'elle est en train de mourir – et l'os de chevreau était beau de la même manière.

Michio s'essuya le visage de la main et plissa les yeux pour se protéger de la pluie. Il était trempé et boueux ; des brindilles lui parsemaient les cheveux. Il sourit et tendit la main sous la pluie avec une grimace, l'air de dire : *Regardez de quoi on a l'air ! Nous grelottons, épuisés et boueux, nous nous baladons dans la montagne sous la pluie, à la recherche d'un animal que nous n'avons pratiquement aucun espoir de trouver ! Allons-y gaiement !*

Comme pour participer à la plaisanterie, une rafale de vent m'arracha mon bonnet de la tête et le jeta à mes pieds. Quelle que fût la disposition protectrice des montagnes qui faisait de la baie d'Holkham « l'endroit sans tempêtes », notre ascension nous en avait ôté le bénéfice, et la tourmente qu'annonçait la météo avant notre départ de Juneau nous arrivait dessus.

11

PLEIN SUD VERS LE CAP FANSHAW

Le coup de vent qui effondra notre tente abattit aussi plusieurs arbres. Dans l'obscurité, nous eûmes l'impression que le monstrueux sapin ciguë qui se brisa et tomba à une centaine de mètres de nous s'était écrasé juste à côté de notre abri, et Michio poussa un gémissement en se roulant en boule – qu'il crût que l'arbre allait nous broyer ou qu'il voulût se protéger des furieux coups de pied que je décochais en essayant d'arracher le nylon mouillé collé à mon visage, je ne saurais le dire, mais dans la mêlée la tente se déchira et au lever du jour nos sacs de couchage étaient trempés.

Nous tassâmes notre équipement humide dans nos sacs à dos et nous nous dépêchâmes de battre en retraite, de peur que la tempête n'ait jeté des icebergs dans la crique où le *Swift* était ancré. C'est sous une pluie battante que nous nous frayâmes un chemin à travers des barricades de troncs éclatés et de terre retournée par la tornade de la nuit, mais le vent avait commencé à mollir. Lorsque nous atteignîmes en titubant le niveau de la mer, Soun-doun justifiait pleinement son nom. Le fjord vert bouteille était calme, sans le moindre iceberg en vue. Je n'en poussai pas moins un soupir de soulagement quand le canot s'engagea dans la crique, où le *Swift* se balançait paisiblement au bout de son amarre.

Au crépuscule, le temps changea. Une échappée de soleil dessina le rectangle de la fenêtre sur la table, et Michio se mit à chantonner en s'affairant dans la cabine en chaussettes sèches.

« Alors, on continue à chercher ? » demandai-je. Si nous ne nous sentions ni l'un ni l'autre abattus par toutes ces journées de traque infructueuse, nous n'avions rien vu qui pût me faire penser que la chance allait tourner.

Michio répondit par un grognement évasif, et s'appuya contre la table, les mains en coupe dans la lumière.

« Je me disais, fit-il, en retournant une main comme pour verser le rougeoiement chaud du couchant sur le bois, que je n'ai aucune photo de baleine dans cette lumière. »

Au fil des ans, Michio et moi avions photographié de nombreuses baleines, mais toujours pendant les journées brûlantes de l'été. Nul doute que la rapide déclination du soleil d'octobre offrait une lumière douce, diffuse, qui ajouterait une dimension nouvelle à son travail.

« Il n'est pas facile, répondis-je, de trouver des baleines aussi tard dans l'automne. » Une tempête surgit rageusement du golfe tous les quatre ou cinq jours. Ajoutez-y des vents de vingt à trente nœuds trois ou quatre jours par semaine, divisez le tout par le jour sur neuf où le ciel est vide de pluie ou de nuages épais, et même le joueur le plus impénitent hésiterait à risquer un dollar sur les chances de trouver et de photographier des baleines par temps clair et calme en cette saison.

Nous avions été assez heureux pour entrevoir une jubarte entre Juneau et Endicott, « mais à part ça, dis-je, je ne sais pas trop où chercher ».

Les baleines à bosse se dispersent quand la saison bascule, s'éloignant de leurs zones estivales à la recherche de meilleurs territoires de chasse, ou abandonnant même entièrement les eaux de l'Alaska. Et s'il m'est arrivé une fois de tomber sur une troupe d'une centaine d'individus près de l'entrée d'un chenal au début de novembre, pendant la plupart de mes excursions automnales et hivernales, les baleines étaient aussi insaisissables que les papillons.

« Pas de baleines dans le Frederick Sound ? » demanda

Michio. (Nous y avions fait plusieurs fructueuses expéditions depuis la première fois.)

« Peut-être, répondis-je, mais je ne l'affirmerais pas. »

Je lui rappelai que le temps ne serait pas meilleur dans le Frederick Sound et que plus nous irions vers le sud plus nous serions exposés. J'imagine que j'étais encore échaudé par le coup de vent dans la montagne, mais je ne lui précisai pas qu'après cette expérience l'idée de subir la bouline de bourrasques dans le Frederick Sound me faisait conclure que le port de Juneau était notre choix le plus raisonnable.

« Non, ajoutai-je. Les chances sont trop faibles. On ferait mieux de rentrer. »

Quand je basculai au bas de ma couchette le lendemain matin, un ciel bleu acrylique me fit changer d'avis. Il annonçait que le baromètre remontait et que le noroît soufflerait un air clair et froid venu du Canada [1]. Mettre le cap sur Juneau signifierait affronter une houle contraire sur une soixantaine de kilomètres, alors que nous serions agréablement poussés vent arrière vers le Frederick Sound.

« Ça pourrait marcher », dis-je à Michio. Profiter du beau temps pour se laisser porter par le vent du nord jusqu'au Frederick Sound et espérer un jour ou deux de calme. L'anticyclone serait presque certainement suivi d'une dépression, et nous pourrions compter au retour sur un vent du sud pour nous ramener vers Juneau.

Je vérifiai le carburant, Michio fit l'inventaire des vivres. Nous décidâmes que nous avions largement assez des deux. Hâlant de concert, nous hissâmes le canot à bord et le rangeâmes sur le pont, puis je levai l'ancre et appareillai.

1. Les systèmes de basses pressions tournent dans le sens inverse des aiguilles d'une montre dans l'hémisphère nord, tandis que les anticyclones se déplacent dans la direction opposée. Par conséquent, le vent du nord annonce généralement l'arrivée d'un front de hautes pressions tournoyant d'ouest en est à travers le golfe de l'Alaska, alors qu'un système dépressionnaire est précédé d'un vent du sud ou du sud-ouest. Il y a naturellement de nombreuses exceptions à cette règle, mais on peut s'y fier la plupart du temps.

À la sortie de la baie d'Holkham, le passage Stephens était ourlé de moutons. Une houle verte soufflée du nord montait et descendait en rangées régulières. Vers le milieu du chenal un remorqueur se forçait un chemin vers le nord en faisant jaillir des gerbes d'embruns. Je ne me sentais pas peu fier en tournant le *Swift* vent arrière : il navigue merveilleusement sous cette allure. Après avoir pris un cap de 140 degrés, je poussai les gaz jusqu'à ce que le *Swift* file à la même vitesse que les vagues.

Le haut-fond de Thistle bouillonnait à huit cents mètres à bâbord. Je donnai un léger coup de barre pour le doubler bien au large, puis corrigeai de nouveau légèrement ma course pour ne pas passer trop près de la baie de Hobart. Commencer à se soucier de l'environnement, dit, je crois, Aldo Leopold, c'est comme vivre avec une plaie béante, et la vue des énormes saignées à blanc-étoc qui s'étalent au flanc des montagnes de part et d'autre de la baie de Hobart ne manque jamais de me faire l'effet d'une blessure dans ma propre chair. Nous en écarter nous plaçait sur un cap plein sud, pour longer l'île de l'Amirauté jusqu'à la pointe Pybus, juste au sud de la baie de Gambier. À la pointe Pybus, nous obliquerions au sud-ouest, où, si nous avions de la chance, nous pourrions trouver des eaux plus calmes à l'abri de l'île de l'Amirauté.

Le *Swift* s'élevait et retombait avec les vagues, projetant des arcs scintillants d'embruns. Une mouette de Bonaparte dans sa livrée d'hiver passa en piqué à l'arrière et, n'ayant rien trouvé d'intéressant, s'éloigna d'un coup d'aile.

Une heure plus tard le vent commença à calmir à l'approche du passage entre les îles Brothers et la baie de Pybus – où s'étaient installées autrefois plusieurs entreprises qui élevaient des renards en cage pour leur fourrure. La légende indienne assure que la baie est peuplée de nains invisibles, enclins à aider les humains en difficulté, mais en 1924 ils ne furent pas d'un grand secours pour un voleur de renards appelé Billy Gray : une escouade d'éleveurs le traqua jusque sur une petite île près de la sortie de la baie et le tua dans sa tente pendant son sommeil.

Le Frederick Sound était calme quand nous mîmes en panne au large d'Eliza Harbor pour déjeuner. Je sortis les jumelles pendant que Michio confectionnait des sandwichs. Nous nous assîmes à l'avant pour examiner la côte en mangeant ; le *Swift* roulait doucement d'un bord sur l'autre sur la houle mourante. La mer était gris pâle. La cheminée d'un navire qui passait loin au sud traçait une panachure de fumée bas sur l'horizon.

Mon sandwich terminé, je m'essuyai le visage avec une serviette en papier et retournai dans la timonerie régler la radio sur la station météo. Nous étions trop loin au sud pour capter Juneau, mais je croyais que par une journée aussi claire nous serions encore à portée de Petersburg, à seulement quatre-vingts kilomètres de là.

Des grésillements brouillaient l'émission. Après m'être efforcé pendant dix minutes de distinguer la voix électronique des sifflements et du bavardage atmosphériques, j'abandonnai et regagnai le pont pour examiner le ciel.

« Tout a l'air d'aller », dis-je. Des doigts de gaze blanche s'avançaient depuis le sud-ouest. Le reste du ciel était bleu clair.

« Jolie lumière, dit Michio. Il ne nous manque plus que les baleines. »

Nous dérivâmes pendant encore une demi-heure, à l'affût de jets de vapeur à l'horizon. La lumière était douce sur mon visage, et je m'abandonnai à la paix d'être assis à regarder le monde tourner autour de nous.

« La marée va monter d'ici deux heures, fis-je observer. Peut-être qu'au renversement on aura un peu de chance avec les baleines. » C'était une suggestion audacieuse, plus optimiste que réaliste, mais il n'était pas impossible qu'un changement de direction du courant ait un effet sur le plancton et suscite ainsi une certaine activité des baleines – s'il y en avait dans les parages. Les cinquante à quatre-vingts kilomètres carrés d'océan visibles depuis notre position paraissaient aussi vides que le ciel.

Nous nous promenâmes au ralenti pendant deux ou trois kilomètres avant de couper le moteur, puis nous nous assoupîmes tour à tour, tandis que l'autre montait la garde. Au large de la baie de Chapin, un marsouin souffla à la surface à quelques mètres de la proue, et aspira une rapide goulée avant de disparaître de nouveau. Une poignée de pétrels tempêtes s'approchèrent d'un coup d'aile, en rasant les flots ; haut dans le ciel un aigle solitaire traçait une spirale.

Quand je m'éveillai de mon somme, le ciel n'était plus bleu. Les doigts de gaze étaient devenus gris perle, et le *Swift* roulait plus fort, avec un claquement qui faisait tinter les tasses à café suspendues à leurs crochets.

Je jetai un coup d'œil à ma montre : il était plus de trois heures. La marée montait depuis plus d'une heure, encore une heure et elle serait pleine. Le roulis, me dis-je, doit venir du courant qui se renforce en butant et en bouillonnant sur le fond [1].

Je vérifiai le sondeur – nous avions trente mètres de fond – et rattrapai au vol un livre qui plongeait vers le sol. La bouilloire traversa le réchaud et claqua contre le rebord. J'empoignai tous les objets qui traînaient sur le plan de travail et les empilai sous l'évier juste au moment où la vague suivante arrivait.

« Allez, on file ! criai-je à Michio. Le ciel a une tête qui ne me plaît pas. » Un banc de nuages couleur d'ecchymose approchait du sud, avec au pied une traînée d'eau, noire de vent. Mon estomac se noua lentement : la houle qui secouait le *Swift* n'était pas due à la marée mais au pouls de

1. Le flot et le jusant peuvent se représenter par une courbe en cloche, la plus grande quantité de mouvement se produisant au milieu. Pour calculer la vitesse à laquelle le niveau de l'eau change pendant une période donnée, divisez par douze la distance entre la marée haute et la marée basse. Pendant les six heures d'un changement diurne, 1/12 sera parcouru pendant la première heure, 2/12 pendant la deuxième, 3/12 pendant les troisième et quatrième, 2/12 pendant la cinquième et le dernier 1/12 pendant la sixième. Ainsi, pour une marée d'ampleur modérée, disons de six mètres, le niveau de l'eau s'élèvera ou baissera d'un mètre trente par heure vers le milieu de la marée, produisant alors les courants les plus forts.

quelque chose de mauvais et de puissant qui se ruait vers nous en tourbillonnant.

J'étalai une carte sur la table et indiquai du doigt notre position. Nous avions dérivé sud-ouest jusqu'aux abords de l'île de Yasha, à quelques kilomètres seulement de la pointe Gardner, qui formait l'extrémité sud de l'île de l'Amirauté. Le littoral proche était constellé de refuges et de criques, mais tous orientés au sud ils n'offriraient pas le moindre abri. Les baies de la Sécurité et de Saginaw sur la rive opposée du Frederick Sound étaient idéales pour essuyer une bourrasque du sud, mais quand je regardai dans cette direction, elles avaient été effacées par le front qui accourait.

Un souffle de vent se glissa par la fenêtre ouverte et souleva le coin de la carte. La crête d'une vague se déchira en bande blanche, puis derrière elle une autre, puis une autre, et en moins d'une minute les lames se pulvérisaient dans toutes les directions.

Un coup de vent mit le *Swift* en travers de la houle, et d'un coup de barre je le ramenai face aux vagues. Michio me jeta un regard inquiet ; je lui fis signe de vérifier que les appareils photo étaient en lieu sûr et de ranger ses affaires.

« Ça va, lui dis-je, barrant d'une main et frappant la carte à petits coups de l'autre. La baie de Warm Springs n'est qu'à quinze kilomètres, en traversant le détroit de Chatham. »

Warm Springs est ce que les pêcheurs appellent un port « pare-balles », protégé de tous côtés par de hautes montagnes. L'entrée est étroite, et au fond de la baie il y a un appontement bien entretenu. La baie de Warm Springs abritait autrefois le village de Baranof, petite colonie qui attirait les pêcheurs de passage par la promesse d'un bain dans les sources naturelles d'eau chaude toutes proches. Lorsqu'ils avaient bien soulagé les maux de leur dur métier, ils s'arrêtaient à l'épicerie de Sadie Fenton et de Fred O'Neal pour prendre le courrier, des provisions et partager les derniers ragots du détroit de Chatham.

La première fois que je suis allé à Baranof, le magasin était abandonné et s'effondrait. N'y habitaient plus toute l'année que Fred Bahovec et sa femme, Chlotilde. Elle avait soixante-dix-huit ans, lui cent ans, et il écrivait ses Mémoires, qu'il avait décidé d'intituler *Les Cent Premières Années*. Fred avait été éleveur de renards, disait-il, et oui, il avait eu des ennuis avec les braconniers de temps à autre. Il semblait douteux qu'un homme aussi sympathique ait participé à l'affaire Billy Gray, mais si c'était le cas, il n'en soufflait mot.

Michio s'épanouit au nom de Warm Springs. Quand nous y étions venus ensemble pour la première fois en 1991, Fred était mort (à sa grande surprise, je suis sûr) et Chlotilde était encore en deuil, mais nous l'emmenâmes faire une promenade à bord du *Swift* dans le détroit de Chatham jusqu'à ce que nous tombions sur un groupe de baleines, qui la transportèrent de bonheur en se prélassant sur le dos à moins de cinquante mètres du bateau et en agitant dans l'air leurs nageoires géantes. Lorsque nous regagnâmes le wharf, Michio et elle étaient les meilleurs copains du monde. Je ne lui précisai pas qu'elle avait été récemment hospitalisée à Sitka pour un cancer de la gorge. Cela pouvait attendre que nous soyons à l'abri le long de la jetée.

« Ce sera une traversée vent arrière. On devrait y être dans une heure. »

J'avais dit cela avec plus d'assurance que je n'en éprouvais. La mer n'était pas encore si dure que ça – il y avait des creux d'un mètre vingt à un mètre cinquante –, mais la marée approchait de son plein et montait contre le vent. Cinq mille kilomètres carrés d'eau se déplaçaient vers le sud en se heurtant à une masse d'air déchaînée, probablement de la dimension du Tennessee, et cet affrontement ne pouvait qu'agiter une mer déjà forte. Me rappelant que Sadie Fenton avait vendu l'épicerie de Baranof et quitté la baie après la disparition de Fred O'Neal – sans doute noyé dans le naufrage de son bateau –, un jour qu'il s'était aventuré dans le détroit de Chatham par un temps très semblable à celui-ci, le *Swift* commença à me paraître aussi minuscule qu'un moucheron.

Bien qu'il ne fût pas encore quatre heures de l'après-midi, la lumière avait une densité grise et menaçante, et lorsqu'un paquet d'embruns balaya les vitres de la cabine en crépitant, je mis l'essuie-glace en route et branchai le radar.

Nous avançâmes au ralenti, balottés par la houle, pendant que je décidais ce que nous allions faire. De notre position, gagner en ligne droite la baie de Warm Springs nous ferait traverser une zone de hauts-fonds sujette à des déferlements féroces entre l'île de Yasha et la pointe Gardner ; sinon il nous faudrait mettre le cap au sud-ouest vers la haute mer pour doubler Yasha, puis remonter au vent de 120 degrés. Mais nous serions sans doute très secoués et nous mettrions une demi-heure de plus pour atteindre Baranof, au risque d'arriver au crépuscule.

Un autre seau d'eau salée explosa contre les vitres ; je verrouillai la porte. Sur l'écran du radar, la côte était brouillée par les lames qui déferlaient en tous sens, et quand une tache de brouillard vert apparut, je sus que la pluie arrivait.

Je fis pivoter la barre et le *Swift* abattit en zigzag, cap sur la pointe Gardner. Une averse assez forte pour obscurcir le radar signifiait aussi que la nuit allait tomber plus vite, et naviguer dans l'obscurité est plein d'embûches : autre conséquence de l'exploitation forestière à l'échelle industrielle, des milliers de troncs dérivent à l'abandon sur les voies navigables de l'Alaska du Sud-Est, et en heurter un la nuit pouvait être fatal.

J'ouvris les gaz jusqu'à ce que le *Swift* coure à la vitesse de la houle. Les lames mesuraient environ un mètre cinquante de creux, avec de temps à autre une vague de près de deux mètres [1]. Filer ainsi grand largue était presque enivrant ; le *Swift* se hissait sur la crête d'une lame, puis la dévalait en surfant pour mieux se lancer à l'assaut de la suivante. Arc-

1. Apprécier la taille des vagues est très difficile, et la plupart des estimations peuvent être réduites de moitié ou d'un tiers. Précisons cependant que pour les petits bateaux la hauteur d'une lame compte moins que sa « période », l'intervalle entre deux vagues. Les rouleaux de six mètres ne sont pas aussi dangereux que des vagues de deux mètres abruptes et très peu espacées.

bouté contre la table, Michio regardait les vagues par-dessus son épaule.

« Ça risque de devenir bientôt un peu plus dur », dis-je les yeux fixés sur le radar. Il y avait quelque chose sur l'écran que je n'avais encore jamais vu : la zone entre la pointe Gardner et l'île de Yasha se tordait comme un serpent vert.

Mon estomac se noua : la marée qui se déversait du passage Stephens et du Frederick Sound bouillonnait sur les hauts-fonds et plongeait tête baissée dans le flux venant du détroit de Chatham. Ce que je regardais, c'était une zone de déferlantes si denses que le radar ne voyait qu'une seule lame.

« Accroche-toi. » Je voulais paraître calme, mais je parlai trop fort ; je me demandai s'il était trop tard pour faire demi-tour.

Il était trop tard. Nous n'avions pas le choix ; il fallait continuer.

12

LA TEMPÊTE

Le *Swift* bascula de la première vague et plongea dans le creux, puis s'agrippa pour se hisser de nouveau sur la crête. Les lames chargeaient follement dans toutes les directions, se télescopaient, se hérissaient de pics. Une eau verte écumait par-dessus la rambarde.

Les rafales d'embruns eurent vite raison de l'essuie-glace, et j'en fus réduit à scruter entre les traînées. Quelque part devant nous la bouée d'acier qui marque la limite d'un récif prolongeant au nord l'île de Yasha dansait et plongeait dans l'eau bouillonnante, et si je la manquais le *Swift* risquait d'être drossé sur un banc de rochers à fleur d'eau et mis en pièces.

Un tiroir bondit de sa gaine pour s'écraser par terre. « Laisse », criai-je à Michio en le voyant faire un geste pour le ramasser. L'eau qui balayait le pont s'infiltrait par la porte et rendait glissant le sol de la cabine. Je ne voulais pas qu'il se blesse en tombant.

« On n'en a plus pour longtemps. La marée va nous refouler de l'autre côté. »

Je risquai de lâcher la barre d'une main pour ajuster l'écran du radar, et m'aperçus que j'avais les mâchoires serrées. Le chaos de lames et les paquets d'embruns entravaient le fonctionnement du radar, et il était difficile de distinguer l'eau de la terre. Il ne me restait qu'à deviner un cap approximatif, essayer de le tenir et prier que nous arrivions à atteindre des eaux plus profondes avant d'être jetés sur les récifs.

Le bruit était terrifiant. Les paquets de mer giflaient les vitres comme autant de pelletées de gravier tandis que les lames martelaient la coque. La correction se prolongea interminablement ; cogné et bousculé, le *Swift* finit par donner l'impression qu'il dégringolait un escalier.

« Là ! » hurla Michio, montrant quelque chose à bâbord.

J'aperçus une fugitive tache rouge – la bouée introuvable – danser au sommet d'une vague. Quelques minutes après, la pluie d'embruns se calma un instant et le long doigt vert de la pointe Gardner apparut sur l'écran du radar. Nous étions à moins de trois kilomètres, laissant la bouée sur l'arrière ; le sondeur passa rapidement de vingt brasses à quarante, et ainsi de suite jusqu'à cinquante : nous avions été emportés au-delà du récif.

« On est presque tirés d'affaire, dis-je pour essayer de rassurer Michio. Ça va s'arranger dès qu'on aura doublé la pointe. »

Je n'aurais pu me tromper davantage. Il nous avait fallu presque une demi-heure pour traverser le front heurté de la marée, et entre-temps le vent avait redoublé. Les lames s'amoncelaient, commençaient à grimper les unes sur les autres, et leurs crêtes déferlaient sur une trentaine de mètres.

« Mon Dieu », murmurai-je. Mon cœur s'emballait. Je haletais. Le *Swift* est un bateau léger à faible tirant d'eau, et la cabine offre une grande prise au vent. La baie de Warm Springs se situait à l'ouest-noroît, sur une route magnétique de 285 degrés, mais pour l'atteindre sans être poussé au-delà, j'estimai qu'il me faudrait abattre d'au moins 40 degrés, ce qui voulait dire affronter le vent en crabe et recevoir les vagues par le travers.

« On n'y arrivera pas », dis-je à Michio. Il me regarda sans un mot, la bouche grande ouverte.

« Il faut qu'on remonte vers le nord, par le détroit de Chatham, pour essayer de trouver un abri derrière l'île de l'Amirauté. » Le *Swift* plongea dans le creux entre deux vagues.

J'orientai le bateau vent arrière et saisis la poignée des gaz. Un avantage du moteur à essence sur le diesel est qu'il répond plus vite, ce qui simplifie la navigation par mer forte. Une bonne accélération donne une poussée à la demande et, avec un peu d'expérience, la plupart des commandants de petits bateaux acquièrent un sens du tempo qui leur permet de savoir quand accélérer pour se hisser au sommet d'une lame et quand ralentir pour se laisser glisser en bas, interaction quasi instinctive avec le mouvement de l'eau. Il s'agit alors de surveiller de près le rythme de la houle pour choisir la meilleure route à travers les vagues.

La mer était beaucoup trop forte pour nous permettre ce genre de chevauchée, et comme pour souligner la gravité de notre situation, la lame suivante explosa sous la quille du *Swift* dans une avalanche d'écume. Nous tombâmes comme un ascenseur en chute libre pour nous écraser dans le creux, avant de chasser de travers jusqu'au sommet de la prochaine. Je poussai les gaz à fond, remettant le bateau de face pour ne pas être roulé par la déferlante suivante. Nous bondîmes, plongeâmes et roulâmes ; un lourd sac de marin s'effondra sur le sol.

« Descends tout, criai-je. Mets tout par terre. »

J'étais gêné de hurler des ordres, mais devoir descendre des couchettes et des étagères toutes les affaires et les lourdes sacoches d'appareils photo montrait à quel point la situation devenait désespérée ; déplacer une centaine de kilos n'aurait qu'un effet minime sur l'équilibre général du *Swift*, mais si un grand rouleau nous percutait par le travers, abaisser le centre de gravité, ne fût-ce que légèrement, pourrait faire la différence entre chavirer et rester à flot.

Il y a un peu plus d'un an, un bateau semblable au *Wilderness Swift* s'était retourné pendant une pêche au saumon près de Haines. Le patron du *Tammy Kay* était parvenu à se libérer et avait été sauvé, mais un matelot était resté piégé dans la coque renversée. Il y avait tant de givre qu'un hélicoptère de secours des garde-côtes fut contraint de battre en retraite, et après que plusieurs tentatives pour plonger jusqu'à l'homme pris au piège échouèrent devant un enchevêtrement de filets et de cordages, les équipages de la demi-douzaine de bateaux qui avaient répondu à l'appel de détresse du *Tammy Kay* durent écouter impuissants les coups assourdis du matelot de seize ans qui essayait de se libérer, jusqu'à ce qu'il finisse par se noyer. La nuit où il chavira, le *Tammy Kay* était au milieu d'une flottille de pêche et le vent soufflait à trente nœuds ; cette fois les conditions étaient bien plus mauvaises et le *Wilderness Swift* était seul. Pas un bateau en vue.

Je hasardai un rapide coup d'œil vers la carte. À treize kilomètres au nord, l'anse Wilson formait une légère indentation dans la côte, mais elle était semée de rochers et trop ouverte pour offrir un abri sérieux contre la tempête.

Onze kilomètres plus loin, la baie de Whitewater promettait un excellent havre, mais un récif qui réclamait son tribut de navires depuis l'occupation russe bloquait la moitié sud de l'entrée. Doubler l'écueil impliquait de dépasser la baie puis de revenir en arrière par une manœuvre risquée qui nous mettrait de travers à la lame.

Un autre rouleau siffla sous la quille et nous jeta dans le vide derrière lui. Le mieux que je pouvais faire était d'accélérer pour gagner de la vitesse dans le creux puis de ralentir pour éviter de déraper sur la crête et de basculer dans la déferlante. Les lames étaient devenues si grosses et si escarpées que je craignais d'enfourner. Si cela se produisait, la prochaine risquait de nous faire chavirer debout.

Une lame sur quatre ou cinq était un monstre, animal lisse et gris qui s'élevait si haut qu'il semblait bloquer le vent. J'étais sûr que ce n'était plus qu'une question de temps avant que l'une d'elles ne s'abatte sur nous pour nous couler bas.

« Vingt-cinq kilomètres, murmurai-je. Ça pourrait aussi bien être cent cinquante. »

Je ne voulais pas y penser. Si nous n'atteignions pas Whitewater avant la nuit, le port suivant était à six kilomètres. Aucun récif menaçant ne barrait la baie de Chaik, mais je me disais que chaque kilomètre supplémentaire dans l'obscurité réduisait de moitié nos chances d'y arriver.

« Ça s'aggrave ? » demanda Michio, tassé dans le coin de la table du rouf, s'arc-boutant d'une main contre la cloison.

Ne lui laisse pas voir que tu as peur. J'avalai ma salive et essayai de m'humecter les lèvres.

« Ne t'inquiète pas Michio. Le *Swift* est un bon bateau. »

Il hocha la tête, un peu dubitatif, et se raidit sous le choc de la lame suivante.

Quand je lui jetai un coup d'œil quelques minutes après, le menton posé sur la poitrine, les yeux fermés, il respirait d'un souffle égal.

Nom de Dieu, il s'est endormi.

À mi-chemin entre l'anse Wilson et la baie de Whitewater la marée se renversa, faisant sensiblement mollir le vent, mais même si la mer avait perdu un peu de sa frénésie, j'étais trop désorienté par l'obscurité pour risquer de doubler le récif de Whitewater. Il fallut encore une longue heure à vitesse réduite avant que je ne vire pour embouquer la baie de Chaik. Et il était plus de huit heures lorsque nous glissâmes le *Swift* dans un trou de huit brasses derrière une petite île, où le seul signe de la tempête était le gémissement des rafales de vent à travers les arbres.

J'étais engourdi, tremblant d'épuisement, et j'avais les épaules aussi endolories que si on m'avait battu à coups de planche. Lorsque j'eus filé l'ancre et ramassé le contenu d'une glacière qui s'était renversée sur le pont, Michio panait des côtelettes et une casserole de riz cuisait sur le réchaud.

Je vidai une bouilloire d'eau dans une cuvette, trouvai un gant de toilette et du savon. J'étais poisseux de peur et de sueur, et lorsque je sortis sur le pont pour ôter ma chemise, l'air frais me caressa agréablement la peau. Tremblant moins de froid que de la dissipation de l'adrénaline, je renversai la cuvette d'eau chaude sur ma poitrine avec un grognement satisfait.

L'odeur de la cuisine de Michio se mêlait au fraîchin salé des algues et du varech. La pluie soufflée par le vent scintillait à la lumière de la cabine. Je me sentais en sécurité, submergé de sensations, et je me mis à siffler en m'essuyant. Que c'était bon d'être vivant !

« À table ! » La tête de Michio apparut à la porte.

J'attrapai une bière dans la glacière, enfilai ma chemise et rentrai. Michio avait accompli son miracle habituel : bols de salade, de riz, de haricots cuits à la vapeur, et une assiettée de côtelettes de porc frites, croustillantes à souhait, d'un brun doré.

Je décapsulai la bière et le contenu se répandit en mousse sur ma main. *Je ne suis pas le seul à avoir été secoué*, me dis-je, en attrapant une serviette.

« T'as pas eu peur, Michio ? Quand ça a commencé à taper ? » J'étais encore stupéfait qu'il se fût endormi.

« Oui, répondit-il nonchalamment en se servant une côtelette. Mais t'avais dit que tout irait bien. Alors j'ai dormi. »

Quand j'avais assuré Michio qu'il ne devait pas s'inquiéter parce que « le *Swift* était un bon bateau », je faisais semblant, mais il avait pris mes paroles au pied de la lettre. Il m'avait fait confiance, c'était aussi simple que ça, et tandis que nous savourions notre dîner je me demandai comment on pouvait apprendre à avoir confiance comme ça.

Je m'étais souvent interrogé sur l'effet que Michio produisait sur les gens, sur ce quelque chose en lui qui semblait inspirer une générosité et une gentillesse inattendues, mais cette fois je commençai à comprendre qu'en ayant simplement foi en les gens Michio suscitait la même attitude en retour.

On récolte ce qu'on a semé. C'est un principe établi de la psychologie courante que les humains répondent généralement aux attentes des autres en s'y conformant – traitez quelqu'un en voleur et il volera, mettez-lui une camisole de force et à coup sûr il deviendra fou – mais le contraire est vrai aussi, et pour le comprendre je n'avais qu'à me représenter l'extraordinaire héroïsme du pompier ou du soldat obligé de risquer sa vie en raison des attentes de ses chefs ou de la société en général (en plus de sa formation et de son amour-propre).

De là, il n'y avait qu'un petit saut à faire pour comparer la conception de la vie de Michio – le monde et ses habitants étaient foncièrement justes et bons, et on pouvait compter qu'ils feraient de leur mieux – à la mienne, qui était plutôt celle de quelqu'un qui traversait un fleuve puissant sur une mince couche de glace.

Je devrais être plus comme ça, me dis-je, en prenant vaguement la résolution d'adopter la conviction inexprimée de Michio qu'on a sous la main tout ce dont on a besoin.

« D'ailleurs, ajouta Michio en enfournant une cuillerée de riz, si je m'endors pas ? Je commençais à me sentir *hakike* – à avoir le mal de mer ! »

13

HÔTES DE PASSAGE

Deux jours après, une faible houle s'était installée dans le détroit de Chatham. Une pluie régulière tombait quand nous doublâmes la pointe du Village pour mettre le cap au nord ; elle ne nous avait pas quittés depuis que nous avions mouillé dans la baie de Chaik. L'horizon était d'un gris uniforme.

Derrière nous les pics de l'île de l'Amirauté disparaissaient dans la brume. La légende indienne assure que pendant le Déluge les villageois de l'endroit se réfugièrent au sommet des montagnes et durent construire des murailles de pierre pour écarter les ours en maraude.

« Avec un temps pareil, dis-je à Michio, il n'est pas difficile de croire au Déluge.

– Pas difficile de croire aux ours, non plus », riposta-t-il en gonflant les joues pour jouer le soulagement. Le deuxième jour de notre arrivée dans la baie de Chaik, nous ennuyant d'attendre que le temps s'améliore, nous étions descendus à terre pour explorer un torrent proche et étions tombés nez à nez avec un grizzly dans un fourré de broussailles. L'ours s'était contenté de nous regarder avec insistance comme s'il tentait de déterminer ce que nous étions, puis il avait baissé le nez vers le sol pour s'éloigner d'un pas traînant, mais à moins de cinq mètres de distance, plonger dans ses yeux noirs comme des graines de pastèque avait suffi à nous laisser bouche bée Michio et moi.

Un quart d'heure après, assis sur un rocher au bord du

torrent, nous revivions la rencontre de cette façon glousante, grisée de soulagement, qui hésite entre l'hystérie et le rire (et en célébrant le fait que même après des années à observer et à photographier les ours de près, l'apparition soudaine de l'un d'eux dans de pareilles circonstances demeurait aussi bouleversante que la première fois), lorsqu'une ourse et deux grands oursons déboulèrent des broussailles à un jet de pierre de nous. Le trio traversa le ruisseau au galop juste devant nous et disparut ventre à terre dans la forêt sur l'autre rive. Beaucoup plus soucieuse d'éloigner sa progéniture de son congénère que de notre présence, l'ourse ne nous accorda, comme ses petits, qu'un bref coup d'œil farouche [1].

Il y a des entassements de rochers au sommet de la montagne de la Table que l'on dit être les restes des murailles diluviennes des autochtones contre les ours, et cela non plus – comme le fit remarquer Michio en notant que nous cherchions des ours sans succès depuis exactement une semaine et qu'en l'espace de quelques minutes quatre avaient failli nous écraser – n'était pas difficile à croire.

Nous nous trouvions encore à plus de cent soixante kilomètres de Juneau – trop pour une seule journée de voyage –, mais la baie de Funter n'était qu'à soixante-dix kilomètres et nous allions à bonne allure. « Si le temps se maintient, dis-je à Michio, on va peut-être faire la moitié du chemin. »

Les premiers cinquante kilomètres, nous ne fîmes que pointer les repères sur la carte. Nous doublâmes la baie de

1. La moitié des oursons meurent la première année, et les ours mâles sont la première cause de cette mortalité. Les zoologistes supposent que cette pulsion infanticide sert à la nature pour accroître les chances que se transmettent les gènes des mâles les plus grands et les plus forts, dans la mesure où l'ourse qui a perdu ses petits redevient fertile plus rapidement que celle qui élève ses oursons, et s'accouple avec l'un des mâles dominants des alentours – système qui semble assez maladroit à première vue, l'ours n'ayant aucun moyen de savoir si ce ne sont pas ses propres rejetons qu'il tue, mais qui à terme donne l'avantage à la lignée génétique la plus vigoureuse de l'espèce.

Hood et Killisnoo, site d'une pêcherie de baleines qui fonctionna jusqu'en 1930, puis le village d'Angoon. Huit kilomètres plus au nord, nous passions devant la crique de Thayer, ainsi nommée en mémoire d'un employé des Eaux et Forêts tué par un ours brun peu après qu'il eut achevé le relevé d'une pièce de bois à abattre, et une demi-heure plus tard je désignais la sèche de la crique de Parker, où un détachement de marins du *Discovery* et du *Chatham*, envoyé en reconnaissance par George Vancouver en 1794, avait passé une nuit épouvantable sous une pluie battante.

« Expérience fréquente », dit Michio en riant. Nous n'avions pas eu l'occasion de nous sécher depuis la nuit d'orage dans la montagne. Néanmoins, ripostai-je – levant ma tasse de café pour souligner mon propos –, bringuebaler dans le *Wilderness Swift* à douze nœuds était autrement plus facile que de tirer sur les avirons d'une chaloupe.

Dans les Icy Straits, l'horizon se découvrit à l'ouest sous l'épais tapis de nuages bas pour baigner d'une nuance d'argent l'eau cabrioleuse. Les lames qui se gonflaient directement sous l'éclaircie semblaient irradier une lueur émeraude, et le contraste de cette unique traînée de vert sur l'arrière-plan gris sombre m'attirait l'œil comme la couleur vive d'une fleur qui exige d'être vue.

Une écume d'un blanc intense scintilla à la crête d'une lame, puis explosa en un monticule d'un noir éclatant tandis qu'une longue nageoire dorsale la fendait en deux.

« *Satchi !* » hurla Michio au moment même où je criais « Baleine tueuse ! »

Michio colla le visage à la vitre pendant que je réduisais les gaz. L'évent de l'orque lança un jet de fines gouttelettes.

« Une autre. » Michio pointait du doigt devant la proue. En moins d'une minute nous avions repéré une demi-douzaine d'épaulards éparpillés en travers de notre route, qui se déplaçaient lentement d'est en ouest, en direction des Icy Straits. Le *Swift* tangua et roula tandis que je le plaçais sur un cap parallèle à celui des orques.

« Baleine tueuse » est un terme impropre, non parce que

ces animaux ne sont pas des tueurs – ils le sont, et d'une efficacité prodigieuse –, mais parce que ce ne sont pas du tout des baleines. Les épaulards sont les plus gros membres de la famille des delphinidés, et malgré leur taille sont plus proches parents du dauphin oie de mer commun que d'aucune baleine. Par leur vive intelligence, leurs groupes familiaux étroitement unis et leur longévité, ils sont plus semblables aux humains que n'importe quel autre animal et, comme les humains, ce sont les animaux les plus largement répandus sur la planète. On trouve des orques dans chaque étendue d'eau salée entre l'Antarctique et l'océan Arctique, des deux côtés du globe.

Peu avant notre départ pour notre voyage autour de l'île de l'Amirauté, j'avais passé la matinée attablé devant une tasse de café au Channel Bowl, pendant qu'un ami de Cordova m'expliquait que des chercheurs travaillant dans le Prince William Sound en étaient récemment arrivés à la conclusion que, comme pour le rossolis, il existe deux variétés d'*Orcinus orca* : les résidents, qui ne se nourrissent que de poisson, et les hôtes de passage, qui parcourent d'immenses étendues et s'attaquent presque exclusivement à des animaux à sang chaud : otaries, phoques et baleines [1].

Les deux types d'épaulards ne se distinguent pas seulement par le régime alimentaire mais aussi par des traits physiques distinctifs. L'orque de passage a la pointe de la nageoire dorsale courbe et tranchante comme un cimeterre, tandis que celle du résident a une forme arrondie plus douce. Une subtile différence dans le tapis de selle – tache de peau grise sur le dos – est plus difficile à distinguer ; chez le voyageur la tache est légèrement plus longue. Selon Lance Barrett-Lennard, généticien de l'université de Colombie britannique qui a fait une étude approfondie de l'ADN des orques, les différences physiques sont le résultat d'une

---

1. En au moins une occasion bien documentée, un groupe d'épaulards voyageurs a tué et dévoré un orignal qui traversait les Icy Straits à la nage, et j'ai entendu raconter que des orques avaient cerné et tué un ours noir qui traversait à la nage un chenal plus au sud.

séparation entre les deux variétés qui remonte à des centaines, voire à des milliers de générations : si hôtes de passage et résidents peuvent partager les mêmes territoires, ils ne s'accouplent jamais ensemble. Pas plus qu'ils ne se fréquentent ou ne se mêlent d'aucune manière, et quand il leur arrive de se rencontrer, c'est comme s'ils étaient mutuellement invisibles ; ils s'ignorent totalement.

Plus révélatrices peut-être que les traits physiques sont les différences de comportement, où les biologistes voient l'indice de « cultures » séparées. Les résidents ont tendance à se montrer plus turbulents, ils ne cessent de battre de la queue, de sauter hors de l'eau et d'éclabousser, tandis que les hôtes de passage sont réservés et furtifs.

Michio et moi avions déjà fait d'extraordinaires rencontres avec des troupes d'orques qui semblaient presque désireuses d'être observées : elles se déplaçaient selon des schémas prévisibles qui nous permettaient de les suivre et de les longer poliment pour prendre quelques photos faciles. Plus d'une orque curieuse s'était approchée du *Swift* le temps d'une brève chevauchée dans le sillage, quand elle ne se dressait pas sur la queue par le travers, en sortant la tête hors de l'eau pour nous examiner longuement.

Rien de tel avec cette bande. Il y avait quelque chose d'insaisissable dans leur comportement, la manière dont ils changeaient de direction sous l'eau et se déplaçaient à des vitesses différentes paraissait mystérieuse et fuyante, comme un truc d'escamoteur visant à nous empêcher de deviner où ils allaient reparaître.

Ils filaient largement espacés, restant immergés pendant de longues périodes, sur une ligne sinueuse et étendue qui ratissait la mer vers l'ouest, en direction des Icy Straits. Peut-être s'agissait-il d'hôtes de passage qui chassaient des marsouins ou des phoques. Mais il était difficile de distinguer leurs corps noirs dans la mer clapoteuse ou à travers les rideaux de pluie en mouvement, et quand ils faisaient surface, ils étaient trop loin pour qu'on aperçoive clairement leurs nageoires.

« Si je mets l'hydrophone à la mer, dis-je à Michio, ça nous donnera peut-être une indication. » Les orques résidentes communiquent par tout un chœur de claquements, de grincements, de grognements et de cascadants cris d'oiseaux, alors que les hôtes de passage sont complètement silencieux quand ils chassent. Pour des raisons que je ne m'explique pas, cette attitude furtive me donne parfois des picotements dans la moelle épinière, sensation atavique de danger qui me ramène à cet endroit de l'univers naturel où, malgré tous nos moteurs, notre électronique et nos pouces opposables, les êtres humains ne sont que des sacs de viande – réaction nerveuse complètement disproportionnée, bien entendu, puisqu'il n'y a pas d'exemple qu'une orque sauvage ait jamais attaqué un être humain.

La pointe d'une nageoire trancha le dos d'une lame, s'éleva de quinze centimètres au-dessus de la surface, puis disparut. Un instant après, une deuxième nageoire surgit tout près derrière la première, s'enfla hors de l'eau jusqu'à ce qu'elle domine la surface de deux bons mètres avant de refluer lentement hors de vue. Il y a encore quelques années, je croyais que les épaulards aux grandes nageoires dorsales étaient les « mâles du troupeau », maîtres de harem qui dominaient un groupe par leur seule taille. Je sais aujourd'hui que certains des individus aux plus grandes nageoires sont des femelles, qui ont vécu assez vieilles pour atteindre les proportions d'un mâle, et que le plus gros mâle d'un troupeau n'est probablement pas un reproducteur du tout, mais un fils aîné, parce que la société des orques (résidentes aussi bien que voyageuses) est organisée selon un modèle purement matriarcal, les femelles dominantes atteignant parfois soixante-dix à quatre-vingts ans, tandis que leurs rejetons mâles peuvent s'estimer heureux d'arriver à cinquante ans.

Il est un peu exagéré de dire que les orques mâles passent leur vie suspendus aux jupons de leur maman, mais à ma connaissance, la plupart ne quittent le sillage maternel que lors de brèves périodes, lorsque les diverses bandes se rassemblent l'été en vastes troupes pour se reproduire, et qu'ils s'esquivent pour de rapides accouplements avec les femelles d'autres clans.

Les orques ont des liens familiaux si stricts que chaque bande a développé son propre dialecte – variantes spécifiques du langage épaulard de claquements et de sifflets suffisamment distinctes pour que les chercheurs à l'écoute puissent identifier la famille et le clan d'un individu sans avoir besoin de voir l'animal [1]. John Ford, le directeur des recherches sur les mammifères marins à l'aquarium de Vancouver, en Colombie britannique, l'un des hommes au monde qui connaissent le mieux les orques, croit que la différence de dialectes sert peut-être à éviter les croisements consanguins, les mâles courtisant les femelles dont l'accent est le plus différent du leur.

Un autre aspect, plus grave, est l'effet que quelques individus aberrants peuvent avoir sur un écosystème. Depuis le milieu des années quatre-vingt-dix, la population des loutres de mer a chuté de plus de quatre-vingt-dix pour cent dans une grande partie des îles Aléoutiennes, et selon James Estes, zoologiste de l'U.S. Geological Survey qui est aux loutres de mer ce que John Ford est aux épaulards, cette spectaculaire diminution est peut-être l'œuvre de seulement trois ou quatre orques.

Jusqu'alors, il était pratiquement sans exemple qu'*Orcinus orca* fasse sa proie des loutres de mer. Mais pendant la même période, dans la mer de Béring et dans les îles Aléoutiennes, la population d'otaries de Steller s'est aussi réduite de quatre-vingt-dix pour cent (peut-être à cause de la pêche excessive des flottes de chalutiers usines qui convergent chaque année sur l'Alaska), et il faut beaucoup de loutres de mer efflanquées pour fournir les calories disponibles dans une seule otarie d'une demi-tonne matelassée d'épaisses

1. Un clan est un ensemble de groupes résidents apparentés descendant d'un seul groupe ancestral. On ne sait pas si les bandes d'hôtes de passage (silencieuses, dispersées et par conséquent plus difficiles à étudier) sont organisées selon des modèles semblables.

couches de graisse [1]. Devant la disparition des otaries (leur proie favorite), estime Estes, il ne restait guère aux épaulards voyageurs des Aléoutiennes qu'à se mettre à chasser les loutres [2].

Que la faute en incombe à la pêche industrielle, à une bande d'orques ayant mal tourné ou à telle autre cause inexpliquée, le dommage est beaucoup plus grave que la diminution du nombre de loutres : celles-ci mangent beaucoup d'oursins, qui à leur tour mangent beaucoup de varech, lequel procure un habitat indispensable à des douzaines d'espèces de poissons. Sans loutres pour les contenir, les populations d'oursins peuvent exploser, dénudant de leur varech des littoraux entiers. Sans varech, moins de poissons, et donc moins de proies pour nourrir les pygargues de la chaîne des Aléoutiennes. Entre la mer et le ciel, les vrilles du bouleversement s'étendent probablement beaucoup plus loin que nous ne l'imaginons, et il n'est pas difficile de concevoir que l'écosystème tout entier finisse par dérailler.

Michio glissa son appareil photo sous son blouson pour le protéger d'une averse.

« Trop loin », se résigna-t-il, en haussant les épaules. La lumière était trop fade et l'orque trop fuyante pour gaspiller du film.

Je fis pivoter la barre pour remettre le cap sur la baie de Funter. Le soleil glissait vers l'horizon occidental derrière un voile de nuages sombres, et je sentis les ténèbres me cerner. Mon respect de moi-même, mon ego – appelez ça

---

1. Bien qu'elles passent leur vie immergées dans des eaux glaciales, les loutres de mer n'ont pas de lard isolant comme les morses ou les phoques. Elles conservent leur chaleur grâce à une fourrure remarquablement dense et abondante. Alors que la fourrure d'animaux comme le vison ou le renard se compose de trois à huit mille poils au centimètre carré, celle des loutres de mer peut en compter plus de cent cinquante mille.

2. Selon une autre théorie de plus en plus accréditée, les loutres sont en diminution à cause de la pollution poussée vers l'est et le nord jusqu'aux îles Aléoutiennes par le courant Kushiro, venu d'Asie en traversant tout le Pacifique nord.

comme vous voudrez – était étroitement lié à mon image de guide qui pouvait toujours offrir à un photographe quelque chose de spécial, et en pensant qu'au bout de dix jours et plus de trois cents kilomètres de voyage tous nos efforts se réduisaient à quelques images de glace bleue, mon humeur commençait elle aussi à s'assombrir. Michio contemplait tranquillement à travers la vitre les moutons qui roulaient vers une gigantesque saignée sur les pentes de l'île Chichagof, et je me demandai si ses pensées suivaient les mêmes cheminements que les miennes.

L'idée que les hôtes de passage étaient une sorte d'aberration continuait de nager dans ma tête, dessinant des formes grises, fantomatiques, peurs à demi formées qui entraient et sortaient furtivement de mes songeries, ressuscitant des visions des prédateurs humains qui sont parmi nous – Robert Hansen et d'autres du même acabit, monstres comme Ted Bundy ou John Wayne Gacy qui, derrière un masque superficiel de civilité, indiscernables du reste d'entre nous par la forme ou par l'apparence, guettent la chair fraîche.

Comme les champs de varech, notre écosystème culturel est fragile, et il ne faut pas beaucoup d'individus anormaux pour déglinguer le tout. Un sociologue perspicace pourrait sans doute établir une relation entre les tueurs en série et les psychopathes de notre culture, les politiciens myopes et avides à la solde des grandes sociétés qui dépouillent de leur chair les os de la planète, et le cynisme des collégiens qui se tirent dessus dans les couloirs.

L'hélice gronda tandis que le *Swift* roulait à travers la crête d'une lame. Et moi, me demandai-je, qu'est-ce que je fais ? À vivre sur un bateau et à parcourir comme une orque voyageuse des milliers de kilomètres en mer chaque année ?

À onze kilomètres devant nous, la baie de Funter allait et venait dans la brume, apparaissant et disparaissant derrière les rideaux de pluie qui se succédaient. Une demi-heure après, quand j'eus glissé le *Swift* dans un bassin, enroulé les amarres autour d'un boulard du quai et coupé le moteur, la sensation de déracinement pesait encore sur ma poitrine.

« Attrape ton appareil, Michio. Il y a quelque chose que je veux te montrer. »

Notre bateau était le seul à quai. Personne pour me voir précéder Michio sur une plage pavée de dalles de schiste gris et m'enfoncer dans la forêt au pied d'une falaise.

Le sous-bois était enchevêtré et sans vie, une profusion d'arbustes gros comme le poignet luttaient pour la lumière sous un dais impénétrable d'épicéas du même âge qui avaient surgi après que la forêt ancienne eut été rasée pour les besoins d'une conserverie de saumon et d'une mine d'or exploitée non loin de là dans les années trente. On n'entendait que le frottement de nos combinaisons imperméables contre les broussailles, le craquement des brindilles et le crépitement de la pluie dans les arbres. Une eau rouille suintait le long d'un ruisseau à nos pieds.

« L'eau du choléra, disait un ami que j'aidais à construire une petite cabane dans le coin. Bois-en et tu meurs. » Il ne plaisantait qu'à moitié ; c'était précisément ce qui était arrivé à plus de quarante Indiens aléoutes internés dans la baie de Funter pendant la Seconde Guerre mondiale.

Le 7 juin 1942, un corps expéditionnaire spécial de l'Armée impériale japonaise envahissait Kiska, une des îles les plus occidentales de l'archipel des Aléoutiennes. Le lendemain, d'autres unités nippones débarquaient dans l'île voisine d'Attu. C'était la première fois que des troupes étrangères occupaient le sol américain depuis 1812 [1], et dans l'affolement qui s'ensuivit, l'armée américaine évacua plus de 880 Aléoutes de leur patrie dépourvue d'arbres et battue par les vents pour les interner dans des camps à mille six cents kilomètres de là, dans la baie de Funter. Alors que les prisonniers de guerre allemands installés dans de solides baraquements à trente kilomètres à l'ouest dans le fjord Excursion montaient des orchestres et se prélassaient dans de chauds manteaux de laine (cadeau de la Croix-Rouge), les Américains aléoutes, serrés les uns contre les autres dans les bâtiments glacés, suintants et délabrés de la conserverie

1. Guerre contre la Grande-Bretagne, 1812-1814. (*N.d.T.*)

abandonnée, mouraient de dépression et de manque de soins médicaux, réduits à de maigres rations de riz. Les registres de l'unique médecin surmené chargé de prendre soin des Aléoutes qui s'étiolaient notent parfois simplement comme cause de la mort : « Douleur. »

Michio s'était toujours profondément intéressé aux cultures indigènes, possédé d'une inlassable curiosité pour la manière dont les gens se comportaient entre eux et avec la nature, et c'était à ça que je pensais quand l'envie me prit de lui montrer le cimetière. Nul doute que le stoïcisme des Aléoutes et le courage avec lequel ils avaient pris soin les uns des autres dans des conditions si contraires lui paraîtraient aussi poignants qu'à moi.

J'étais bien lancé dans un discours décousu sur l'invasion et l'évacuation quand l'expression de son visage me coupa net dans mon élan. Bon Dieu ! J'étais mort de honte. Croit-il que j'essaie d'incriminer les Japonais ?

« Michio, je n'ai jamais... » Je m'embrouillais, mais il n'écoutait pas.

Il se baissa pour essuyer la terre d'une pierre tombale. « C'était un bébé », dit-il tristement, balayant le tapis d'aiguilles de sapin qui recouvrait la dalle. Alexey Kenneth Kochutin était mort à trois mois.

Comme celui d'Alexey, les noms sur les autres pierres tombales sont rythmiques et poétiques, pleins de consonnes tsaristes qui claquent sur ma langue : Emanoff, Gustigoff et Kochutin ; Bourdukofsky, Tetoff et Prokopiof. Nombre de tombes figuraient la croix à double traverse de la foi orthodoxe, d'autres n'étaient qu'une simple dalle de pierre.

« Celle-ci, dit Michio, désignant une stèle mouchetée de lichen, presque le même âge que ma mère à ma naissance. »

Les morts étaient surtout des femmes, des vieillards et des enfants. Pendant l'été de 1943, bien qu'ils aient été censément évacués pour les protéger des envahisseurs japonais, la plupart des hommes valides internés dans la baie de Funter furent ramenés dans les îles Pribilof pour la campagne annuelle de chasse aux phoques, sous l'égide du gouvernement fédéral, tandis que les femmes et les enfants devaient se débrouiller seuls [1]. Durant leur absence, des épidémies ravagèrent les camps. À certains moments, presque tous les Aléoutes de la baie de Funter étaient terrassés par la dysenterie, la grippe ou la rougeole, et il ne restait qu'une poignée d'enfants pour nourrir, laver et soigner tous les malades.

Plusieurs tombes étaient décorées de coquillages. Les Aléoutes étaient les enfants de l'espace et du large, maîtres du canot acéré en bois ployé et en cuir qu'ils appelaient *bidarka*, et je me représentais les survivants en train de placer les coquilles de coques sur les tombes en souvenir de la mer et du ciel sans bornes de leur patrie insulaire. Il était douloureux d'imaginer des femmes et des enfants mourant sous le dais ruisselant de la forêt humide, brûlant d'apercevoir une dernière fois le ciel. Devant le sol nu et muet, devant les couleurs sans vie du cimetière, je me demandai à quel point il fallait avoir le mal du pays pour en mourir [2].

Michio nourrissait des pensées similaires. « Ç'a dû être terrible, dit-il, si loin de leur nourriture habituelle. »

Observation incisive. Ici, dans le sud-est de l'Alaska où ils n'avaient pas le droit de pêcher ou de chasser, les Aléoutes internés devaient aspirer, avec une faim beaucoup plus dévorante que les simples besoins du ventre, aux œufs frais de mouette et à la viande de phoque qui depuis dix mille ans formaient les os de leur peuple.

Michio s'agenouilla auprès d'une stèle pour examiner la

1. Avec la guerre, le marché des fourrures était en plein boom, et la campagne de chasse se révéla prodigieusement lucrative pour le gouvernement fédéral. Les chasseurs enrôlés de force devaient néanmoins se contenter d'un maigre salaire. Lorsque certains des plus jeunes exprimèrent leur mécontentement, ils furent considérés comme des mutins et le cuisinier reçut l'ordre de ne pas les nourrir.

2. En mai 2000, le cimetière fut nettoyé et restauré par des membres des familles et par des volontaires travaillant avec l'archevêque Paul Merculief. Ils déblayèrent les débris, remplacèrent les éléments disparus et pourris par de nouvelles croix blanches et élevèrent une arche simple à l'entrée.

date. « Mille neuf cent quarante-trois, dit-il doucement. Ça ne fait que cinquante ans. »

La durée de vie d'une orque, pensai-je. La matriarche de la bande que nous venions de voir dans les Icy Straits avait fort bien pu entendre le grincement de l'hélice lorsque l'*USS Delarof* faisait son entrée dans la baie de Funter, avec les évacués à son bord, ou le raclement de la chaîne d'ancre et le battement des avirons pendant que l'équipage transportait sa cargaison humaine à terre.

« Mon père était soldat, murmura Michio. En Chine.

– Michio, je n'avais pas l'intention... » Je recommençai à m'excuser, mais il grimaça un léger sourire qui ne remonta pas jusqu'aux yeux, puis remua la tête pour me signifier qu'il n'y voyait pas offense.

J'essayai, sans succès, d'imaginer le père d'un homme si simple et si généreux pris au piège de la guerre, et ne parvins pas davantage à me représenter Michio avec un fusil. Mais la guerre ne se soucie pas des limites de l'imagination. (Après tout, qui, avant 1942, aurait imaginé des citoyens américains arrachés à leurs foyers par leur propre gouvernement et mourant de délaissement sur une côte lointaine de l'Alaska ?) Seul un accident – le moment et les circonstances, une seule génération de différence – nous avait permis, à Michio et à moi, d'être amis au lieu de nous observer derrière le canon d'une arme.

Il faisait presque nuit quand nous regagnâmes le *Swift*. Lorsque nous nous mîmes à table, le temps avait changé et une demi-lune traversait le ciel. Michio était silencieux. Il n'avait pas pris de photos et mangeait les yeux tournés vers la fenêtre pour éviter mon regard. Je craignais de l'avoir offensé d'une manière ou d'une autre, malgré ses dénégations, en l'entraînant dans les vestiges d'une tragédie liée à la guerre entre les Américains et les Japonais.

Je décidai d'entamer son silence en lui demandant une leçon. « Michio, apprends-moi un nouveau mot de japonais. »

Il continua de mastiquer un instant avant de se tamponner la bouche d'une serviette et d'attraper un stylo. D'une main ferme, il traça quelques lignes de *hiragana* sur un morceau de papier, qu'il tourna vers moi.

« *Tomodachi*, ami. » Puis il ajouta deux ou trois traits rapides et sourit pour préciser le sens de l'adjectif : « *Yoi-tomodachi*. Un bon ami. »

Chez soi n'est pas toujours une porte au bout d'un trottoir. C'est parfois un lieu plus vaste qui englobe le dôme du ciel, l'eau que nous buvons et la nourriture qui devient les minéraux de nos os. Parfois c'est la somme de nos expériences et de nos souvenirs, et parfois c'est partout où il nous arrive de nous trouver – si nous sommes dans la compagnie qui convient.

14

JEUNES OISEAUX PRODIGES ET OURS POLYMORPHES

Nous sommes en juin, et la baie où je suis mouillé grouille d'oiseaux de mer qui planent et piquent au-dessus d'un banc de petits poissons frétillants. Le fretin monte et descend avec les vagues, criblant la surface de minuscules cloques, pareilles à celles que produit une averse soudaine, et déchaînant une frénésie de querelles et de plongeons parmi la cohue de mouettes miaulantes. Il fait bon dehors, presque doux, et j'écris les fenêtres ouvertes, mais quand de temps à autre les nuages épars voilent le soleil et que la température tombe de quelques degrés, je me rappelle à quel point l'hiver qui suivit notre voyage autour de l'île de l'Amirauté commençait à paraître interminable. Tout au long de novembre et de décembre, le ciel pesa sur Juneau, gris et ridé comme une peau d'éléphant, épanchant des flocons de neige qui se transformaient en pluie avant de toucher le sol, à tel point qu'à Noël j'étais écœuré par la lumière parcimonieuse, las de regarder les mêmes oiseaux de mer se faire bousculer et balayer par le vent devant mes fenêtres, et que je commençais à prier pour un noroît tumultueux, assez froid et assez fort pour projeter le soleil jusqu'à ses limites australes, afin qu'il revienne plus tôt, plein de la tiédeur et de la lumière du printemps. Mon père et ma mère avaient depuis longtemps troqué leurs parkas d'hiver pour l'aménité d'une plantation de café à Hawaii, et j'avais très envie de les voir, mais il y a des hauts et des bas dans le métier de guide, et la saison précédente n'avait rien laissé sur mon compte en banque qui me permît d'aller chercher la chaleur où que ce fût. Je dus me contenter de monter le poêle à pétrole d'un cran supplémentaire et d'enfiler un deuxième pull.

C'était la mi-février quand Michio appela. « Je suis à Tokyo, dit-il, et j'ai de grandes nouvelles. »

Elle s'appelait Naoko. Ça du moins c'était clair. Il se lança ensuite dans une explication embrouillée : elle était la fille de la meilleure amie de sa sœur, il avait jeté son dévolu sur elle depuis un certain temps, et elle était parfaite, vraiment parfaite ; puis cela s'enfla en une énorme bulle d'enthousiasme intarissable.

Je tentai en vain de me forcer un chemin dans ce maelström en posant quelques questions, puis profitai de ce qu'il reprenait son souffle pour intervenir : « Michio ! Est-ce que ça veut dire que tu as une petite amie ?

– Je crois qu'on va se marier, Lynn. On va se marier très bientôt. »

Le reste de l'hiver se passa mieux. Comme si un élément du bonheur de Michio avait afflué le long de la ligne téléphonique pour se répandre dans la cabine du *Swift*, adoucissant l'ennui de la saison, promettant un terme à la nuit constante. Je dormais toujours avec deux paires de chaussettes et un pull, mais le printemps ne paraissait plus inaccessible.

Les choses prirent un tour nouveau quand j'entrai à la bibliothèque locale pour tuer le temps dans la section des périodiques et que j'attrapai un exemplaire d'*Alaska Geographic* consacré aux ours.

En couverture, un jeune ours brun irrésistiblement mignon se reposait, les pattes avant repliées sous le menton. C'était un personnage connu, hôte à demi apprivoisé de la Réserve zoologique de la McNeil River, qui a figuré dans tant de brochures de voyage, de publicités et de calendriers qu'il a gagné la vague célébrité d'une star de cinéma ou d'un mannequin de deuxième ordre, si facile à photographier que la phalange de photographes animaliers professionnels qui font chaque année la tournée des hauts lieux de l'Alaska sauvage lui ont donné un nom. Otto avait quatre ou cinq ans quand la photo avait été prise, et – comme ses homologues humains qui posent pour les publicités ou qui passent à la télé – ce n'était plus qu'une question de temps avant qu'un ours plus jeune, plus duveteux ou plus tolérant vienne le détrôner.

La photo sur la première page était encore plus mignarde – deux oursons polaires, de la taille d'une chope, blottis dans la neige : billes noires des yeux et adorables petits nez collés sur un corps en barbe à papa. Ce que le photographe ne montrait pas (mais qu'expliquait la légende), c'était que les oursons se tapissaient de peur, serrés l'un contre l'autre pour se rassurer fraternellement, tandis que les chercheurs coltinaient leur mère droguée et inconsciente hors du cadre.

Je regardai la table des matières. Elle était illustrée sur une demi-page de la photo d'un ours noir qui mâchonnait un pissenlit – plante qui n'est pas indigène en Alaska, mais qui depuis un demi-siècle se répand le long des routes et dans les zones urbaines, poussant partout où l'activité humaine bouleverse le sol. L'angle de la photo suggérait qu'elle avait été prise légèrement d'en haut, probablement d'une route.

Je feuilletai le magazine du pouce, de la fin vers le début. Il y avait des photos de grizzlys devant des autocars de touristes, d'ours noirs dans des poubelles et d'ours qui fouillaient dans les flammes d'une décharge en feu. Il y avait des photos d'ours endormis et marqués d'un collier par des zoologistes, et plusieurs de photographes photographiant des ours. Le texte était instructif et bien écrit, mais j'étais vaguement déçu qu'il s'intéressât plus aux interactions entre ours et humains qu'aux ours en tant qu'éléments de la nature sauvage.

Je revins à la couverture et m'enfonçai dans mon fauteuil. Pourquoi ne pas commencer par le commencement ? Après avoir de nouveau parcouru la table des matières [1], j'ouvris le

1. Toujours au début dans les ouvrages anglo-saxons. (*N.d.T.*)

magazine sur mes genoux, au premier article : « Ours noirs » par Bruce Baker.

Mon cœur tressaillit et s'arrêta. Je devins intensément conscient du bourdonnement d'une machinerie fluorescente au-dessus de ma tête : le flux alterné de ma respiration. Sur la page en face du titre de l'article s'étalait la photo d'un ours bleu argent.

Massif et solidement musclé, il se tenait de trois quarts devant l'appareil, posant avec une patte arrière étendue à mi-course pour plonger le regard dans l'objectif. Les poils longs, partout sur le dos, la tête et les épaules de l'animal trapu, étaient couleur de platine ; la photo était si piquée que je pouvais sentir la fourrure sous la main. Le duvet – le tapis dense de poils fins qui assure l'isolation des animaux à fourrure – était gris, peut-être noir, et combiné aux longs poils argentés créait un effet qui permettait de comprendre qu'on puisse parler d'ours bleu.

J'examinai la page, pour savoir qui en était l'auteur, et me redressai légèrement dans mon fauteuil en découvrant le nom du photographe. John Hyde a travaillé plus de dix ans pour le département de la Pêche et de la Chasse, seul photographe animalier officiel de l'État d'Alaska jusqu'à ce que des élections générales catapultent au pouvoir une assemblée particulièrement acrimonieuse et conservatrice : le budget du département fut sévèrement amputé, en partie pour le punir de ne pas avoir soutenu la requête d'un puissant sénateur qui désirait vivement qu'une île près de chez lui soit peuplée d'orignaux. Paralysé par les réductions budgétaires et dégoûté par la corruption politique, John démissionna pour – pari risqué – devenir photographe indépendant.

Il est bâti comme un pilier de rugby, avec le genre d'épaules qui peuvent propulser un kayak toute la journée contre un vent frais sans se plaindre ou soulever un sac sans des tas de grognements quadragénaires. Quand il rit (ce qui arrive souvent), ses yeux se plissent en pétillants points noirs, et depuis qu'il est à son compte, c'est un passager régulier du *Swift*. Où qu'il aille, John porte un collier fruste d'anneaux et de perles, orné d'une petite baleine en plastique – talisman confectionné pour lui par sa fille, qui ne quitte jamais son cou avant qu'il ne s'installe dans son sac de couchage pour la nuit et qu'il remet aussitôt qu'il s'en extrait le matin. C'est un ami, mais je savais que demander à John, pour qui la famille vient en premier, en dernier et toujours, le comment, le quand et le où de quelque chose d'aussi rare qu'un ours des glaciers serait comme essayer de chaparder le dîner de sa fille.

L'ours me fixait depuis le magazine ouvert sur mes genoux.

Impossible, me dis-je, me renfonçant dans le fauteuil. Rien que demander mettrait John dans une situation gênante. Mais la photo était exactement la preuve dont j'avais besoin que les rêves, comme celui d'une famille pour Michio, se réalisaient parfois, et qu'il y avait une chance réelle de pouvoir photographier un ours des glaciers.

*

John posa un coude sur la table et me regarda de côté pendant une longue seconde, se couvrant la bouche d'une main dans une sorte de langage des signes qui signifiait « Je ne veux pas le dire », et pourtant il le dit.

« Simplement, pas un mot à personne, OK ? »

C'était le début mai. Plus d'un an avait passé depuis qu'avait été publiée sa photo de l'ours des glaciers. Michio s'était marié, et les bouquets d'airelles sur les coteaux dominant Juneau étaient couverts de clochettes roses et translucides.

« Ça va sans dire », répondis-je, en secouant la tête. Michio murmura son accord, en tripotant un croquis posé sur la table autour de laquelle nous étions assis. Le dessin – plan grossier d'une baie profonde – exprimait l'immense respect de John pour Michio, preuve supplémentaire que les gens avaient confiance en lui parce qu'il leur faisait confiance. J'étais flatté aussi. Partager une telle information avec un guide qui gagne sa vie en promenant des photographes était d'une générosité totalement inattendue.

« Ici. John désigna du bout de son stylo la côte où une ligne bleue indiquait une rivière sinueuse. Prenez vos bottes de caoutchouc. La laisse est très large et vous allez être couverts de boue. »

Nous acquiesçâmes. Le stylo virevolta, tambourina un rythme nerveux. « Et n'en parlez à personne », répéta John. Ce n'étaient pas seulement les autres photographes qui l'inquiétaient. Nous savions tous qu'il y avait des gens qui adoreraient avoir une peau d'ours bleu sur leur mur. Et nous savions tous avec quelle efficacité le « téléphone indien » répand les cancans dans une ville aussi petite et aussi soudée que Juneau. Si je mentionnais notre destination à quelqu'un le matin, le soir tout le monde serait au courant, du bureau du gouverneur jusqu'à la décharge municipale.

« Merci John. » Michio inclina la tête en une minuscule révérence. « Je crois que cette fois nous aurons plus de chance. »

Il plia la carte, en aplatit les bords de son pouce avant de la glisser dans un carnet en lambeaux, puis il entrouvrit le carnet pour jeter un coup d'œil furtif à une photo rangée entre la dernière page et la couverture. C'était un simple instantané de photomaton, pas le genre d'œuvre que j'attendais d'un artiste de son calibre, mais depuis son arrivée à Juneau, je l'avais surpris plusieurs fois à le sortir du carnet pour l'inspecter longuement. À le voir chérir un cliché aussi simple, j'avais l'impression qu'il avait dépouillé son rôle de photographe pour trouver sa véritable raison d'être : c'était une photo de son fils.

La première fois que j'avais rencontré Shoma, Michio vibrait d'excitation, se dressant sur la pointe des pieds pour regarder par-dessus la foule des passagers qui débarquaient du vol 66 des Alaska Airlines. Des retardataires se déversaient encore de l'avion quand j'avisai une mince Asiatique qui se faufilait entre les groupes, titubant sous le poids d'un gros sac posé sur une épaule et en remorquant un autre. Je m'apprêtais à désigner Naoko à Michio lorsqu'elle s'arrêta pour arranger un paquet enveloppé d'une couverture au creux de son bras, mais il était déjà parti, gambadant et plongeant à travers la foule, esquivant un groupe de solides gaillards, les mains pleines de cannes à pêche, pour lui arracher le paquet des bras.

« Mon *aka-tchan* ! Mon bébé ! » Extatique, Michio brandit le nourrisson emmailloté à bout de bras au-dessus de sa tête, comme une offrande au ciel, puis l'abaissa contre son nez. Shoma n'avait que quelques semaines, il était encore capable du sommeil imperturbable du nouveau-né, et le minuscule visage sous la couverture gardait les yeux bien fermés.

Michio se lança dans une ronde endiablée, délirant dans un mélange d'anglais et de japonais. Naoko dodelinait, vidée par le long voyage et par la surprise persistante de sa maternité. La passion de Michio pour elle s'expliquait aisément : c'est une belle femme, avec le même visage grand ouvert et le même regard bienveillant que son mari, et un sourire timide qui annonce que le monde est son ami. Je restai à l'écart pendant que Michio se tournait vers elle pour lui tendre le bébé – non pour qu'elle le prenne, mais comme pour lui offrir un aperçu d'un moment plein de profondeur – et quelque chose passa entre eux qui me fit penser : voilà comment les gens *devraient* être.

« C'est mon fils, Shoma. » Michio m'attira par la manche, en faisant sauter l'enfant dans ses bras. Naoko s'avança et lui prit doucement le bébé des mains, puis rit de son propre soulagement à avoir de nouveau le nourrisson en sécurité entre ses bras.

Je tendis un doigt. « Comment ça va, Shoma ? »

Une main minuscule serpenta hors de la couverture, saisit mon doigt avec une force surprenante, et le guida dans le petit O suceur de la bouche de Shoma. Pendant un instant fugitif, intemporel, je sus ce que faire partie de quelque chose d'immense signifiait.

Michio était sur un nuage depuis qu'il était devenu mari et père. Le musée Carnegie avait fait une exposition de ses œuvres, ses livres se vendaient bien en Europe et au Japon, et sa nouvelle famille lui offrait un axe, tel le pivot d'un gyrocompas, autour duquel sa vie pouvait tourner. Quand je lui fis remarquer qu'il ne jouait plus avec sa pipe et son tabac, il hocha la tête d'un air sérieux : « J'ai arrêté. Il faut que j'aie une longue vie pour mon Shoma. »

Ça n'allait pas aussi bien pour moi. J'avais des problèmes professionnels que je n'avais pas le cœur de régler, une liaison en laquelle j'avais placé de grands espoirs volait en éclats, me laissant le cœur fendu, découpé en lanières. J'avais aussi passé le plus clair de l'hiver à Hawaii, dans un service de chimiothérapie auprès de mon père faiblissant, et lorsque Michio se pencha sur la table pour chercher les ours en faisant de la radiesthésie sur la carte griffonnée par John, son dos s'arrondit comme celui de mon père quand il se penchait hors de son lit pour essayer de vomir. Me rappelant une fois de plus que je n'avais rien pu faire, n'offrir aucun réconfort sinon une main sur son épaule ou un tissu humide sur son front, puis, quand les médecins déclarèrent inutile la décharge quotidienne de rayons et de chimio toxique, lui faire prendre un avion pour le Mexique, où une clinique privée prétendait guérir le cancer avec un extrait de noyaux d'abricots.

« Ça ne peut pas faire de mal », dit le cancérologue de mon père quand je lui demandai son avis sur le traitement au Laetrile. Humble était sa conception de la médecine – pas de statut de demi-dieu pour lui –, mais en reconnaissant que d'autres disciplines pouvaient offrir des espoirs que n'encourageait pas la médecine classique, il avouait aussi sa propre impuissance et déclarait mon père condamné.

Mon père alla mieux avec le nouveau traitement et parut reprendre des forces, jusqu'au jour où il se sentit assez bien pour faire un peu de tourisme en voiture. C'était une journée agréable, pleine de collines couronnées de cactus et de vagues vertes au bord de la mer, et quand la nuit tomba il était de bonne humeur, essayant son peu d'espagnol, plaisantant avec le chauffeur pendant que nous filions sur la route sinueuse et déserte dans une camionnette de location. Lorsqu'un grand hibou surgit des ténèbres dans les phares et explosa contre le pare-brise dans une pluie de plumes et de verre brisé, il s'affaissa, silencieux, accablé par le présage, et me prit la main.

Après cela il parut se racornir, se recroquevillant dans le fauteuil roulant pendant que je le promenais dans les couloirs dallés de la clinique, et il ne voulait plus autant parler ni rire, sauf pour raconter des histoires de sa jeunesse – quand, pendant les années du Dust Bowl, vécues sous une tente de toile, il regardait à travers les rabats des agents du gouvernement massacrer le troupeau familial, dans le cadre d'un programme anticrise pour faire remonter le cours du bœuf. Pour les petits fermiers du Texas, cette tuerie fut une horreur, une déchirante tragédie intime par-delà la simple perte financière.

Le souvenir faisait naître une petite lueur dans ses yeux et éclore un léger sourire sur son visage, quand il évoquait la rage de son père envers un agent qui – malgré une mise en garde explicite de mon grand-père – avait abattu d'un coup de fusil son veau préféré.

« Papa a dit au fils de pute de décaniller s'il voulait pas qu'il le tue, et ce foutu pivert s'est tiré vite fait. »

Il racontait toujours l'histoire avec une expression joyeuse et fière, comme si la fureur de mon grand-père, allant jusqu'à menacer l'agent de mort, était la preuve la plus complète possible de l'amour de son père pour lui, surpassant même l'amour d'un éleveur pour un troupeau sauvé de la sécheresse à force de soins. Plus tard seulement j'ai compris que l'histoire était sa façon de dire que lui aussi aurait fait n'importe quoi pour protéger mon bonheur d'enfant.

Tout n'allait donc pas si mal. Des moments fugitifs de satisfaction, voire d'humour, se glissaient dans la consternation générale. Après que la chimiothérapie eut achevé de dénuder son crâne dégarni, nous décidâmes que d'une manière brutalement virile, à prendre ou à laisser, il était beau si totalement chauve, et dans un moment d'exubérance nous accentuâmes l'effet par un tatouage (effaçable). De retour chez lui, il s'amusa un moment à mettre une casquette pour se rendre à son café préféré, où, au moment opportun, il ôtait négligemment son couvre-chef pour se passer une main dans ses cheveux inexistants, le temps de laisser entrevoir aux badauds la panthère noire qui rampait sur son crâne, avant de le remettre tout aussi nonchalamment. (Une serveuse ébahie faillit lui renverser un café sur les genoux, et quand un farceur malavisé lui demanda à la station service comment il avait perdu ses cheveux, il fit s'écrouler l'assistance en ripostant : « En me tenant sur la tête pour que les couillons comme *toi* puissent me baiser le cul ! »)

Ce sont les choses auxquelles je me raccroche, pas au souvenir de la peau tirée sur les os. J'expliquais cela à Michio en pataugeant dans le banc de vase à l'embouchure de la rivière de John. (Il avait raison pour la boue : débarqués à marée basse vingt mètres plus loin, nous étions noirs jusqu'aux genoux.) Devant nos bruits de succion, un pluvier doré s'enfuit en patinant sur la vase avec des *ti-tiit* affolés.

Michio se pencha pour arracher sa botte de la gadoue suceuse, m'écoutant attentivement raconter les détails de la maladie de mon père, puis me demanda ce qu'était un pivert.

Il me fallut réfléchir un moment. Ça paraissait trop compliqué de lui expliquer que le mot [1] avait été forgé par les esclaves affranchis après la guerre de Sécession pour désigner la lie des petits Blancs qui continuaient à dominer leur existence, ou qu'avoir choisi un oiseau qui passe son temps à se taper la tête contre du bois dur en disait long sur la résistance au changement des gens du Sud. Je préférai biaiser.

« C'est de l'argot du Sud, Michio. Quelqu'un qui manque de savoir-vivre. »

Le pluvier allait et venait au bord de l'eau comme s'il avait perdu quelque chose, puis s'immobilisa pour se lisser les plumes de la poitrine.

---

1. *Peckerwood.*

« Pluvier », dis-je inutilement en désignant l'oiseau noir et blanc. C'était un mâle en complète livrée de parade amoureuse. « Peut-être qu'il arrive tout juste d'Hawaii. »

À mesure que l'hiver relevait timidement ses jupes pour révéler le printemps, des vols vagabonds de chevaliers, tournepierres à collier, bécasseaux, phalaropes, ainsi que le bizarrement nommé courlis aux cuisses hérissées [1] (pour n'en nommer que quelques-uns) commençaient à remonter la côte Pacifique à petits sauts, d'aussi loin que Panama ou l'Argentine, pour se retrouver toujours plus nombreux en chemin. Vers la mi-mai, les grandes étapes comme l'embouchure du Stikine voient jusqu'à trois cent mille oiseaux s'arrêter chaque jour pour se reposer et se nourrir avant de repartir vers l'Arctique, où ils nidifient, élèvent leurs familles sous le soleil perpétuel du Nord et se gorgent de l'immense biomasse d'insectes qui avait incité Michio à fumer la pipe.

La migration de n'importe quelle espèce est une merveille de navigation, mais pour ce qui est du courage et de l'endurance, le pluvier n'a guère de rivaux. L'élégant oiseau debout sur une patte devant nous, la tête sous l'aile, avait peut-être quitté Hawaii seulement quarante-huit heures plus tôt, s'élevant en spirales jusque dans l'atmosphère raréfiée et impétueuse du jet stream, à six mille mètres, avant de s'orienter sur l'étoile polaire pour un vol ininterrompu de quatre mille kilomètres – débauche d'énergie qui lui fait perdre jusqu'à la moitié de son poids. L'automne venu, pour accroître ses chances de survie, le pluvier adulte regagne les tropiques plusieurs semaines avant sa progéniture, puisque les oiseaux adolescents, n'ayant pas fini d'apprendre à se nourrir et à perfectionner leur vol, continuent d'avaler désespérément insectes, larves, et tout ce qu'ils peuvent s'enfiler dans le bec pour accumuler la graisse nécessaire au voyage. Que les jeunes non initiés trouvent leur chemin depuis l'Arctique jusqu'aux minuscules taches, si

---

1. *Numenius tahitiensis*, courlis d'Alaska qui hiverne en Polynésie. (*N.d.T.*)

faciles à manquer, de l'archipel hawaiien au milieu de l'immensité du Pacifique, sans être guidés par leurs parents, est certainement l'un des exploits les plus remarquables de la nature [1].

En admirant le délicat échiquier d'or et de brun sur le dos du mâle, je ne pouvais m'empêcher de me demander combien de ses petits périraient pendant le voyage, se posant épuisés à la surface de la mer, d'où, faute du plumage huileux et des pieds palmés des véritables oiseaux de mer, ils ne pourraient jamais s'envoler de nouveau. Et – cela me terrifiait rien que d'y penser – quand les pluviers retourneront à Hawaii, mon père sera-t-il encore vivant ? Ou s'apprêtait-il, lui aussi, à franchir le tropique du Cancer pour la dernière fois ?

Michio gravit en crabe une pente boueuse, hasardant chaque pas avec précaution pour ne pas perdre l'équilibre dans le pudding glissant. Je le suivais, et au sommet de la butte, où la boue se transformait en herbe, je me tournai pour regarder la ligne monstrueuse de nos traces avant de chercher les jumelles dans mon sac.

« C'est le paradis, murmurai-je. Le paradis des ours. » Devant nous, une vallée étroite disparaissait sur la gauche dans une courbe, ouvrant un défilé entre deux montagnes boisées. Depuis le confluent entre la côte et la rivière, ce n'était qu'une immense émeraude, comme si Dieu avait décidé de jeter dans ce coin perdu son terrain de boules [2] personnel. Je fis un bref calcul mental : à peu près un kilomètre et demi de profondeur, trois à cinq cents mètres de largeur, diminué légèrement du resserrement de la vallée et de la surface de la rivière – plus de quarante hectares de

1. À ma connaissance, le vol du pluvier doré américain n'est surpassé que par celui de la barge rousse, oiseau de vingt-cinq centimètres, au bec coquettement retroussé, qui quitte l'Alaska à chaque automne pour un vol sans escale jusqu'en Nouvelle-Zélande – dix mille cinq cents kilomètres !

2. Les Anglo-Saxons jouent aux boules sur un gazon particulièrement soigné, le *bowling green*, devenu chez nous boulingrin. (*N.d.T.*)

pousses de souchet luxuriantes, le mets préféré de tous les ours.

Michio désigna des traces qui formaient une ligne sinueuse sur les bords du torrent. Une autre paire, plus large, croisait la première de biais pour disparaître dans une tache de seigle. Sur quatre cents mètres le long de la rive, la végétation avait été tondue à ras par endroits, et quand nous nous enfonçâmes dans les terres je repérai encore une demi-douzaine de passées. Un grizzly avait traversé la vallée d'est en ouest, les autres étaient des ours noirs.

« Y'en a tellement... » Michio jeta un coup d'œil rapide à droite et à gauche. Un mur d'aulnes, assez dense pour dissimuler une douzaine d'ours, se dressait des deux côtés de la prairie.

« Pas seulement des *kouma* », dis-je en évitant du pied un tortillon mou et vert. Les oies apprécient autant les jeunes pousses de souchet que les ours, et le sol était semé de leurs fientes. À l'orée d'un vallon boueux, les empreintes d'un loup adolescent longeaient une flaque d'eau de pluie, revenaient en arrière pour flairer une pierre, puis s'éloignaient au trot pour s'enfoncer dans un bosquet, et tandis que nous remontions la rivière, je sentais le poids de tout ce que j'avais laissé derrière moi en ville glisser de mes épaules – le linceul de la chambre de malade s'évanouissait avec une volée de rouges-gorges, la souffrance cuisante de l'histoire d'amour avec le battement d'une aile de corneille. Traverser la prairie était comme démêler une ligne entortillée ; elle révélait son mystère dans les graffiti des traces, le déploiement jaune des boutons d'or, et l'équilibre délicat, tremblant, d'une plume d'aigle accrochée à la branche la plus basse d'un arbre.

Michio décrocha la plume et la planta dans son bonnet. Une petite cascade murmurait devant nous, et quand des oies s'envolèrent légèrement en amont de la vallée dans un chœur de *wonk-wonk-wonk*, je tombai sur un genou et fouillai du regard le fourré d'aulnes pour découvrir la cause de leur alarme.

Pendant un long moment, rien. Puis une branche remua

et une ombre se détacha du pied d'un arbre pour devenir un ours. Les épaules luisant sous le soleil, il déboucha tranquillement dans la prairie, et quand il s'arrêta pour tâter quelque chose entre ses pattes, des ondulations de lumière jouèrent sur sa fourrure en tous sens.

Michio se glissa hors de son sac à dos, déploya son trépied et choisit un objectif. Je l'imitai, posant mon sac contre mes jambes. L'ours s'arrêta, leva le nez, et huma l'air à la recherche d'un danger, puis baissa la tête pour arracher une bouchée de souchets. Nous étions assez près pour entendre les *pop* et les *crunch* de l'herbe qu'il mâchait ; l'appareil de Michio chuchotait des *tchi-tchi-tchi* en réponse.

L'ours s'approcha en flânant. Il remuait la tête d'avant en arrière près du sol et s'arrêtait tous les quelques pas pour brouter. Lorsqu'il fut à trente mètres, j'avais pris un demi-rouleau de film et je voyais jouer ses mâchoires dans le viseur. À vingt mètres, j'avais fini mon rouleau. Veillant à ne pas quitter l'ours des yeux, je fouillai dans mon sac à tâtons, et le sentis basculer. Je fis un geste pour le rattraper et l'entendis s'affaler avec un grand *boum*.

L'ours explosa, se bandant en un ressort de muscles et de fourrure noire pour se détendre dans une course effrénée. Faisant voler la boue et l'herbe en tous sens, il dévala la rive, baratta l'eau pour se hisser de l'autre côté, et fila jusqu'à la lisière du bois. Là, du fond de la prairie, il se tourna pour nous regarder, le temps de se planter sur ses deux pattes antérieures et de renifler avec mépris – *heuff-heuff* –, avant de disparaître dans le fourré avec un grand bruit de branches brisées.

Gêné d'avoir ainsi interrompu son repas (et fait rater quelques photos), je tentai de détendre l'atmosphère par une remarque désinvolte.

« T'as vu ça, Michio ? Comme s'il essayait de nous dire qu'il n'avait pas vraiment eu peur ? » À la manière d'un enfant brimé par ses camarades et qui leur crie des insultes avant de plonger derrière une haie.

« J'ai vu, dit Michio, le visage soucieux. Il nous prend pour des piverts, Lynn. »

Il était neuf heures passées quand nous regagnâmes le bateau. Le soleil descendait et nous avions faim. Le ciel était d'un rose tendre. Nous avions vu plusieurs ours, mais pas un seul bleu. Même scénario les deux jours suivants : gagner la côte à la rame tôt le matin, pendant que la brume est encore suspendue dans les arbres ; trouver un belvédère sur une petite éminence ; puis passer les seize heures suivantes à contempler le spectacle. Il se passait rarement une demi-heure sans qu'un ours apparaisse, souvent deux ou trois, et il y en eut une fois quatre, qui parcouraient la prairie comme les électrons d'un atome, tournant lentement les uns autour des autres selon la chorégraphie complexe de domination et d'interaction qui détermine la place de chacun dans la société ursine. Hormis celui que j'avais effrayé, aucun ne sembla dérangé par notre présence, et le deuxième après-midi un vigoureux gaillard s'amena à un petit jet de pierre de mon trépied, s'étendit sur le sol et se mit à ronfler, comme s'il nous chargeait personnellement, Michio et moi, de veiller sur son sommeil.

À la fin de la deuxième journée, nous commencions à voir les ours comme des individus, chacun avec sa personnalité propre, et à les reconnaître à de subtiles différences d'apparence. L'un avait une nuance de rouge sur les épaules et le dos, comme s'il avait été saupoudré de paprika ; un autre un mouchoir blanc sur la poitrine. Nous nous étions aisément glissés dans leur petite communauté, semblait-il, et en faisant mieux la connaissance des voisins (et eux de nous), nous nous satisfaisions de voir simplement dériver les galions des nuages dans le ciel ou – comme les ours semblaient souvent le faire – à regarder pousser le chou puant en attendant qu'apparaisse l'ours des glaciers. Dans la paix de cette contemplation, je me sentais émerger du malaise que j'avais embarqué à Juneau, tout comme cette vallée creusée par le glacier avait surgi de la glace – lentement, avec une poussée irrésistible vers la vie, et le soulagement de voir qu'ici, du moins, les choses avaient l'air de marcher [1].

Mais où était l'ours argenté ? Le soir, Michio et moi examinions tour à tour la photo de John Hyde et griffonnions des cartes pour nous convaincre que nous étions au bon endroit. Il n'y avait aucun doute : la distribution des aulnes et de l'herbe, l'angle de la lumière, le dessin des lichens sur les arbres – tout était comme sur la photo, aussi aisément identifiable qu'un visage. Et je ne pouvais m'empêcher d'imaginer que l'ours bleu était peut-être un être féerique, créature du Kushtaka susceptible d'être noire ou cannelle un jour et bleue le lendemain, passant à volonté du plan ordinaire au plan extraordinaire.

« Peut-être, dis-je à Michio en me servant une autre pomme de terre, que nous voyons l'ours des glaciers depuis le début. Peut-être que l'un de ces ours que nous observons tous les jours est bien l'ours bleu et qu'il nous faut simplement être là quand il se métamorphosera.

– Et peut-être, plaisanta Michio, que ça fait trop longtemps que tu cherches un ours bleu. »

Il avait raison, évidemment. C'était le genre d'idée absurde qui ferait hausser les épaules à n'importe quel scientifique raisonnable.

« Mais pourquoi pas ? insistai-je. Les lièvres à raquettes changent de couleur. Les lagopèdes aussi. »

Songeur, Michio versa une cuillère de sauce dans son

1. À la période glaciaire une telle quantité d'eau fut transformée en glace que son poids comprima le sol comme une éponge. Maintenant que les glaciers reculent, le sol se regonfle de soulagement : dans certaines régions septentrionales de l'Alaska du Sud-Est le niveau de la mer peut varier de quatre centimètres par an. On trouve en effet d'anciennes terrasses marines (escarpements entaillés par l'érosion des vagues océaniques) à cent cinquante mètres au-dessus du niveau de la mer. À une échelle plus récente, humaine, les abords de Juneau (où la terre se détend de 1,5 à 1,8 centimètre par an) sont jonchés de bois flotté recouvert de plantes qui ne supportent pas le sel, forte indication que les troncs s'échouèrent à un moment où le niveau de la mer était plus bas pour s'élever ensuite hors de portée des marées.

assiette. C'était mon tour de faire la cuisine, et la sauce était pleine de grumeaux.

« Le renard bleu, dit-il, brandissant la cuillère comme une baguette, et la marte. »

J'avais oublié la marte à queue courte ou hermine, à la blanche livrée hivernale et au bout de la queue noir d'ébène. J'ajoutai les alques marbrées et les guillemots colombins à la liste, puis les en écartai ; les changements saisonniers de plumage chez les oiseaux sont trop communs pour qu'on les compte. Mais l'idée qu'un ours des glaciers puisse être l'un des mammifères dont la couleur varie avec les saisons était séduisante. Pouvait-il être une survivance de l'ère glaciaire, où un tel mécanisme lui aurait offert une coloration protectrice pendant les hivers interminables ? Quelque bizarre gène résiduel resurgissait-il de temps à autre pour transformer un ours noir en ours argenté et vice versa ? J'y songeais encore en me glissant dans mon sac de couchage cette nuit-là. À part suivre des tas d'ours pendant très longtemps, il n'y avait pas moyen de savoir.

15

DERNIERS FEUX

Le matin, un temps pourri s'était installé. Entendant des trombes d'eau s'abattre sur le toit de la cabine, Michio se recouvrit la tête d'un manteau et s'enfonça dans son sac de couchage, en grommelant qu'il allait dormir jusqu'à midi. Dans son bulletin météo du matin, la station des gardes-côtes de Juneau avait annoncé qu'un coup de vent arrivait du golfe, avant d'inviter les navires à essayer de repérer un voilier qui n'avait pas regagné le port. Ce n'était pas une journée pour faire de la photo.

Le soir, les gardes-côtes renouvelèrent leur demande d'informations sur le voilier en retard et actualisèrent leurs prévisions météo : ce n'était plus un coup de vent qui menaçait, mais une tempête [1].

À minuit, le vent s'était transformé en animal brutal et vindicatif ; il arracha plusieurs fois l'ancre, pour pousser le *Swift* à reculons vers la grève, tandis que Michio et moi hâlions la haussière pouce par pouce. Les trente-six heures suivantes, nous n'eûmes pas le temps de nous sécher ; sous une pluie si violente qu'elle nous fouettait la peau, nous ne cessions de nous ruer sur le pont pour remonter l'ancre

---

1. Le vent soufflant en moyenne entre 34 et 40 nœuds est considéré comme coup de vent (degré 8 de l'échelle Beaufort) et entre 41 et 47 nœuds comme grand coup de vent (degré 9) ; au-delà on parle de tempête (48 à 55 nœuds, degré 10), de violente tempête (56 à 63 nœuds, degré 11) et d'ouragan (plus de 64 nœuds, degré 12).

d'affourche et la remettre en place avant d'être drossés sur le rivage. Lorsque le vent commença à mollir, nous étions épuisés, et nous le vîmes s'éloigner sans regrets.

La pluie, elle, resta. Le lendemain il pleuvait toujours à seaux, sans signe d'accalmie, et nous dûmes nous avouer vaincus. Il fallait que je regagne Juneau, où une équipe de télévision allemande attendait que je l'emmène filmer des grizzlys. Michio était déçu. Il avait espéré rentrer en partie dans ses frais en vendant un article sur l'ours des glaciers à un magazine japonais, mais il avait d'autres obligations, lui aussi.

« Peut-être, dit-il, résumant la futilité de nos efforts, peut-être que l'histoire de l'ours des glaciers c'est justement de ne pas le trouver. » Puis il hocha la tête d'un air désabusé avant d'écarter l'idée comme « trop zen ».

*

Les Allemands eurent leurs images et me payèrent – et ce fut la seule bonne nouvelle de l'été. Les titres des journaux continuaient de proposer le refrain habituel de guerres et de désastres, le cancer de mon père gagnait son cerveau, et la liaison qui avait battu de l'aile tout au long de l'hiver et du printemps continuait de s'étioler. Il devenait chaque jour plus difficile de se rappeler que la planète filait à travers l'espace sans manquer un battement de son orbite autour d'une étoile étincelante ou que les saumons arriveraient à point nommé.

Le 3 juin (la pleine saison des naissances chez les otaries et les phoques) une exposition itinérante consacrée à la forêt nationale des Tongass s'ouvrit au musée de l'Alaska. Fruit de la collaboration entre des photographes partageant la même vision et la Smithonian Institution, *Les Tongass : la magnifique forêt humide de l'Alaska* rendait un bel hommage à la beauté de la forêt humide côtière, mais n'insistait guère sur l'impact de sa saignée à blanc généralisée, glissant légèrement sur la décimation de la faune sauvage, sur la destruction des cours d'eau où fraient les saumons, et sur les tombereaux de déchets toxiques déversés dans les rivières par les usines. Pas la moindre mention non plus des cinquante millions de dollars que le gouvernement fédéral gaspille chaque année en subventions à une industrie du bois déjà pléthorique. On racontait que l'exposition prévoyait initialement d'aborder certaines de ces questions, mais les élus de l'Alaska au Congrès ayant menacé de représailles le budget de la Smithonian, c'était une version édulcorée qui avait été finalement présentée [1].

Ayant un après-midi à tuer avant l'arrivée de mes clients suivants, j'eus le temps de déambuler dans l'exposition, m'arrêtant ici et là pour regarder par-dessus l'épaule d'un touriste ou d'un étudiant avant de passer au portrait suivant d'un aigle ou d'un cerf. Les tirages étaient magnifiques, panneaux grands comme des tables d'une extraordinaire netteté, et je m'arrêtai pour admirer la façon dont les aiguilles d'un épicéa presque grandeur nature semblaient surgir du mur. Puis je me dirigeai en rêvassant vers la salle suivante.

Le mur face à l'entrée de la deuxième partie de l'exposition était dominé par la coupe du tronc d'un immense épicéa, aux anneaux jalonnés d'événements historiques – la Grande Charte (1215), l'arrivée de Colomb en Amérique, ce genre de choses – jusqu'au jour où l'arbre fut abattu.

Je passai à côté d'un couple quinquagénaire qui remontait de *Un bond de géant pour l'humanité* jusqu'à la date de naissance du mari, jetai un coup d'œil à un grizzly dans un torrent sur le mur et me figeai. À côté du calendrier sylvestre, sur un mètre vingt de haut, s'étalait la photo d'un ours des glaciers.

Difficile de cataloguer les émotions qui me parcoururent en voyant la photo. Envie, frustration, exaltation, stupéfaction – toutes avaient leur place dans la soupe. J'ai dû parler à haute voix, parce que à côté de moi deux adolescentes échangèrent des coups de coude et des regards entendus

1. Les deux sénateurs et un représentant de l'Aslaska reçoivent régulièrement pour leurs campagnes de généreuses contributions des industries du bois, des mines et du pétrole.

quand je me penchai pour lire la légende, puis s'enfuirent en m'entendant éclater de rire.

Je riais parce que j'avais reconnu le nom d'un des photographes les plus prolifiques d'Amérique du Nord, un artiste de Seattle dont les ouvrages rempliraient aisément tout un rayonnage. Je riais parce l'étiquette le qualifiait de grizzly.

Impossible que le photographe n'ait pas su ce qu'il avait pris. Il a la réputation d'être méticuleusement organisé, et aucun professionnel de son calibre et de sa productivité n'a le temps de se baguenauder dans des coins perdus sans savoir exactement quels sujets ont des chances de s'offrir à son objectif.

Non, me disais-je, l'erreur avait été commise quelque part dans la chaîne de l'exposition. Que le personnel d'une institution aussi prestigieuse que la Smithonian n'ait pas reconnu un ours des glaciers (et n'en ait peut-être même jamais entendu parler) – et *a fortiori* celui du musée de l'Alaska, au cœur de son territoire – ne faisait que confirmer la rareté et le caractère remarquable de la photo.

En examinant de près l'arrière-plan, il était évident que le cliché avait été pris tout près de celui de John Hyde. C'était un ours différent – un peu plus crémeux, sans tout à fait le même bleu d'acier – mais cela voulait simplement dire que dans le labyrinthe de baies et de criques à l'ouest de Juneau les gènes de la glaciation remontaient à la surface, rebondissaient comme les terres après le reflux de la glace, et que mes chances de finalement trouver un ours bleu pour Michio avaient doublé. Quand je sortis de l'atmosphère feutrée du musée dans la lumière de l'été et les bruits de la circulation, j'organisais déjà notre retour.

Peut-être en septembre, lorsque les saumons remontent encore... installer un hutteau près de cette cascade quand il y a du poisson dans le bassin...

*

Papa avait du mal à suivre la cérémonie. Ma sœur cadette se mariait devant l'autel d'une église en galets sur une petite île au nord de Juneau, et assis derrière lui dans les durs bancs de bois je le voyais trembler au moment de s'assoupir, puis se réveiller avec un sursaut et regarder autour de lui, éperdu au milieu de l'assistance, en cherchant à tâtons à retrouver son équilibre. Le long vol depuis Hawaii avait été épuisant, tant pour lui que pour ma mère, et quand le prêtre demanda : « Qui va donner cette femme en mariage ? », il dut attendre la réponse pendant qu'on aidait papa à se lever et qu'il cherchait en bafouillant la simple formule de l'accord paternel. J'avais la gorge serrée, autant pour la confusion de cet homme aux yeux chassieux, qui à peine quelques moins auparavant faisait des opérations compliquées de calcul mental, que pour l'espérance et l'amour inhérents au mariage.

Au large de la pointe de l'île une jubarte solitaire s'arqua pour plonger et disparut, ne laissant derrière elle que les lamentations des mouettes et un remous en train de s'effacer.

*

Quand août arriva le Canada brûlait. À cinq cents kilomètres au nord, des incendies de forêt catastrophiques ravageaient le Yukon et les Territoires du Nord-Ouest, les recouvrant d'un voile épais de fumée bourbeuse. Michio était en retard, un éditeur étranger le pressait de ses exigences et l'un de ses livres allait sortir, et après l'avoir attendu trois jours, John Hyde et moi partîmes sans lui. La météo annonçait l'arrivée d'un anticyclone, synonyme de ciel clair et de temps calme – pas question de rater des conditions aussi favorables à la navigation et à la photographie.

« Prends l'avion postal de Kake, lui dis-je. Trouve quelqu'un qui a une radio pour nous appeler et nous viendrons te chercher. » Comme dans la plupart des villages, les gens de Kake sont si obligeants qu'il n'aurait aucun mal à se faire aider. Une fois à Juneau, il lui suffirait d'embarquer dans un des petits hydravions qui font quotidiennement l'aller et retour jusqu'à l'île Kupreanof, pour passer une semaine à photographier les baleines avec nous.

Le plan se déroula à merveille, et lorsque le *Swift*, au point mort, entra dans le bassin sur son erre pour le récupérer, John et moi avions quelque raison de lui reprocher son retard. Le deuxième jour de nos recherches, nous avions aperçu une baleine qui soufflait et plongeait autour d'un banc de harengs. Dix minutes après notre arrivée sur la scène, la baleine s'était mise à sauter, se projetant en l'air de toute la longueur de son corps de quarante tonnes pour retomber avec un fracas de tonnerre qui était certainement un signal pour rallier les troupes, parce que en quelques minutes des baleines fonçaient vers nous de tous les points cardinaux, surgissant d'une mer apparemment vide jusqu'alors. La meute ne tarda guère à exterminer les harengs, et John n'en laissa rien échapper.

« Il a sauté hors de l'eau quinze à vingt fois, en prime », dit John, agitant un sac en plastique plein de rouleaux de film impressionné sous le nez de Michio. Michio se frappa le front, feignant la consternation, mais il ne pouvait cacher son bonheur. Nous ne perdîmes pas un instant pour repartir vers le nord à pleine vitesse, dans l'espoir de retrouver les jubartes avant qu'elles se soient dispersées.

Quatre heures après, notre chance parut tourner. Le système de hautes pressions qui nous donnait ce temps calme aspirait aussi la fumée des incendies de forêts canadiens à travers les champs de glace pour la déverser sur l'Alaska. Le voile s'épaississait d'heure en heure, et tandis que nous continuions à chercher les baleines, la fumée brouillait l'horizon et menaçait d'obscurcir le soleil. Et lorsque nous les trouvâmes enfin, tout était enveloppé d'une lumière pâle et boueuse, si froide et déprimante que ni Michio ni John ne prit la peine de sortir un appareil photo.

Vingt-quatre heures après je songeais sérieusement à abandonner. La radio disait que les incendies redoublaient, et le monde avait l'air malade à travers la brume de fumée jaune.

« On gaspille l'essence, hasardai-je. Et les prévisions

météo racontent que ça pourrait durer des jours et des jours. »

Michio leva les yeux d'un nouvel objectif qu'il nettoyait, un 500 mm « à miroir » qui grossissait l'image grâce à une surface parabolique soigneusement polie au lieu d'une série de lentilles. Il pesa mon argument et finit par secouer la tête. « Rien à photographier dans le coin, Lynn. » Un peu plus tôt il m'avait montré comment il envisageait d'utiliser la surface incurvée du miroir pour créer des « beignets » de lumière à partir du scintillement du soleil sur l'eau – effet nécessaire pour une photo qu'il avait à l'esprit.

« Ça pourrait être beau, dit-il en dessinant de la main l'arc d'une baleine en train de plonger. Dans le soleil, avec l'eau qui ruisselle de la queue... »

Deux ou trois fois depuis notre départ de Kake, une baleine avait nagé près du bateau, mais jamais tout à fait assez près ou disposée aussi précisément dans la traînée du soleil que Michio le voulait. Et avec cette lumière plate, horrible, lui rappelai-je, les chances de traduire sur le film l'image de son imagination étaient misérables.

Je me trompais. Et cela devint de plus en plus évident à mesure que le soleil tombait. L'angle changeant de la lumière à travers la fumée transforma l'eau d'abord en un or délicat, puis en orange, puis en écarlate, et quand l'astre toucha l'horizon, sa traînée traça un flamboyant point d'exclamation inversé sur la mer. D'autres baleines apparurent – des marsouins aussi – et de cette convergence d'événements naquit une possibilité de photo plus remarquable que tout ce que j'aurais pu imaginer.

Michio et John ne cessaient de mitrailler, de recharger et de mitrailler encore. Les baleines venaient souffler à la surface, inspiraient de pleines barriques d'air et plongeaient de nouveau. Je n'avais pas assez de mes deux mains pour embrayer et débrayer le moteur, pour barrer à bâbord et à tribord afin de placer le bateau au bon angle par rapport au soleil. Quand une baleine jaillit à un jet de pierre de la proue, Michio bondit pour se mettre en position, régla la mise au point en s'agenouillant et parvint à saisir l'alignement de l'animal, du soleil et de sa traînée flamboyante en un cliché qui transforma toute cette horrible journée enfumée en un instant parfait.

Ce soir-là, dans la baie de Gambier où nous mouillions pour la nuit, je notai dans mon journal : « L'enfer s'est déchaîné aujourd'hui de l'autre côté de la frontière – et pourtant tout s'est terminé en beauté. »

« Pas cette année », répondit Michio quand je proposai que nous partions à la recherche de l'ours bleu en septembre. « Je dois préparer mon expédition chez les Tchouktchis. »

Son intérêt pour les peuples aborigènes l'avait récemment conduit de l'autre côté du détroit de Béring, en Sibérie, où ces éleveurs de rennes mènent encore une existence errante sous la tente. Toute sa passion et toute son imagination immenses étaient désormais concentrées sur son projet de passer une année entière à étudier leur mode de vie. Ce qui l'excitait le plus, dit-il, c'était de pouvoir emmener sa femme et son fils. « Shoma et Naoko avec moi. Ce serait la meilleure expérience de ma vie. »

Ce n'est pas rien, pensai-je, pour quelqu'un dont l'existence est déjà si riche.

« Mais peut-être au printemps ? suggéra-t-il. Du moins si nous ne sommes pas avec les Tchouktchis. »

Un petit vide s'ouvrit au fond de moi, sentiment aussi menaçant que la fumée. Je savais que nous ne cesserions jamais de chercher l'ours bleu avant de l'avoir trouvé – après tout, Michio n'avait-il pas refusé d'abandonner simplement parce que la fumée rendait la photo apparemment impossible, et n'avait-il pas travaillé douze ans à son livre sur les caribous ? Mais soudain la perspective d'atteindre notre but était chargée d'une bouffée de menace – y parvenir pourrait signifier la fin de nos voyages.

J'étais heureux pour Michio qu'il puisse tirer parti des possibilités prodigieuses de sa vie, mais avec les changements qu'impliquaient sa nouvelle famille et la multiplication de ses voyages à l'étranger, les liens que nous avions forgés risquaient de se distendre. Je ne voulais pas voir changer cette amitié, je n'étais pas près au « renoncement » que cela impliquerait ; j'avais déjà dû renoncer à trop de choses.

La colère me possédait. Une fureur toxique aux yeux injectés qui dépassait tout ce que j'avais jamais connu. Entre deux voyages, je faisais de menus travaux d'aménagement dans l'appartement de mon amie – installer un bureau, construire un lit pour son enfant –, et elle recula dans un coin de la cuisine pendant que je tempêtais en jetant mes outils dans un sac. L'amour, a-t-on dit, est « ce merveilleux moment d'apesanteur en haut de la balançoire », et après des mois à soupçonner que chaque fois que j'emmenais son fils pour la nuit elle profitait de sa liberté pour voir un autre homme, le moment était passé – et la plongée avait commencé – quand, arrivant à l'improviste, j'étais tombé sur « lui » en train de dévaler ses escaliers.

Le vase déborda. Les cartes de crédit ponctionnées à outrance ; la souffrance de la relation ; l'ami engagé pour me remplacer à la barre du *Swift* qui m'avait laissé en rade sans prévenir, m'obligeant à annuler pour des milliers de dollars de voyages déjà réservés, sans parler des clients qui appelaient, vociférants et furieux de ce bouleversement soudain de leurs projets. Je fourrai une perceuse dans le sac, comptai mes gouges et sortis en claquant la porte. Il fallait que je rentre chez moi faire mes bagages. Je devais assister à un enterrement à Hawaii.

« Viens dès que possible. » La voix de ma mère était ferme, seul le ton plus aigu trahissait la tension.

« Comment va-t-il ?

– Pas très bien. Ton frère arrive demain matin. »

Pas très bien. Nous tournions toujours autour de la vérité, faisant comme si l'odeur de celle-ci n'était pas dans la pièce. J'essayai de ne pas laisser ma voix se briser, mais après nous être dit au revoir, je m'effondrai sur le sol en pleurant.

« Ils disent pas plus de quatre gouttes toutes les deux heures. » L'infirmière rejeta la tête en arrière pour indiquer comment je devais administrer la morphine avec un compte-gouttes sous la langue de mon père, puis elle posa un regard sur moi qui voulait dire : « C'est la ligne officielle ; maintenant vous faites ce que vous avez à faire. »

« Comment ça va se passer ? » Elle comprit ce que je voulais dire et répondit par une description concise de la manière dont les reins se bloqueraient, provoquant une accumulation de liquide dans les poumons.

« Vous l'entendrez. Il peut y avoir des difficultés respiratoires... Nous appelons ça le " râle de la mort "... » Elle s'interrompit pour tendre à mon frère une liste de sociétés de pompes funèbres. « Son cœur s'arrêtera quand la tension deviendra trop forte. »

Je me demandai si elle s'était rendu compte de son lapsus, qu'elle avait abandonné les références impersonnelles, professionnelles, aux organes de mon père pour l'humanité implicite de « son » cœur. Il reposait sur le côté, recouvert d'un drap, le chaume de sa barbe luisant comme du sable sur ses joues. Il avait les yeux fermés – il ne les avait pas ouverts de la journée –, et je me demandai s'il pouvait entendre ce que nous disions. Quand j'étais arrivé à la ferme après le long vol entre l'Alaska et Hawaii, il était dans la même position, et quand je me penchai pour lui dire que j'étais arrivé je ne reçus aucune réponse.

On ne se touche guère dans la famille, mais quand tout le monde eut quitté la chambre je m'étendis près de lui, collai ma poitrine contre son dos... *jadis musclé, aujourd'hui tout os...* enfouis mon visage dans son cou... *quand j'étais enfant il sentait toujours la cigarette...* l'entourai de mes bras, le serrant contre moi comme si je pouvais l'empêcher de partir, et murmurai : « S'il te plaît, papa. Ne t'en va pas. »

L'âme, dit-on, quitte le corps au moment de la mort pour s'élever comme un ballon d'argent. J'ai bien regardé et je n'ai rien vu, mais j'ai senti quelque chose s'arracher de ma poitrine, déchirement de membranes, de ligaments et de veines qui a brisé les côtes en sortant, laissant un vide qui divisera à jamais ma vie en deux : avant, quand il y avait le réconfort d'un père, et après.

16

LE KAMTCHATKA

Deux jours après la mort de mon père, le personnel du musée décrocha la photographie de l'ours des glaciers et remballa l'exposition. Le dernier paquebot de croisière de l'été repartit vers le sud, tuméfiant l'horizon de sa fumée, et deux semaines plus tard un fort coup de gel fit tomber les feuilles des arbres. À huit cents kilomètres au nord, une bande de jeunes pluviers décida de fuir le début de l'hiver.

En décembre la neige tomba d'une voûte couleur de fumée. En février l'aurore s'enroula en travers du ciel comme une vapeur. En mars le vent était gros du printemps, et quand Michio téléphona pour dire qu'il était trop occupé pour l'ours des glaciers, je fus déçu mais ne me laissai pas décontenancer pour autant.

« Que dirais-tu de la fin de l'été ? » Et je lui exposai mon idée d'installer un affût près de la cascade dans la vallée de John Hyde.

« Je ne sais pas », répondit-il, avant d'expliquer qu'il prévoyait de passer une partie de juillet et d'août (au plus fort de la remontée des saumons) dans un endroit qui devenait rapidement la Mecque des passionnés d'ours : le lac Kourilskoya dans la péninsule du Kamtchatka, à quatre mille kilomètres de là dans l'Extrême-Orient russe.

La péninsule du Kamtchatka pend sous le poing de la Sibérie comme un pouce de onze cents kilomètres enfoncé entre les mers d'Okhotsk et de Béring. C'est un pays de volcans fumants, de forêts denses de bouleaux dorés et de rivières grouillantes de saumons. Le Sud, près de Kourilskoya, accueille une population de grizzlys aussi nombreuse que n'importe quelle région de l'Alaska. Le Kamtchatka apparut pour la première fois sur une carte en 1665, lorsque le cartographe russe Semion Remisov dessina une approximation de cette terre inconnue sur une feuille de parchemin. Il fallut encore attendre trente ans avant que les premiers Russes y parviennent, et 1725 pour que des rumeurs filtrant de cette riche et vaste contrée incitent Pierre le Grand à nommer un capitaine danois à la tête de la première Expédition du Kamtchatka. Vitus Béring avait instruction de dresser la carte de la péninsule, puis de poursuivre sa route vers l'ouest pour prouver que l'Asie et le Nouveau Monde étaient des continents différents. Après s'être péniblement frayé un chemin, en trois ans, jusqu'à l'extrémité orientale de l'Asie, Béring construisit deux navires, et, à force de tâtonner dans le brouillard vers le nord-est, il finit par découvrir le détroit entre l'Alaska et la Sibérie qui porte aujourd'hui son nom. Mais paralysé par le mauvais temps, l'incompétence de ses officiers, les défaillances de son équipement et la quasi-mutinerie de ses équipages, il fut contraint de suspendre le voyage sans avoir effectivement vu le Nouveau Monde.

Il mit trois ans à convaincre l'empereur de lui donner une autre chance, mais il dut finalement se montrer prodigieusement convaincant puisqu'il quitta Saint-Pétersbourg en 1733 à la tête de la plus grande armée d'exploration que le monde ait jamais connue, avec ordre de découvrir la côte ouest de l'Amérique et de l'explorer vers le sud jusqu'au Mexique. Il fallut sept ans aux dix mille hommes de la Grande Expédition Nordique simplement pour atteindre le Kamtchatka et construire la ville que Béring baptisa Petropavlosk d'après ses deux vaisseaux, le *Saint-Pierre* et le *Saint-Paul.* Mais, le 15 juin 1741, il était parvenu à s'aventurer suffisamment vers l'est pour apercevoir le mont Saint-Elias près de Yakutat, avant d'être repoussé par les tempêtes incessantes du golfe [1].

Malade et épuisé, Béring mourut en faisant naufrage sur une petite île au large du Kamtchatka alors qu'il essayait de regagner Petropavlosk. Son équipage survécut à l'hiver en tuant à coup de bâtons des centaines de loutres de mer quasi apprivoisées et en s'enveloppant dans leurs fourrures. Après qu'on les eut secourus, quelques rescapés retournèrent à Saint-Pétersbourg vêtus de manteaux de loutre ; la vue de ces luxuriantes fourrures sombres suffit à envoyer une vague de chasseurs *promychlenniki* de l'autre côté du détroit de Béring, en Alaska. En moins d'un siècle cette brutale ruée vers l'or fit disparaître les loutres de mer de la plus grande partie de leur territoire, puis, lorsque cette extermination fut accomplie et que les États-Unis eurent acheté l'Alaska en 1868, le Kamtchatka s'évanouit de la conscience collective de l'Occident. Après la révolution bolchevique, la région tout entière fut interdite aux étrangers – les Russes comme les autres – jusqu'à ce que l'empire soviétique se désintègre en 1990.

Cette année-là, le propriétaire d'une agence de Juneau spécialisée dans les voyages d'aventure, désireux d'étoffer son catalogue, se rendit en avion à Tchoukotka en Sibérie pour longer la côte en *oumiak*, canot esquimau en peau. Ayant entendu vanter la remarquable abondance des ours dans la réserve, il revint à l'automne suivant et loua un hélicoptère de l'armée russe pour s'y faire conduire. De retour à Juneau, Ken Leghorn me fit de tels récits que la vallée du

1. Le 31 juillet le *Saint-Pierre* toucha l'île Kayak près de Cordova. Béring lui-même ne descendit pas à terre, mais parmi le détachement d'officiers et de marins qu'il envoya à la découverte figurait un naturaliste allemand appelé Georg Wilhelm Steller. Ce dernier, qui avait étudié le catalogue d'oiseaux du Nouveau Monde de John James Audubon avant de quitter l'Europe, identifia un oiseau qui voletait parmi les épicéas comme un cousin du geai bleu d'Amérique – première preuve tangible que l'expédition avait effectivement atteint le Nouveau Monde depuis l'ouest. L'oiseau bleu cobalt au cri rauque et au vol caractéristique alternant battements et glissades est encore appelé geai de Steller.

Khakeetsine, rivière bourrée de saumons et parsemée d'ours coulant au pied d'un volcan fumant, me parut exactement le genre d'endroit brut, primordial, que j'avais toujours rêvé d'explorer.

« C'était incroyable, me dit Ken. Nous avons remonté un torrent à pied pendant quatre heures et nous avons compté cinquante-six ours. » Ils avaient été chargés deux fois, esquivant la première attaque dans un coude du sentier et repoussant la seconde en agitant des branchages à grands cris.

Quand Michio me demanda : « Qu'est-ce que t'en penses ? » je compris qu'il me sondait. Au fil des ans, il m'avait invité à partager ses aventures sur une île au large de la Colombie britannique pour photographier les ruines de maisons communes indigènes, dans le Manitoba à la recherche d'ours polaires, et dans la Réserve naturelle nationale de l'Arctique pour assister à la migration des caribous, mais les obligations de mon métier de guide m'avaient toujours empêché de me joindre à lui. Un coup d'œil à mon agenda me montra qu'une fois de plus je devrais refuser. J'étais pris pendant les semaines où il serait au Kamtchatka.

« Mais peux-tu venir à Juneau en septembre ? »

Il hésita avant de répondre. Il avait tant à faire avec tous ses projets en Afrique, en Sibérie et en Alaska. Et avant tout il lui fallait le temps de se retrouver en famille.

« *Taboun*, dit-il. Peut-être. J'essaierai de t'appeler à mon retour. »

Juillet commença sous d'excellents auspices. Evelyne R., photographe semi-professionnelle venue de Suisse, désigna un iceberg bleu qui dérivait près de l'entrée du fjord et dit : « Je veux un aigle là-dessus. » En moins de temps qu'il ne faut pour le dire, un pygargue jaillit de la forêt et, déployant ses larges ailes, se posa sur la glace ; les moteurs de trois appareils photo bourdonnèrent, et le corps massif d'Evelyne tremblait d'excitation tandis qu'elle échangeait des regards ébahis avec son mari. Il faisait un temps merveilleux depuis plusieurs jours, ciel clair et mer d'huile, et chaque fois que l'un de mes passagers avait dit : « Je veux voir... » (une orque, une otarie, des jubartes en train de chasser au filet de bulles, ou n'importe quoi), le souhait avait été exaucé. Des orques nageaient dans notre sillage, des marsouins paressaient devant la proue, baleines à bosse et otaries s'endormaient contre la coque. C'était le troisième voyage en Alaska de Dominik et Evelyne, et ils s'attendaient à une ample moisson de photos, mais pour Gary, photographe de l'Utah, c'était la première fois, et notre chance le plongeait dans la stupéfaction. Toujours de bonne humeur, une moustache touffue qui ne parvient pas néanmoins à dissimuler un sourire permanent, Gary est le genre de client qu'un guide est ravi d'avoir, et il avait à peine jeté ses bagages à bord du *Swift* et commencé à blaguer que je décidais que je n'avais pas tant affaire à un client qu'à un ami.

Notre chance se poursuivit pendant dix journées errantes. Le *Swift* descendit d'abord vers le sud par le passage Stephens, puis traversa le Frederick Sound avant de remonter vers le nord par les détroits de Chatham, tandis que tout ce que nous pouvions souhaiter nous tombait entre les mains.

Tout bascula quand nous entrâmes dans la rade de Kake.

Il nous fallait de l'essence, notre réserve d'eau se tarissait, et après cette longue période dans les étroites limites du *Swift*, ce dont nous avions surtout besoin, nous en convenions tous tacitement, plus encore que de vivres, d'eau ou de carburant, c'était d'une douche. À une petite distance à pied du port de Kake, un hôtel-épicerie-café offre au voyageur, pour trois dollars, un bout de savon bon marché, une serviette propre et une quantité illimitée d'eau chaude. Dominik s'y rendit en éclaireur, tandis que Gary et moi faisions le plein d'essence. Après avoir complété les réservoirs d'eau, ce fut un vrai bonheur de se dérouiller les jambes sur le chemin poussiéreux entre le port et le village.

À l'hôtel, Gary bourra de monnaie un téléphone public, pendant que je commandais des cheeseburgers et que je faisais un petit tour rapide dans le magasin.

« Ils ont des esquimaux », dis-je, en posant un sac de provisions au pied de la table de Gary. Les cheveux mouillés par la douche, il était tout réjoui à la perspective du festin, et, lorsque je lui posai la question, il me répondit que tout allait bien chez lui.

« Ce sont de vrais diables, mon vieux. Surtout ma fille. » Il secoua la tête, débordant de fierté. Pour autant que je pouvais le dire, il n'y avait pas grand-chose dans la vie que Gary n'appréciait pas, mais parler de sa famille l'illuminait toujours d'une lueur supplémentaire. De sa femme, il avait dit plusieurs fois : « Je ne pourrais rien faire sans Lilian. C'est ma raison de vivre. »

Je cherchai la serveuse du regard et lui commandai un Coca. À travers le guichet j'apercevais le chef qui faisait frire quelque chose dans une poêle.

« J'ai le temps de consulter mes messages », dis-je à Gary. Un téléphone public pendait au mur à quelques pas de notre table, au-dessus d'un présentoir de journaux. Je jouai un air sur les touches, attendis la réponse de l'opératrice informatisée, puis composai le code d'accès de mon répondeur. Un producteur anglais demandait des informations à propos d'un film dont nous discutions depuis un an. Un démarcheur proposait une énième carte de crédit, et, en annulant ce message, je regardai par-dessus l'épaule pour voir si les cheeseburgers arrivaient.

« Bonjour, Lynn ? C'est Clara. » La douce voix féminine surgissait du passé. Cela faisait presque dix ans que nous nous étions rencontrés, moi avec un porte-manteau tordu, un tournevis et un ardent désir de passer pour un héros aux yeux de la ravissante chimiste à la voix veloutée dont la voiture s'était accidentellement fermée à clef, elle avec un petit ami à plus de mille kilomètres de là, à Fairbanks. Et, par l'un de ces curieux petits chevauchements si fréquents en Alaska, c'était aussi une amie de Michio. Elle l'avait connu à l'université, quand il était venu étudier à Fairbanks plus d'une dizaine d'années auparavant. Depuis qu'elle était retourné enseigner à Fairbanks, pour être plus près de son ami, nos relations s'étaient limitées à une lettre ou une carte postale occasionnelle, et mon pouls s'accéléra quand elle dit : « Il fallait que j'appelle. »

Le silence qui suivit fut assez long pour que je me demande pourquoi, avant d'être envahi par la certitude que ce message annonçait une très bonne nouvelle (revenait-elle à Juneau ? se mariait-elle avec John ?) ou une très mauvaise. Mon pouls s'accéléra encore quand je l'entendis prendre une grande inspiration.

« Il est arrivé un accident », reprit la voix enregistrée. Elle cherchait ses mots. « Un accident à Michio. Il a été tué par un ours. »

Je crois que je laissai tomber le combiné. Je m'entends dire « Oh mon Dieu », et je sens contre mon front le métal froid du téléphone. J'entendais encore la voix de Clara au loin.

Je cherchai le cordon à tâtons, tirai le combiné à moi et le portai à l'oreille : en Russie... au Kamtchatka... elle était vraiment désolée.

Le message suivant venait de ma sœur : « Je viens d'apprendre ce qui est arrivé à Michio », et ensuite, une voix japonaise que je n'ai pas reconnue : « Lynn-san... très, très désolé... Hoshino-san mort à cause d'ours. »

L'un après l'autre, les messages affluèrent d'Allemagne, du Japon, de Californie, de Fairbanks et de Juneau – amis et connaissances du monde entier, qui m'assenaient le même horrible coup en plein ventre : Michio était mort, arraché à sa tente par un ours.

Voici les circonstances telles que je les connais :

Michio arriva à la réserve d'ours bruns de Kourilskoya le 25 juillet, en compagnie des trois membres d'une équipe de télévision japonaise. À bord d'un hélicoptère de location, comme le font la plupart des visiteurs. C'était le premier groupe de photographes ou de cinéastes à obtenir l'autorisation d'entrer dans la réserve cette année-là, et ils avaient choisi le moment de la remontée des saumons. Les attendaient sur place pour les seconder Igor Revenko, le plus grand spécialiste russe des ours bruns, et son frère Andreï. J'avais rencontré Revenko deux ans plus tôt, lorsqu'un groupe d'amis, militants de la protection des ours bruns, l'avait fait venir à Juneau pour qu'il présente une conférence avec diapositives sur les ours du Kamtchatka. Au bout de quelques minutes à peine, je savais qu'avec cet homme trapu, réfléchi, aux yeux étincelants d'intelligence, je me sentirais pleinement rassuré au pays des ours – et que j'aurais tout autant confiance en ses travaux scientifiques. Andreï, moins à l'aise en anglais, passe pour lui ressembler beaucoup.

Au bord d'un lac, le camp de Cap Herbeux, des plus sommaires, se réduit à une cabane grossière juste assez grande pour accueillir six personnes et leur équipement, à un abri plus petit au toit de tôle qui sert de garde-manger, et à un cabinet d'aisances. À cinq cents mètres de là, sur le Khakeetsine, se dresse un mirador, petite plate-forme juchée sur des poteaux de six mètres, d'où l'on jouit d'une vue parfaite sur les grizzlys qui viennent y pêcher. Sur la rive opposée, non loin de l'endroit où naît la rivière par laquelle le lac s'écoule dans la mer d'Okhotsk, se trouve un barrage de comptage [1] et un camp de base qui à l'époque était occupé par quelques spécialistes russes des pêcheries et par un étudiant en doctorat de l'université du Montana, Bill Leacock, qui collaborait avec Revenko à un recensement des ours du Kamtchatka, et qu'accompagnait sa famille.

Peu avant l'arrivée du groupe de Michio à Cap Herbeux,

1. Un barrage de comptage est un alignement de piquets en travers de la sortie d'un lac destiné à canaliser les saumons en migration par une « porte » où on peut les compter. Le recensement de Leacock était très important parce que personne, y compris Igor Revenko, ne connaît le nombre des ours. Depuis la désintégration de l'Union soviétique, des rumeurs de braconnage intensif au Kamtchatka sont fréquentes, et lors de sa visite à Juneau en 1994, Igor estimait que peut-être deux mille à deux mille cinq cents ours avaient été tués au cours de l'année écoulée seulement. Outre la chasse illégale aux trophées, l'une des plus graves menaces qui pèsent sur la population ursine mondiale est l'insatiable appétit des Chinois pour la bile d'ours, ingrédient de leur pharmacopée traditionnelle. De nombreuses expériences scientifiques en ont pourtant démontré l'inefficacité et l'inutilité : la bile d'ours n'a absolument aucune vertu thérapeutique, sinon comme placebo.

un gros ours s'était introduit dans la cabane et en avait saccagé l'intérieur, laissant les entailles profondes de ses griffes sur les murs. Après qu'ils eurent cloué des planches sur la fenêtre brisée et remis l'endroit en état de leur mieux, Igor leur recommanda de brûler tous les déchets comestibles et d'enterrer le reste. Les saumons se faisaient attendre – pas le moindre poisson dans la rivière –, et permettre à l'ours affamé de trois cents kilos qui avait vandalisé la cabane d'associer les humains à la nourriture serait une grave erreur. Sur cette mise en garde, le groupe s'installa dans la cabane – sauf Michio, qui a toujours préféré le grand air au confinement d'une cabane. Même lorsque nous étions seuls tous les deux à bord du *Swift*, avec le confort de l'eau courante et du chauffage, il préférait parfois dérouler son sac de couchage sur le pont avant ou se retirer sur le toit de la cabine avec un livre – et je n'y vis jamais le désir de fuir ma compagnie ou celle des autres humains, mais sa préférence pour les odeurs et les bruits de la nature. Au Kamtchatka, il décida de dormir sous sa tente.

Le samedi 26 juillet, un photographe américain de trente-deux ans arriva à Kourislkoya. Dans un entretien avec un journaliste de l'*Anchorage Daily News*, Curtis Hight expliqua que lui aussi avait planté sa tente à quelques mètres de celle de Michio, Igor lui ayant dit qu'il n'y avait plus de place dans la minuscule cabane, sans doute parce que le matériel de l'équipe de télévision encombrait tout l'espace disponible.

Au crépuscule le temps tourna, un épais brouillard s'installa, soufflé par le vent, et Michio se faufila dans sa tente.

« Réveille-moi si un ours arrive, dit doucement Hoshino en se couchant.

– Excuse-moi ? demanda Hight.

– Réveille-moi si un ours arrive – près de la tente », répéta Hoshino [1].

1. Extrait d'un article de George Bryson dans *We Alaskans*, supplément de l'*Anchorage Daily News*.

[Deux heures et demie plus tard [1]], Hight fut réveillé en sursaut par une explosion de bruit [...] qui semblait venir du garde-manger, à [une quinzaine] de mètres de là.

Il se glissa hors de sa tente et, avec précaution, alla voir ce qui se passait, faisant doucement le tour de la cabane pour s'approcher de la resserre. Un grand ours brun faisait des bonds sur le toit de tôle, essayant apparemment de s'y introduire de force.

Hight hurla et frappa des mains. L'ours le regarda. Il s'égosilla de nouveau, [...] [se demandant pourquoi] personne d'autre dans le campement n'avait pris la peine de se lever. Lentement l'ours s'éloigna, contournant la tente de Michio par l'arrière.

Hight appela à grands cris Michio, qui sortit la tête par le rabat. « Il y a un ours – à trois mètres derrière ta tente !

– Où ça ? demanda Michio, fouillant l'obscurité du regard.

– Juste derrière ! Je vais chercher Igor ?

– Oui, va chercher Igor. »

La cabane était fermée à clé. Hight se mit à cogner sur la porte, en hurlant qu'il y avait un ours dehors.

Quelques instants après, Revenko apparut avec une bombe de piment.

Il n'y avait pas de fusils dans le camp ; les armes étaient interdites. Aussi Revenko, Hoshino et Hight s'efforcèrent-ils de chasser l'ours en criant et en tapant sur des casseroles. En vain. En fin de compte, Revenko sortit sa bombe. S'approchant à [huit à dix] mètres, il visa et tira.

Placé à angle droit, Hight vit le jet blanc étincelant de piment vaporisé se déployer, puis comme se condenser juste devant le nez de l'ours. Le produit retomba sur le sol. L'ours se pencha en avant, le renifla dans l'herbe. Sans avoir l'air nullement incommodé.

---

1. Dans la correspondance que nous avons échangée, le récit de Hight est parfois un peu différent de la version de *We Alaskans*. J'ai ajouté entre crochets les corrections et les éclaircissements exprès de Hight.

C'était un ours adulte, décida Revenko, de deux cent cinquante à trois cents kilos, avec une plaie rouge en travers du front. [Hight précise que l'estimation avait été faite après que l'ours fut abattu et non par Igor cette nuit-là.]

Pendant environ une demi-heure, les hommes tentèrent de [chasser] l'ours du campement. Chaque fois, il escaladait le coteau pour en redescendre aussitôt. Finalement, il sembla s'éloigner de son propre gré.

Le lendemain matin, Hight décida de dormir dans le mirador. Revenko pensait que l'ours s'était peut-être blessé en brisant la fenêtre pour entrer dans la cabane, et il croyait qu'il serait plus en sécurité en hauteur. Michio préféra rester dans sa tente.

Le lendemain, Andreï Revenko conduisit Michio et l'équipe de télévision de l'autre côté du lac pour repérer d'autres lieux de tournage : les saumons tardant à remonter, les ours ne s'étaient pas encore rassemblés en grand nombre autour du Cap Herbeux. Le même jour, le propriétaire d'une station de télévision de Petropavlovsk débarqua au camp à bord de son hélicoptère personnel et exigea le mirador. Plutôt que de dormir de nouveau à même le sol la nuit suivante, Curtis Hight installa son sac de couchage sur le toit de la cabane, au-dessus de la tente de Michio.

Le lendemain matin, raconte Hight, le propriétaire de la station de télévision fit quelque chose de si insensé que j'ai peine à le croire : il disposa de la nourriture humaine sur la rive du lac pour attirer l'ours à portée de sa caméra, puis le filma en train de manger.

« [Il] ne se sentait manifestement pas très coupable, raconte Hight, parce que dans leur reportage télévisé ils ont montré cette séquence. Tout le monde au camp a vu la scène – a vu cet ours descendre pour se mettre [à manger la nourriture [1]]. »

J'éprouve d'autant plus d'amertume que le Russe laissa aussi une caisse de pain dans son hélicoptère : l'ours arracha

1. Cité dans l'article de Bryson.

les fenêtres de l'hélicoptère pour le dévorer. Le mal était fait : dans son désir de filmer facilement l'ours, et par son incurie avec le reste de ses vivres, le patron de la télé avait renforcé dans l'esprit de l'animal un lien dangereux entre les humains et la nourriture. Pendant la nuit du 2 août, Igor fut de nouveau contraint de le chasser du camp avec sa bombe.

Jour après jour, les hommes et les ours attendaient l'arrivée des saumons. Nuit après nuit, les frères Revenko repoussaient l'ours affamé qui rôdait dans le campement. Le 6 août, Igor pressa Michio de s'installer dans la cabane, mais celui-ci préféra rester sous sa tente. Le 7 août, le poisson afflua en masse, et Hight dit avoir vu l'ours pêcher au bord du lac avec un certain succès – mais pour Michio la remontée survenait trop tard.

> C'est arrivé à quatre heures du matin [raconte Igor Revenko]. J'ai été réveillé par appels des cameramen [japonais] : « Tente ! Ours ! Tente ! » En deux secondes, mon frère et moi, et le reste de l'équipe, nous sortons et nous entendons Michio crier et ours gronder. Il faisait noir et avec torches électriques on a vu tente détruite et ours derrière dans herbe à dix mètres.
>
> Aussitôt, on a commencé à hurler très fort, mais ours n'a même pas levé tête. J'ai trouvé une pelle et un seau en métal et j'ai commencé à cogner ; j'étais à quatre-cinq mètres d'ours. Il a levé tête une fois très vite, puis il a pris corps de Michio entre ses dents et a disparu dans obscurité [1].

Le récit de *We Alaskans* se poursuit ainsi :

> Les événement s'enchaînent ensuite dans une certaine confusion. Igor Revenko emmena l'équipe de télévision japonaise à la base scientifique de l'autre côté du lac. Bill Leacock s'y trouvait et demanda des secours par radio. Le groupe retourna au campement avec des fusils. En cherchant autour de la cabane à la lumière du jour, ils virent que

1. *Ibid.*

> l'ours avait emporté le corps de Michio dans une forêt épaisse.
>
> À [une heure], un hélicoptère arriva avec un chasseur professionnel et un officier des forces spéciales. Revenko monta dans l'hélicoptère et ne tarda pas à découvrir l'ours. L'hélicoptère le débusqua des arbres et l'ours repartit au galop vers le camp, poursuivi par l'appareil. Hight, qui se promenait sur la plage, derrière une éminence, vit l'hélicoptère fondre sur lui.
>
> « J'étais à environ trois cents mètres du camp, dit Hight, et l'ours s'est dirigé vers la plage, il venait droit sur moi [...] »
>
> L'hélicoptère vira devant l'ours et fit des cercles autour de lui. L'officier des forces spéciales et le chasseur tirèrent sur lui plusieurs coups de feu d'une hauteur de dix à quinze mètres.
>
> S'approchant de l'ours abattu, Hight vit l'hélicoptère atterrir et au même moment l'ours se relever. Il était encore vivant – et voilà qu'il filait au grand galop vers la forêt.
>
> L'hélicoptère redécolla et fonça se replacer au-dessus de lui. L'officier des forces spéciales tira de nouveau. L'ours s'effondra. Hight arriva sur les lieux juste comme l'hélicoptère atterrissait. Le chasseur en descendit et tira un dernier coup de feu sur l'ours. [...]
>
> Instinctivement, [Hight] prit la photo de l'ours.

De retour à bord du *Swift*, j'éprouvais l'étrange sensation d'observer tout ce que je faisais de quelque part à l'extérieur de mon corps. J'étais hébété, j'imagine, et c'est en pilotage automatique que je fis les contrôles de sécurité, démarrai le moteur et embraquai les amarres. Gary, plein de sollicitude, proposa de faire du café et me surveilla du coin de l'œil, mais mes passagers suisses ne manifestèrent aucune réaction quand je leur annonçai la mort de mon ami.

Je n'ai aucun souvenir de la longue traversée du Frederick Sound vers le nord, sinon d'une mer lisse et grise sous un ciel semé de nuages. Je suppose que j'étais en « mode guide », la périphérie de mon cerveau fouillant l'horizon à la recherche des orques ou des baleines à bosse que mes clients voulaient voir, mais à l'intérieur je luttais contre une colère délirante, furieux que le cercle des saisons m'ait induit à croire que Michio et moi aurions toujours une nouvelle chance. Quelque part vers les îles Brothers, je parvins à me dominer, faisant un nœud du choc et de l'incrédulité pour l'enfouir au tréfonds de moi-même. Je travaille, me dis-je. J'ai des choses à faire.

À l'ouest, le soleil aspirait l'humidité de la couverture de forêt dont l'île de l'Amirauté se drapait les épaules, pour la projeter en nuages vers le ciel. À huit heures une baleine émergea à huit cents mètres par l'avant et je mis le moteur au point mort.

Le *Swift* commença à dériver, se balançant doucement dans un silence que seul rompait le *paah* sonore de la respiration de la baleine. Le soleil se voila de nuages, déploya ses ailes d'argent et darda vers la mer des lances de lumière. La baleine se rapprocha, tournant lentement à gauche et à droite, puis elle s'arqua et plongea.

Imaginez un grand silence, aussi pur que l'air de la montagne, brisé seulement par les stridulations des oiseaux de mer. Les vagues pouffent de rire contre la coque. Une composition d'îles et de pics montagneux s'estompe dans le lointain en une palette de couleurs pastels où le gris se fonce en bleu.

Imaginez maintenant une baleine de douze mètres qui jaillit de l'eau, en plein centre de la scène, pour se projeter en l'air d'un bond explosif. Elle pivote sur elle-même, retombe sur le dos et, un battement de cœur plus tard, vous parvient une détonation de canon.

C'est ce qui est arrivé. Pas une fois, mais quinze, comme si la baleine, mammifère jadis terrestre transformé par l'évolution en créature marine, avait décidé cette fois de devenir oiseau en se lançant encore et encore vers le ciel.

Le premier saut hors de l'eau nous surprit, le deuxième nous laissa ébahis. Pour le troisième, l'attente fut électrique, et au cinquième toute pensée de Michio et de la tragédie déserta un instant mon esprit, car c'est la nature d'une pareille beauté que de nous hisser hors de nous-mêmes, par-delà le souvenir et la pensée, faisant ainsi de nous des êtres complets.

Au cinquième bond, une joie lumineuse et hésitante m'envahit, le vol de la baleine me rappelant tant de moments semblables avec Michio, où l'extase de la puissance de la nature nous avait transportés, mélange d'adrénaline et de révérence ; et d'une certaine façon une partie de moi fut convaincue que la baleine *était* Michio, venu me dire au revoir.

Ce transport ne dura pas longtemps. À la fin du spectacle la lumière avait disparu, laissant l'eau et le ciel d'un gris pâle, et comme la baleine plongeait une dernière fois – l'eau ruisselant de ses nageoires en cascades –, le souvenir de Michio levant son appareil photo pour remercier les jubartes lors du premier de nos nombreux voyages me noua la langue. Tandis que, tout excités, Gary et les autres continuaient de s'exclamer, j'embrayai le moteur et, sans desserrer les dents, je pilotai le *Swift* jusqu'à son mouillage.

Dans la baie de Gambier l'eau était couleur de verre fumé. Après avoir filé l'ancre, je sortis une bière de la glacière, grommelai quelques mots aux autres et me retirai sur le pont avant. Des files de goélands cendrés qui pagayaient en formations effilochées s'appelaient d'une voix douce, en se rassemblant pour dormir.

Gary sortit la tête par la porte : « Ça va, Lynn ? »

Sans me retourner, je levai la bière pour le remercier de sa sollicitude.

« Va », parvins-je à marmonner. Les montagnes se transformèrent en silhouettes, et un autre souvenir de Michio me poignarda le ventre. La baie de Gambier était le dernier endroit où nous avions mouillé ensemble, la nuit où le Canada brûlait. Un instant je crus l'entendre fredonner dans la cabine, et le gosier me fit mal quand j'avalai une gorgée de bière. Je fermai les yeux et me pressai la poitrine pour ne pas sangloter.

Quand je rouvris les yeux, il faisait nuit noire.

17

COULEURS PRIMAIRES

Je ne sais pas pourquoi je n'ai pas assisté à la cérémonie en mémoire de Michio à Fairbanks. J'étais probablement engagé, obligé de guider quelqu'un quelque part ; mais qui, je n'arrive pas à m'en souvenir, et pour quelle raison, je ne m'en souciais apparemment guère puisque j'avais cessé de prendre des notes ou de tenir le journal de bord du *Swift*, et que je laissais vierges les pages de mes carnets intimes. Une amie me raconta par la suite que le service eut lieu par une journée d'automne fraîche et radieuse, les bouleaux autour de Fairbanks tout panachés d'or. Plus de deux cents personnes se pressaient dans la Salle des Conducteurs de Traîneaux [1] pour entendre de nombreux orateurs saluer la mémoire de celui que beaucoup d'entre eux appelèrent « mon meilleur ami ». Un thème parcourut la cérémonie d'un bout à l'autre - étonnement mêlé de crainte devant la poésie sombre qui avait conduit Michio, avec son immense amour de la nature, à mourir entre les mâchoires d'un ours. Si horrible que fût la perte – se demandait-on, en l'acceptant –, n'était-ce pas d'un autre côté, d'une certaine façon, juste ? Nick Jans, instituteur d'un petit village près du cercle Arctique, qui est aussi l'un des écrivains les plus lucides et les plus poétiques de l'Alaska, se fit l'interprète de tous quand il déclara : « Je pardonne à l'ours qui nous a arraché

1. « *Mushers* », en anglais, dans le jargon des courses de traîneaux à chiens. (*N.d.T.*)

Michio. » Puis, comme s'il ne croyait pas encore complètement à ce qui était arrivé : « Il ne devait pas savoir qui *était* Michio. »

Une amie m'envoya par la poste le programme de la cérémonie. Trois paragraphes d'un des livres de Michio y étaient traduits en anglais : quelques remarques sur les ours et sur la peur :

> S'il n'y avait pas un seul ours dans tout l'Alaska, je pourrais parcourir les montagnes à pied l'esprit complètement tranquille. Je pourrais camper sans inquiétude. Mais quel endroit ennuyeux serait l'Alaska !
>
> Ici les gens partagent le pays avec les ours. Une certaine circonspection règne entre les hommes et les ours. Et cette circonspection nous imprime un précieux sentiment d'humilité.
>
> Les hommes continuent d'apprivoiser et de soumettre la nature. Mais lorsque nous visitons les rares lambeaux subsistants de terre sauvage que l'ours parcourt en liberté, nous ressentons encore une peur instinctive. Que ce sentiment est précieux. Et que sont précieux ces lieux et ces ours [1].

L'amie qui m'avait envoyé le programme y avait inscrit d'une écriture toute en boucles : « Une partie de ses cendres sera dispersée en Alaska, une autre au Japon. »

J'avais des cendres à disperser, moi aussi. Depuis des mil-

---

1. Traduction [anglaise] de Karen Colligan-Taylor, amie de longue date de Michio. Karen rencontra Michio pendant l'été de 1979, lors de sa première visite en Alaska du Sud-Est. À l'époque, elle construisait une petite cabane avec son mari, Mike, près de l'ouverture de la baie du Glacier. Après avoir terminé un doctorat sur l'environnement vu par les auteurs japonais, Karen partit s'installer avec sa famille à Fairbanks, où elle fonda le programme d'études japonaises à l'université de l'Alaska. Là, elle renforça ses liens avec Michio, qui acheta le terrain voisin du sien et y construisit une maison. Cet essai a également paru dans *The Grizzly Bear Family* de Michio (New York, North-South Books, 1993).

Depuis la mort de Michio, Karen a pris, par anticipation, sa retraite de l'université pour se consacrer à sa propre œuvre littéraire et pour éditer une anthologie des photographies et de la prose de Michio.

liers d'années, les peuples du Pacifique nord-ouest commémorent solennellement le premier anniversaire de la mort de leurs disparus, et ma famille adoptait inconsciemment cette tradition. Le 15 septembre, anniversaire de la mort de mon père, ma mère revint en Alaska avec ses cendres.

Nous nous rendîmes à cent soixante kilomètres au sud d'Anchorage par une route pavée de feuilles d'automne fébriles qui se soulevaient en tourbillons dorés au passage de notre voiture. D'un bleu automnal étourdissant, le ciel se déversait sur un lit de galets verts et blancs au bord de la rivière où nous nous rassemblâmes, et l'eau était aussi transparente que l'air. Des saumons rouges, dans la livrée écarlate du frai, remplissaient les bassins.

Poissons rouges et feuilles jaunes sous un ciel bleu – la scène se brouilla en une mosaïque de couleurs primaires à travers mes larmes lorsque je m'avançai sur la rive, le poids surprenant des cendres paternelles dans les mains. Les cendres sifflèrent en entrant dans l'eau, les fragments les plus lourds tombant immédiatement au fond sous les saumons, se déposant dans le gravier parmi les grappes d'œufs fraîchement pondus ; la poudre plus légère adhéra à la surface, dérivant en rubans et en taches entre les radeaux de feuilles dorées. Une pincée de poussière fine s'éleva du sac vide comme une fumée, se tordit dans la brise et se dissipa. La dernière trace physique de mon père avait disparu.

Le lendemain matin l'avis suivant paraissait dans le journal d'Anchorage :

Un service religieux en souvenir de Michio Hoshino aura lieu à quatorze heures à l'église chrétienne d'Alaska.

J'aurais dû m'y attendre , Michio avait suffisamment d'amis dans la plus grande ville de l'Alaska pour qu'ils organisent une cérémonie anniversaire. J'hésitai avant de prendre l'annuaire téléphonique – *je ne crois pas que je puisse faire ça deux jours d'affilée* –, puis je parcourus la liste du doigt jusqu'à ce que je trouve l'adresse.

La chapelle était sobre, sans l'ostentation de trop de

vitraux ou de bancs sculptés, et quand j'entrai, Naoko rectifiait l'alignement d'une rangée de chaises en métal.

« Comment allez-vous ? » demandai-je. Elle était étonnée de me voir.

« Ça... ça va. » Elle se força à sourire.

Elle paraît plus forte que moi, pensai-je. Shoma arborait un tricot bien repassé et des chaussures neuves. Trop jeune à deux ans pour comprendre sa perte, il folâtrait dans l'église, se penchant sous une table disposée en autel, regardant au fond d'un vase de fleurs. L'autel était très simple – une nappe immaculée sur une table pliante, une paire de bougies et quelques fleurs –, très semblable à celui qu'une de mes sœurs avait dressé pour mon père dans une chapelle aussi simple. (Ma contribution à cet autel était l'un des livres de Michio, ouvert à la page d'un lever de soleil sur Teklanika, dans le Parc national de Denali.)

« Il a grandi », fis-je à Naoko, en désignant Shoma de la tête. Je fus incapable de trouver autre chose à dire.

J'échangeai quelques mots avec les photographes et les naturalistes que je reconnus dans la foule, et nous prîmes place sur les chaises inconfortables. Après une projection de diapositives de l'Alaska, il y eut une minute de silence, puis nous échangeâmes tour à tour des souvenirs et des anecdotes sur le disparu.

J'évite toujours de parler en public. Mon visage s'enflamme et je tremble, mes mains ruissellent de sueur. Mais pour Michio (et pour Shoma et Naoko) je devais le faire, je devais essayer de dire ce que je ressentais. Je griffonnai quelques notes sur un programme plié pour éviter de rester muet, avalai ma salive et montai à mon tour sur le podium. Au lieu de suivre mes notes, je me retrouvai, riant entre mes larmes, en train de raconter le jour où Michio avait débarqué à Juneau sans un seul vêtement de rechange. Il était ressorti du magasin avec un jean flambant neuf et, trois jours après, l'étiquette du fabricant pendait encore à la poche arrière du pantalon. Je ne voulais pas rappeler à quel point Michio pouvait être distrait, mais illustrer son manque d'ego, comment son attention (contrairement à celle de la plupart des gens) était toujours dirigée hors de lui-même.

Je ne suis pas sûr que l'histoire ait été très bien comprise. Deux Japonaises d'âge mûr échangèrent des regards déconcertés, puis de petits froncements de sourcils, comme si elles croyaient que je me moquais du mort ; et je me hâtai de les rassurer en me lançant dans une description confuse de la façon dont au large de la baie de Gambier, le soir où j'avais appris sa mort, la baleine avait sauté à plusieurs reprises dans les rayons de lumière argentée.

« Elle ne faisait que sauter et sauter hors de l'eau – je commençais à étouffer –, la baleine... la *koudjira*, je veux dire... elle était comme Michio... »

Je voulais dire que je sentais sa présence, que d'une certaine manière il était là, dans la baleine et la lumière magnifique, mais les mots ne venaient pas. À la place j'ai fini par lire une phrase que j'avais griffonnée sur mon programme :

« Comme photographe, Michio m'a appris à *regarder* avec mes yeux – mais comme ami à *voir* avec mon cœur. »

Pendant les deux semaines qui suivirent les cérémonies, le temps fut maussade et gris. À Juneau, les caniveaux coulaient comme des torrents et les gens désertaient les rues. Quand un vent du nord s'installa enfin et que le bleu reprit possession du ciel, je chargeai à bord du *Swift* un canoë qu'on m'avait prêté et, sans dire un mot à personne de ma destination, culai hors du bassin.

Le vent qui descendait en sifflant du glacier amoncela les eaux du fjord Taku en vagues bouillonnantes, bousculant le *Swift* par le travers et balayant le pont de rafales d'embruns glacés. Les petits bateaux évitent généralement de traverser le fjord quand soufflent les vents de jusant appelés localement takus, qui en ont fait chavirer plus d'un. Mais ce jour-là les conditions météo étaient simplement détestables, pas vraiment dangereuses, et je ne m'en préoccupais guère. La concentration requise pour gouverner à la lame, me préparant pour la claque trépidante suivante, était précisément ce que je cherchais : l'arête où l'urgence et les exigences du monde physique bloquaient toute pensée. Depuis les commémorations, je n'avais voulu voir personne ; je n'étais pas très « sympa », me dit un ami par la suite. Quand apparurent les doigts de granite de la Patte du Diable, je tournai la barre d'un quart à tribord, laissant le large sur l'arrière.

Le *Swift* courut les cinquante kilomètres suivants vent arrière – glissades dans l'étreinte du vent tandis que des giclées d'embruns scintillants s'envolaient de la proue. Lorsque j'embouquai la baie d'Holkham, les eaux de Soundoun étaient si calmes et si vertes que les montagnes se reflétant à la surface y semblaient peintes.

Quand je fis passer le canoë par-dessus bord, une barbe de métal raya le toit de la cabine. C'était un cheval de labour, tout cabossé, à la coque d'aluminium barbouillée de bruns et de verts pour la chasse aux canards. Peu m'importait l'esthétique – c'étaient la concentration et le rythme, le pur *effort* du canotage dont j'avais besoin. Tant pis si les pagaies étaient dépareillées et trop courtes [1].

Tout ce jour-là, je ramai le soleil dans le dos, tandis que des collines arrondies et des promontoires abrupts et boisés défilaient sur les deux rives. Le taillemer chuchotait et gloussait en fendant l'eau ; je lançais la pagaie vers l'avant, transperçais la mer et la tirais vers moi de toute la force de mes bras. Coup de pelle après coup de pelle, je sentais la brûlure des muscles inemployés se diffuser dans mon dos, et celle des ampoules qui se formaient me cuire les paumes. Je touchai terre à l'embouchure d'un des torrents à saumons où Michio et moi avions attendu l'apparition de l'ours bleu, et je cherchai des traces. Rien. Je remontai dans le canoë, maintenant ma course rectiligne d'une légère torsion de la pelle à la fin de chaque coup d'aviron.

Le fjord s'incurva vers le nord, puis vers l'est, puis de nouveau vers le nord. Et plus je m'enfonçais dans les terres, plus la forêt s'élevait et s'escarpait, jusqu'à ce que la pente devînt muraille, le coteau précipice, et que les siècles de

---

1. Debout, posez la pelle de l'aviron sur le sol, la poignée doit arriver entre le menton et le nez.

forêt humide, aussi épaisse et moussue que n'importe quel enchevêtrement amazonien, cèdent peu à peu la place à des buissons d'aulnes et de saules accrochés aux falaises.

Je campai la première nuit auprès du tronc abattu d'un sapin du Canada, à la panse de rhinocéros. Le lendemain, les icebergs se firent plus nombreux, et je commençai à cheminer à travers des allées et des cordons de glace qui menaçaient de se refermer derrière moi au renversement de la marée. Des amas de glace raclaient bruyamment la coque d'aluminium tandis que je me dirigeais à la gaffe dans les endroits les plus encombrés, sifflant et éclatant à mon passage comme un feu de broussaille. La deuxième nuit, faute d'un espace entre les aulnes assez large ou assez plat pour planter la tente, je dus me contenter d'une trouée de la taille d'un billard ; des pierres et des racines bosselaient le sol sous mon sac de couchage.

Le troisième jour, le vent souffla une brouillasse si épaisse qu'en tendant la main en coupe à bout de bras, on la ramenait pleine d'eau, et, craignant de me perdre dans la brume, je rasai le plus possible la muraille sombre du fjord. Noires et luisantes, les falaises écailleuses se dressaient droit dans un ciel bas couleur de cendres. L'eau, tel un poisson glacé, se faufilait sous mon col pour me dégouliner dans le dos, et lorsque mon café matinal se rappela à ma vessie, mes mains étaient gourdes et maladroites quand je m'agenouillai dans le canoë.

À force de pagayer, l'angle droit des murailles de granite s'adoucit, s'aplatit, et une vallée apparut, le rugissement d'une rivière gonflée par les pluies qui coulait au milieu surgissant de la brume. Selon la carte que je portais pliée dans un sac en plastique, elle se déversait d'un lac de haute montagne avant de dégringoler de six cents mètres à travers une gorge. Le fracassement de l'eau dans les rochers était démentiel, digne au moins d'un volcan, mais lorsque je traînai le canoë à terre, il disparut sous le beuglement de la rivière couleur de ciment, qui bondissait et bouillonnait par-dessus des rocs gros comme des voitures.

Quand un glacier recule, il laisse la roche aussi nue et stérile que la lune, et l'univers entier semblait s'être mué en eaux et en pierres furibondes. Je savais que pendant un certain temps encore – disons dix ou vingt ans – la vie demeurerait une notion extrêmement élémentaire dans ces parages : seuls des lichens, des mousses et quelques autres formes simples de vie, capables d'extraire leur subsistance des minéraux des pierres et des gaz de l'air, peuvent coloniser d'aussi infertiles cailloutis.

Avec le temps, néanmoins, la lente accumulation de matériaux organiques dans les anfractuosités formerait un sol pauvre où les graines et les spores apportées par le vent ou par les oiseaux commenceraient à pousser. À mesure que des herbes éparses et d'autres plantes à fleurs viendraient s'enraciner en éclaireurs, davantage de maigre humus se constituerait, et au bout d'un demi-siècle ou plus des buissons de jeunes aulnes prendraient d'assaut le voisinage. L'aulne fournit un riche terreau de feuilles pourrissantes et fixe l'azote dans le sol, si bien qu'en quelques décennies les graines des autres arbres commenceraient à s'implanter fermement et à pousser des racines pour téter la terre nourricière. Si les arbustes survivent, ils s'élèvent dans la lumière, s'exclament au-dessus de leurs broussailleux voisins, jusqu'à ce que par une chaude journée d'été un nuage de pollen jaune éclatant des glandes sexuelles à maturité d'un de ses semblables, apporté de loin par le vent, vienne étreindre le jeune arbre. En quelques jours, les cônes accrochés aux branches se gonflent, gros de la possibilité d'une forêt. Écureuils et geais emménagent, coupant, cueillant, enfouissant, mangeant, déféquant et éparpillant les cônes gravides du matin jusqu'au soir. D'autres graines germent et d'autres arbustes survivent, certains s'élèvent en jeunes arbres qui deviennent assez hauts et assez larges pour se toucher du bout des branches, plongeant peu à peu dans l'ombre les aulnes, qui dépérissent faute de lumière, et meurent.

Les aiguilles d'épicéa sont très acides, et en une centaine d'années celles qui tombent au pied des arbres transforment l'insipidité alcaline du calcaire en tranchante amertume. Ironie de la nature, l'épicéa ne supporte pas les sols acides – il n'a aucun goût pour ses propres déchets –, contrairement au sapin ciguë ou au cyprès de Nootka. Ces intrus se mêlent progressivement aux épicéas, contestant leur hégémonie, jusqu'à ce qu'ils grandissent, pourrissent et soient abattus par les brutales tempêtes de l'hiver. Quand le printemps revient, le soleil qui afflue à travers les trous ainsi percés dans le dais enflamme une frénésie d'airelles et de cornouillers. Au terme d'une gestation de plusieurs siècles, une forêt complète, une forêt digne de ce nom est née.

Tout en transportant péniblement tout l'équipement nécessaire à la vie sur un escarpement hors d'atteinte de la clameur de la rivière, je songeais à l'intelligence derrière ce processus, et à sa perpétuation inlassable jusqu'à la fin des temps. La brume envahit la vallée, l'effaça, et quand je lançai une pierre grosse comme le poing dans la pluie, elle disparut dans les vapeurs, comme si elle s'était entièrement affranchie de ce monde. Un moment, j'envisageai la possibilité d'une rencontre avec un ours des glaciers, mais je l'écartai. Il y avait peu de chances de voir quoi que ce soit dans la brouillasse.

La pluie se maintint ce jour-là et le lendemain, tombant drue et solide comme si les océans du ciel se vidaient pour se déverser sur la région. Je craignais de m'aventurer trop loin de la tente et de ne pouvoir la retrouver. Aussi je mangeai et je lus, sommeillai et lus de nouveau, puis je m'étendis sur le dos et mémorisai la structure des coutures sur les panneaux du toit de nylon.

Au bout de quarante-huit heures la pluie cessa, les nuages se dissipèrent et l'air de la vallée resta suspendu, immobile. Au loin, les stèles et les colonnes brisées du glacier dégringolèrent lentement des nuages, l'une après l'autre, dans le fjord. Au-dessus du glacier surgit une enfilade de pics immenses, enrubannés de cascades, qui se dérobaient dans l'éternité. La rivière continuait de rugir, mais sans cette présence monstrueuse, menaçante, qu'elle dissimulait dans la tourmente.

Je me sentis minuscule à la vue du glacier et de tout ce qu'il avait accompli – sculptant montagnes et vallées de ses allées et venues, réorganisant des univers entiers de pierre –, et de toutes les époques qu'il semblait déployer avant et après moi, périodes et ères géologiques qui rendent les entreprises de nos vies aussi dérisoires que les noms et les dates sur les vieilles tombes, voués inexorablement à disparaître sous la caresse insistante de la pluie. Et en sentant cela, une grande félicité me réchauffa le sang.

Quand une fauvette gazouilla et que des sternes et des goélands s'élevèrent dans le ciel, je chaussai des brodequins de marche, jetai une gourde, de la nourriture et des jumelles dans un sac, et me lançai dans l'escalade. Tout en montant, je regardais, j'écoutais et je fouillais le paysage à la jumelle. Un quatuor de chèvres des neiges qui paissaient l'épaulement d'une montagne me surveillèrent tour à tour, jusqu'à ce qu'elles s'habituent à cette lambine créature et me permettent de me promener parmi elles, levant seulement parfois la tête pour renifler avec méfiance quand une pierre maladroite roulait sous mon pied.

Les jours passant, le sac de vivres s'allégea et je commençai à manquer de pétrole pour le réchaud. Je m'attardai un jour de plus, puis je fis glisser le canoë sur les rochers moussus et pagayai dans la direction d'où je venais, tournant le dos au rugissement de la rivière.

Plus bas, le fjord était encombré par le frai du glacier. Des veaux marins se reposaient par douzaines sur des plaques de glace qui flottaient bas parmi des blocs de la taille et de la forme d'immeubles fracassés. Les plus timides tressaillirent à la vue du canoë, abandonnant précipitamment leurs plates-formes avec des contorsions affolées ; les plus courageux se laissèrent glisser à regret, pour émerger derrière le canoë et le suivre, les yeux écarquillés de curiosité, jusqu'à ce que je me retourne pour les regarder et qu'ils plongent.

Un aigle perché sur la pointe d'une pyramide de glace se ramassa à mon approche, déploya ses ailes et se laissa tomber hors de ma vue derrière l'iceberg. D'un coup de pagaie, le canoë contourna le bloc, révélant trois aigles – deux adultes, à la tête blanche, et un jeune moucheté de brun – qui déchiraient la carcasse d'un phoque. L'aiglon tirait sur un cordon rose et mou qui sortait du ventre du cadavre, tandis que les becs jaunes et crochus et les serres des adultes arrachaient la chair. Un deuxième phoque, plus gros, gisait à quelque distance au bord de l'iceberg, les épaules et le museau mouchetés de sang, fou de peur, écartelé entre l'envie de fuir et, j'imagine, l'amour maternel [1].

Les aigles sursautèrent à ma vue ; je me figeai. La scène était si proche que je pouvais distinguer les menus détails de leurs pieds : l'ivoire et le jaune citron de la peau, et la longue courbe mortelle de la serre. Normalement les aigles sont très timides et s'enfuient au premier signe de menace, mais le plus grand des rapaces tendit le cou, tourna la tête et me perça d'un regard. Le défi dans l'œil jaune, reptilien, m'envoya un frisson d'appréhension dans la colonne vertébrale. Un regard acéré, fixe et intrépide – et une ancienne glande animale au fond de moi sentit que l'énorme oiseau était, à cet instant, un pur prédateur qui m'évaluait froidement, comme s'il mesurait l'effort requis pour goûter mes organes et mes yeux.

Le brusque cillement insolite, saurien, d'une membrane nictitante en travers du regard impavide annonça une décision – et l'oiseau m'ignora, baissa la tête et se remit à lacérer le jeune phoque. À grands battements d'ailes, les aigles se disputaient la proie, et le plus jeune fut écarté du festin. Le deuxième phoque se laissa alors rouler dans l'eau avec un jappement glougloutant et disparut.

Le courant me porta si près de la mêlée, que l'odeur du sang et des entrailles m'envahit les narines. Je n'osais pas

---

1. Il est très peu probable que les aigles aient tué le phoque. Ils peuvent à l'occasion emporter un nouveau-né avant qu'il puisse nager, mais un animal plus gros serait une proie difficile, à moins qu'il n'ait été gravement blessé, par un chasseur, un pêcheur ou une orque, ou encore par un mouvement brusque de la glace. En l'occurrence, il était impossible de savoir ce qui était arrivé.

bouger, cloué par la peur absurde de provoquer une attaque [1].

J'affermis ma prise sur la pagaie et déplaçai lentement mon poids, me voyant me jeter au fond du canoë en frappant de la pelle – avec le risque de chavirer dans l'eau glacée. Mais les rapaces continuèrent de m'ignorer et de s'affairer à dépecer leur repas. J'étais si près que j'entendais les serres crisser sur la glace.

Les restes du phoque disparurent dans une dévoration de poils et de chair. L'aigle immature glissa une serre dans un rouleau d'intestins et engloutit la corde de boyaux. Ses aînés tiraient par saccades sur un long lambeau de viande qu'ils se disputaient, et bientôt seule la peau, telle une chaussette retournée, subsista au milieu du sang et des poils du festin.

Quand les rapaces, avec un dernier cri de guerre, s'élevèrent dans le ciel un par un, je m'affalai vers l'avant, expirant à fond, et posai la pagaie en travers de mes genoux. Le glacier gronda dans le lointain : une autre colonne de glace s'effondrait dans le fjord.

Je tremblais. La brutalité et l'irrévocabilité du sacrifice du phoque m'avaient mis les nerfs à vif, repue si féroce et si barbare qu'elle menaçait d'extirper et de rejeter comme illusion toute la beauté que j'avais trouvée dans l'œuvre du glacier et dans l'élégance des mécanismes de la nature. Le sentiment de félicité que j'avais trouvé au bivouac près du glacier avait disparu.

Tout le passé resurgit autour de moi, dense et boueux comme la rivière limoneuse. Absent, je dérivai, donnant de faibles coups de pagaie et écoutant Dieu soulever la glace,

1. Je n'ai jamais entendu dire – il est important de le signaler – qu'un aigle se soit comporté agressivement envers un être humain sauf pour défendre son aire, et encore rarement. Une autre fois, à bord du *Swift* et en compagnie de deux photographes, j'ai dérivé encore plus près d'un groupe d'aigles qui se nourrissaient, sans susciter la moindre réaction de leur part. Néanmoins, après avoir plongé le regard dans cet œil fixe de dinosaure depuis le frêle abri d'un canoë, ma réaction ne paraissait pas aussi ridicule.

jusqu'à ce que le froid me morde les pieds et m'oblige à reprendre ma route.

La forêt regorgeait de bois mort ce soir-là et je fis un feu grondant pour tenter de me réchauffer les os. La marée baissa, découvrant un épais banc de moules, et l'ombre du soleil couchant escalada les parois lointaines. Un petit rapace allait et venait entre lumière et ombre à la lisière de la nuit tombante, chassant en silence l'oiseau absorbé dans son chant vespéral et la souris inattentive. Pendant toute la fin du crépuscule je m'évertuai désespérément à ruminer, dans un effort désespéré pour résoudre le mystère de l'existence, et devant mon échec, rageant de n'avoir pas une goutte de whiskey, je grimpai dans mon sac de couchage humide et m'endormis roulé en boule, le dos au feu.

Je me réveillai tout endolori le lendemain matin et avalai deux aspirines, puis je drainai et pansai les ampoules de mes mains, et pris deux autres comprimés. J'avais eu un sommeil agité, troublé par des rêves d'yeux jaunes et injectés de sang, quand je n'escaladais pas une interminable colline de vase. Mes provisions étaient épuisées, à l'exception d'une boîte de lait en poudre, durci par l'humidité, mais je dépassai l'anse où était mouillé le *Swift* et continuai à pagayer.

Rasant la côte à l'embouchure du fjord, je me heurtai à la marée montante, et me voilà parti à chevaucher les remous et les tourbillons qui bouillonnaient derrière les pointes de terre. Il aurait été plus sage d'attendre la renverse sur la plage, mais je décidai d'affronter le flux contraire, plongeant la pagaie dans le courant qui la déportait et tirant de toutes mes forces sur mes ampoules cuisantes. Cillant pour chasser la sueur qui me ruisselait dans les yeux, je gagnais un demi-mètre à chaque coup d'aviron pour perdre quinze centimètres dès que la pelle sortait de l'eau.

Il me fallut une heure pour parcourir huit cents mètres, et j'étais sur le point d'abandonner quand, doublant enfin la pointe pour déboucher dans le passage Stephens, je sentis la force de la marée mollir, tourner et pousser par-derrière. Par-delà l'île du Port, la mer s'étendait, immobile et argentée comme du mercure, et de l'autre côté du détroit, l'arête verte de l'île de l'Amirauté s'éployait à perte de vue vers le nord et vers le sud. Poussé par le courant, j'avançais rapidement. À l'étale de haute mer, un banc de harengs vint argenter l'eau près de Thistle Ledge, et un goéland replia les ailes et fondit, poignardant la mer tête la première à l'instant même où l'expiration explosive d'une baleine projetait un jet de vapeur dans le ciel. Je déramai pour immobiliser le canot, tandis qu'une autre masse sombre surgissait pour souffler, l'eau cascadant de l'immense courbe de son dos, puis une autre, une autre et une autre, jusqu'à ce qu'il soit impossible de les compter dans le tourbillon de queues et de nageoires.

Une par une, les baleines s'arquèrent et plongèrent. Le chef, une matriarche à la nageoire caudale large comme le plateau d'un camion, s'enfonça la première, et les autres la suivirent, chargeant le poisson en formation de chasse dans une ruée de remous. Quelques instants après, une tension palpable s'éleva, qui fit frémir la surface comme une casserole venant à ébullition, et la note aiguë, funèbre, d'un chant d'attaque commença à vibrer et à résonner dans la coque d'aluminium.

Des bulles gargouillèrent à la surface en une ligne courbe à trente mètres du rivage, et cessèrent. Un hareng sauta, puis une vingtaine, jusqu'à ce qu'ils soient des douzaines et des centaines à grouiller à fleur d'eau. Dans une éruption de volcan, la meute explosa – la gueule grande ouverte – hors des flots, et un cri s'échappa de mes poumons à la vue d'une langue rose de trois mètres. Un bouillonnement de turbulente eau verte faillit submerger le bordage.

À grands coups de pagaie, je lançai le canot en arrière, l'éloignant de la mêlée de nageoires et de têtes. Le cœur battant d'allégresse et de peur, je criai un appel muet aux baleines, et l'une d'elle me répondit par un gros hoquet de satisfaction.

La bande livra bataille aux harengs pendant une heure, décimant le banc à un rythme régulier et précis : plongeant, encerclant et lâchant le filet de bulles, avant de se ruer vers la lumière, pour percuter gueule ouverte la boule d'argent tourbillonnante ; puis, après avoir paressé un peu à la surface pour reprendre leur souffle, les jubartes plongeaient de nouveau.

Le soleil s'installa à l'occident. La mer scintillait d'écailles et d'huile de poisson. À marée basse la troupe se dispersa, traçant des points d'exclamation sur l'horizon avec la vapeur de leur souffle, comme si elles proclamaient leur bonne fortune de mener une vie tant comblée de butin.

Je dressai le camp tôt ce soir-là, cueillis un bouquet d'étroites feuilles brunes dans un marais à la lisière des arbres et, avec mon couteau, détachai d'un rocher une poignée de bernicles. En attendant qu'infuse mon thé du Labrador, j'étuvai les patelles sur les braises dans leur coquille et les mangeai une à une. La chair des mollusques était caoutchouteuse et dure à mâcher, mais riche de la saveur de la mer. Ma faim n'étant pas apaisée, je fouillai le sous-bois à la recherche de légumes sauvages, mais la saison était trop avancée. Du canoë, avec un bâton et une pagaie, j'attirai avec précaution un petit crabe de Dungeness qui avait surestimé l'efficacité de son camouflage au milieu d'un banc d'algues et de galets à fleur d'eau.

Je tuai le crabe, brisai sa carapace et l'enveloppai de varech, puis le fis cuire sur le feu pendant que je déterrais une poignée de racines de lis noir en guise d'accompagnement. Assis confortablement sur un rocher, j'épluchai mon crabe, suçant la chair sucrée des pinces entre deux bouchées de tubercule croustillant au goût de riz. Les ampoules de mes mains me brûlèrent quand je me lavai les mains dans la mer.

La puissance de la frénésie alimentaire des baleines m'avait bouleversé ; l'inquiétant soprano du chant d'attaque jouait sans cesse son air dans ma tête. On dit que sa fréquence entre en résonance avec les corps des harengs pour les étourdir et les désorienter, mais de l'avoir entendu et senti d'aussi près vibrer à travers la coque du canoë, j'étais plus certain que jamais que c'était autant un chant de joie et d'exultation qu'une technique de chasse : un hymne célébrant l'unité du clan.

Cela avait été une expérience magnifique, à sa façon inexorable et puissante – à tel point qu'il était difficile de saisir la mesure de la mort qu'elle impliquait. Une centaine de tonnes de petites vies argentées avaient péri dans le festin, et pourtant c'était à l'évidence un marché honnête, cet échange de petites vies pour des grandes, tout comme le sacrifice des bernicles, des lis et du crabe qui avaient composé mon dîner. Les aigles aussi avaient fait la même chose, prenant la vie du phoque pour assurer la leur.

L'image des cendres de mon père dérivant dans l'eau claire parmi les saumons qui frayaient frémit sur l'écran de mon esprit. Je me remémorai toutes les morts dont j'avais été témoin – destin de tout être vivant, qui est d'être mangé, que ce soit par des baleines, des aigles, des ours ou les microbes de la tombe. Mais tout cela fait partie de la perpétuation de la vie, me dis-je, de la transformation de corps en d'autres corps, et de la vie en vie. Les débris du crabe broyé à mes pieds offraient un témoignage d'un rouge éclatant de la manière dont la mort devient vie, est *nécessaire* à la vie, et, par conséquent, se situe par-delà le bien et le mal.

En 1786, lors de son voyage en Alaska, Jean-François de Galaup, comte de La Pérouse, notait dans son journal que la nature n'était sublime qu'en gros, mais négligente dans le détail des choses. Il aurait pu dire la même chose de la vie humaine : souvent difficile ou misérable dans les détails, néanmoins partie d'un plan grandiose et inconcevable, tapisserie dont je me sentais privilégié d'être l'un des brins, que ce soit dans le vent et la pluie, au milieu des icebergs et de la forêt, où chaque élément vivant a la tâche d'en nourrir ou d'en consommer un autre, ou dans la compagnie de quelqu'un comme Michio. L'idée que les restes de mon père faisaient désormais partie de la chaîne alimentaire nourrissant le saumon et tous les requins, marsouins, orques, aigles, ours et humains, m'enchantait.

Rassemblant les fragments de carapace, je rejetai les

reliefs de mon repas dans l'eau, en pensant que ces restes, eux aussi, allaient dissoudre leurs molécules et leurs minéraux dans la chaîne de la vie.

Rien n'est gaspillé, me rassurai-je. Tout est un échange.

*

L'avant-veille de Noël, la température à Anchorage approchait de moins dix-huit. Depuis que j'y ai mis le pied pour la première fois il y a près de trente ans, la ville a mûri pour devenir un déploiement cosmopolite de rues à quatre voies et de succursales de chaînes nationales, mais quand je la traversai en voiture pour retrouver une amie et son compagnon dans un restaurant thaï où nous devions dîner, les arbres scintillaient toujours de la cime au pied dans leur blanche gaine de givre.

Jo est l'un des premiers photographes que m'ait fait connaître Michio. La deuxième année de notre amitié, elle était venue nous rejoindre dans le Sud-Est pour un voyage de deux semaines à bord du *Swift*. C'est une blonde, toujours créative dans son travail, avec le genre de pommettes saillantes et d'yeux éloquents dont j'ai du mal à détacher mon regard. Depuis cette première expédition, elle était revenue plusieurs fois à Juneau, et parce que partager les limites d'un petit bateau pendant des jours ou des semaines d'affilée ne peut que vous lier ou vous brouiller définitivement, Jo était devenue une amie à toute épreuve. Après la dernière tournée de riz parfumé et de brochettes de crevettes, elle proposa d'aller prendre le dessert ailleurs.

« Il était ami avec tout le monde, mais j'ai toujours eu l'impression qu'il y avait quelque chose de spécial entre vous deux », dit-elle. Elle vivait à Fairbanks avant d'emménager à Anchorage, et c'est elle qui m'avait décrit la si belle journée d'automne lors de la cérémonie en souvenir de Michio, et tous ces gens qui commençaient leur oraison funèbre en disant : « C'était mon meilleur ami... »

Ce genre de conversation m'embarrasse, et je me mis à bavarder avec son compagnon – botaniste à la barbe bien taillée et à l'esprit vif avec lequel je m'étais senti immédiatement à l'aise la première fois que nous nous étions rencontrés –, tandis que Jo s'excusait et quittait la table. L'empressement de Rob auprès de Jo faisait plaisir à voir, la façon dont il la suivait des yeux tandis qu'elle s'éloignait dans les allées de la librairie où nous étions venus prendre le dessert, un de ces magasins de chaîne qui cultivent une atmosphère douillette avec des canapés trop capitonnés et une cafétéria attenante. Je crois que je m'extasiais sur le gâteau au chocolat nappé de sirop de framboise quand Jo reparut, s'assit et glissa un mince paquet cadeau sur la table devant moi.

Je la remerciai, puis tirai sur l'emballage et coupai le ruban adhésif avec le pouce, prenant mon temps pour prolonger le plaisir de la surprise. Relever un coin de papier bleu découvrit la tranche d'un livre pour enfants ; l'ouvrir un peu plus révéla la moitié du titre et le nom de l'auteur.

J'arrachai le reste du papier et passai la main sur la jaquette lustrée, où était écrit, d'une typographie simple, *Le Cadeau de Nanook* de Michio Hoshino (traduit par Karen Colligan-Taylor pour Cadence Books). Je cherchai quelque chose à dire, mais ma gorge se serra quand je tentai de parler. Alors je tournai simplement les pages, dévorant les mots du dernier livre de Michio.

Nanook veut dire ours polaire en esquimau inupiak. Pour son œuvre ultime, Michio avait inventé pour les enfants l'histoire d'un jeune Inuit, petit-fils d'un chasseur, qui, affrontant une tempête arctique, est initié par l'esprit de l'ours aux responsabilités et aux obligations qui l'attendent dans la vie. Le nœud de ma gorge se desserra un peu quand je commençai :

Mon garçon, nous sommes des mangeurs de phoques. Les phoques poursuivent les morues, et les morues avalent de menues créatures qui vivent dans la mer [...]. Nous renaissons sans cesse en de nouvelles formes de vie.

Les chasseurs lancent leurs harpons dans le bélouga : les bélougas attrapent des saumons et les saumons avalent les harengs [...] Nous renaissons sans cesse en de nouvelles formes de vie.

Les loups traquent les caribous, et les caribous paissent les lichens. Les renards chassent les œufs et les poussins des oiseaux, et ces oiseaux mangent de petits insectes [...]. Nous renaissons sans cesse en de nouvelles formes de vie.

Le vent qui a emporté le dernier souffle de ton grand-père l'a donné à un louveteau nouveau-né comme premier souffle de sa vie [...]. Nous renaissons sans cesse en de nouvelles formes de vie.

Un frisson glacé me parcourut des pieds à la tête quand je lus les mots suivants, résumé – et étrange pressentiment – de ce que l'esprit de l'ours blanc avait expliqué à l'apprenti chasseur, jeune garçon pressé de prendre sa place dans le monde :

Nous sommes chacun une expression de la terre.
Quand tu pries pour avoir ma vie,
tu deviens Nanook,
et Nanook devient homme.

Un jour nous nous rencontrerons dans ce monde de glace.
Quand cela arrivera, peu importe
si c'est moi qui meurs ou si c'est toi.

En à peine plus de cinq cents mots répartis entre vingt-neuf photos d'ours polaires et de leurs oursons, qui trottaient, luttaient, mangeaient et dormaient parmi les bleus et les blancs d'un univers qui n'est ni eau ni terre, Michio avait exprimé tout ce qu'il m'a fallu cent mille mots pour dire dans ce livre.

ÉPILOGUE

L'ours sortit des aulnes et fit quelques pas vers la plage. Il s'arrêta, leva le nez et flaira la brise, puis resta sans bouger comme s'il interprétait les messages du vent. La mer était basse et l'odeur des fucus et des varechs remplissait l'air. Une corneille grailla dans les arbres.

L'un de mes passagers porta ses jumelles à ses yeux. J'en fis autant, réglant la mise au point sur l'ours. Le soleil était doux et gris derrière un voile de nuages légers, et tandis que le lourd animal baissait la tête et faisait un pas de plus vers la laisse, une question commença à se former dans mon esprit.

Celui-ci a quelque chose de différent, faillis-je dire, mais je retins ma langue ; je ne voulais pas me prononcer avant d'être certain. Deux photographes m'accompagnaient, avec qui je n'avais jamais travaillé auparavant : W., grand, le crâne dégarni, ancien guide de chasse au gros gibier ayant une connaissance encyclopédique de la faune sauvage de l'Alaska ; et D., originaire du Wyoming, un homme plus jeune qui prenait tout ce que disait W. pour parole d'évangile.

L'hiver qui suivit la mort de Michio, j'avais invité plusieurs photographes que je ne connaissais que de réputation à participer avec moi à des expéditions à la recherche d'images et d'expériences nouvelles, offrant mes services à des tarifs qui couvraient à peine mes dépenses. Je rationalisais cette méthode commerciale discutable en me disant que c'était une manière d'augmenter la liste de mes clients tout en explorant des régions nouvelles, mais rétrospectivement il semble probable que j'avais le désir inconscient de combler le vide laissé par Michio en cherchant de nouveaux amis dans sa profession.

Sans succès à l'évidence. Le déclic ne s'était pas fait entre mes passagers et moi, et il régnait une atmosphère pénible depuis que W. et D. étaient montés à bord du *Swift*. W. semblait s'efforcer de dissimuler son peu de cas pour mes opinions derrière une humilité étudiée, trahissant son mépris par tout un répertoire de mouvements du menton ; il regardait longuement par la fenêtre au lieu de répondre à mes questions et interrompait ses conversations animées avec D. dès que j'entrais dans la cabine.

W. grogna en regardant à la jumelle : « Ça pourrait être lui. »

Depuis trois jours que nous étions dans la baie, port naturel orienté à l'est où l'on pénétrait à marée haute par un chenal à l'ombre des monts Chilkhat [1], nous avions vu de nombreux ours (des grizzlys et des noirs), ainsi que plusieurs orignaux et les traces d'un loup en train de chasser. Si les ours nous avaient offert l'occasion de quelques photos exceptionnelles – notamment un grizzly à la stature de *sumotori*, qui nous démontra la force extraordinaire de son espèce en écartant d'une seule patte une immense dalle de pierre pour gober bruyamment des vers dissimulés dessous –, en essayant de recréer ma relation avec Michio je voulais aussi poursuivre la recherche de l'ours bleu. Aussi étions-nous sur le pont depuis plusieurs heures ce matin-là à fouiller la côte à la jumelle dans l'espoir d'entrevoir une fourrure aux reflets gris. La baie se divisait de part et d'autre du goulet et chacun des deux bras se terminait par un petit banc de vase et un torrent. Ancrés près du centre, nous

1. Les photographes peuvent être très possessifs, je l'ai déjà souligné, et j'ai promis à D. et à W. de ne pas révéler l'endroit. À la fois pour conserver l'exclusivité de nos photos et pour ne pas faciliter la tâche des braconniers.

avions une excellente vue sur toute la côte – méthode beaucoup plus efficace pour observer un vaste territoire que de se balader sur la plage ou d'escalader une montagne.

Notre stratégie semblait couronnée de succès. Le soleil qui filtrait à travers la gaze légère des nuages fit miroiter les épaules et les poils longs de l'ours. Mon cœur battit plus vite et W. grogna de nouveau. Était-ce un ours argenté ou un tour que nous jouaient la distance et l'angle de la lumière ? Je n'en étais pas encore certain, mais plus je regardais dans les jumelles plus j'étais sûr que si l'animal n'était pas bleu il n'était en tout cas certainement pas noir.

« Allons-y », dis-je, en commençant à préparer le canot. D. et W. se bousculèrent pour réunir leur matériel, s'arrêtant de temps à autre pour jeter un coup d'œil à l'ours. Après avoir monté le moteur hors-bord, placé un sac de survie, un rouleau de cordage et une ancre dans le canot, j'allai à mon tour chercher mes appareils. Ces dernières années, quelques-unes de mes photos avaient remporté des concours ou reçu une autre forme de reconnaissance publique, et des agences photographiques commençaient à me proposer de commercialiser mes travaux. J'hésitais à accepter, largement parce que cela me mettrait en concurrence directe avec des clients que je considérais comme des amis, mais j'avais décidé de m'essayer à la vidéo numérique. Outre mon matériel 24 × 36 vieux de vingt ans, mon sac contenait une caméra vidéo japonaise, neuve et coûteuse, avec les batteries de rechange, les adaptateurs d'objectifs et tous les autres gadgets nécessaires.

Le petit moteur hors-bord grommela à part lui quand nous nous écartâmes du *Swift* pour nous rapprocher lentement et précautionneusement de la plage. W. et D. surveillaient notre proie pendant que j'étudiais les courants et la direction du vent, cherchant un endroit où aborder sans déranger l'ours. À mi-chemin entre le *Swift* et la grève, W. regarda un moment à la jumelle et fit un grand oui de la tête.

C'était bien l'ours que nous cherchions, l'animal que je poursuivais depuis si longtemps. L'énergie afflua brusquement dans mon corps, envoyant une vague d'euphorie dans mes veines. Mais l'ivresse retomba aussitôt. Jamais je n'avais ressenti une absence aussi fort que celle de Michio quand je sortis de mon sac la caméra vidéo, zoomai sur l'ours et vis l'éclat pâle de sa fourrure.

Le moteur hors-bord toussa et vibra tandis que je le mettais au point mort. Le viseur trembla, encadrant l'ours qui semblait tituber comme un ivrogne. À côté de moi, j'entendais crépiter l'appareil photo de D. L'ours des glaciers baissa la tête, la releva pour regarder dans notre direction, puis fit un pas de côté et s'immobilisa. W. prit une photo, et fit un signe du menton en direction de la côte. L'ours bleu était trop loin. Pour obtenir un cliché convenable, il fallait installer un trépied sur la plage et monter un gros téléobjectif.

Des bernicles raclèrent la coque quand je coupai le moteur et le relevai pour échouer le canot pneumatique. D. et W. endossèrent leur sac et enjambèrent le canot, puis ils s'avancèrent sur la grève, hasardant quelques pas lents chaque fois que l'ours baissait la tête pour brouter. Je restai en arrière pour poser l'ancre en équilibre sur le bord du canot après l'avoir attachée à l'avant, puis donner une forte poussée à l'embarcation et laisser alors tomber l'ancre en tirant un cordage qui coulissait dans la main [1].

L'ours leva la tête en entendant le floc, fit un pas en arrière et regarda dans notre direction. Nous nous figeâmes. Après nous avoir longuement fixés sans ciller, l'ours baissa de nouveau la tête pour arracher une bouchée d'herbe, se tournant de côté pour révéler toute sa longueur. Bouche bée, je posai la main sur ma poitrine. Sa fourrure avait la couleur du métal bruni, ou des scintillements du soleil qui ourlent la frange d'une tempête au large.

Pendant vingt minutes, l'ours se promena à portée des

1. Même au moment de réaliser un rêve de dix ans, il ne faut pas oublier le mouvement des marées. L'eau baissait encore à ce moment-là, et si je n'avais pas ancré le canot dans une eau un peu profonde, il se serait échoué en quelques minutes.

téléobjectifs de W. et de D., tour à tour broutant et flairant le vent. Après un dernier long regard vers les trois créatures bizarres qui s'agitaient lentement sur la plage à cent mètres de lui, il regagna l'orée du bois et, enfourchant une rangée d'arbustes, se mit à l'arpenter délibérément dans un sens puis dans l'autre, comme s'il se grattait le ventre [1].

Je sortis mon appareil photo de mon sac et essayai de mettre au point sur l'ours, partagé entre une excitation tremblante – *enfin, enfin* – et un curieux petit nœud de ressentiment à la pensée que, si je voyais enfin un ours bleu, c'était en compagnie de gens avec qui je n'avais aucun espoir de parvenir à une communion quelconque.

Ça n'aurait pas dû arriver comme ça, pensai-je ; et le souvenir profond de la curieuse frustration affectueuse que m'inspiraient parfois la nonchalance et l'incorrigible étourderie de Michio m'envahit, jusqu'à ce que je sois pris d'une envie de rire aux éclats. *Michio, où diable es-tu, maintenant que nous avons finalement trouvé l'ours ?*

Je stabilisai l'appareil, réglai la vitesse d'obturation et pris quelques clichés, puis me mordis la lèvre de dépit. L'ours était trop loin pour mon objectif.

Reposant l'appareil photo dans mon sac, je fixai la caméra vidéo sur le trépied, vissai un adaptateur grossissant sur l'objectif et pressai sur le bouton de mise en marche. L'ours arpentait la lisière en faisant parade de ses muscles, roulant les épaules et les cuisses. Tandis que la caméra continuait de tourner, il secoua brusquement la tête et, tel un homme qui se rappellerait soudain qu'il a quelque chose à faire, leva le nez au vent et s'enfonça au trot dans la forêt, pour disparaître derrière un mur touffu de broussailles.

Le crépuscule s'annonçait et la lumière diminuait. La marée avait baissé, monté et commencé de baisser de nouveau pendant que nous attendions que l'ours reparaisse, mais la côte restait vide. De retour à bord du *Swift*, W. et D.

1. C'est sa manière de marquer de son odeur sa zone de parcours, de proclamer : « J'y suis, j'y reste. »

n'avaient pas réagi lorsque j'avais dit que la vue de l'ours m'avait bouleversé, qu'après tant d'années de recherche cela avait été pour moi un moment spirituel ; et tandis que le dîner mijotait sur le réchaud, nous nous relayâmes pour surveiller le coin de plage toujours plus sombre où l'ours avait disparu.

« Il est revenu ! », s'écria W. en se levant de la table, le doigt tendu. Sur la grève, une ombre pâle sortit lentement des aulnes pour se fondre dans les herbes.

D. secoua la tête : le retour de l'ours n'avait aucun intérêt – « Il fait trop nuit pour prendre des photos. »

J'hésitai, l'habitude profondément ancrée de faire ce qui valait le mieux pour mes clients (laisser l'ours tranquille et espérer qu'il réapparaîtrait le lendemain) le disputant au désir de voir l'ours, jusqu'à ce que je finisse par succomber. J'empoignai la sacoche de ma caméra et la déposai dans le canot, en disant : « Il fait assez jour pour la vidéo [1]. »

En fait, je me souciais peu de filmer. Ce que je cherchais, c'était une occasion de voir l'ours – non, d'*être* avec l'ours – sans l'obstacle de la présence d'autres gens ni le désir de transformer son image en marchandise. Écouter le bruit de sa mastication ou peut-être éventer une légère bouffée de son odeur de chien mouillé, de vache et de panais. En bref, ce que je voulais c'était un moment d'intimité avec lui, mais entre homme et ours, pas entre ours et guide – et imaginer ce que cela aurait été de le voir avec mon ami.

Le moteur hors-bord démarra à la première traction et ronronna doucement tandis que je m'écartais du *Swift*. C'était ce moment de la soirée où la couleur déserte le paysage, où la forêt est plus grise que verte, et où l'eau devient un soupçon plus sombre que le ciel. L'ours broutait méthodiquement, quadrillait la prairie en ne faisant qu'un pas lent à la fois. Derrière moi, j'entendais le léger murmure

1. La technologie de l'image numérique exige beaucoup moins de lumière que le film photographique, certains instruments nouveaux étant capables de prendre des images dans une quasi-obscurité (mais pas en couleurs).

de la marée qui envahissait les rochers à l'entrée de la rade , depuis les arbres devant moi s'élevait la note vibrante d'une grive à collier.

Le courant était fort, et je dirigeai le canot en oblique vers la plage – approcher ainsi de l'ours en crabe n'était certainement pas la meilleure technique de chasse, mais pour des raisons que je ne peux expliquer, j'avais le sentiment que je devais avancer ouvertement et lentement, sans essayer de me cacher, sans subterfuge ni tromperie.

Quand je fus à cinquante mètres, l'ours leva la tête et me regarda bien en face – fantôme couleur de cendres dans le crépuscule. À quarante mètres, il se tourna de côté, révélant le gris bleu profond de son dos et de son flanc. À vingt mètres, il baissa la tête et se remit à brouter, jetant des regards de biais dans ma direction.

Quinze mètres, treize, douze – je coupai le moteur, sortis un aviron et pagayai jusqu'à ce que je touche le fond, puis je pris ma sacoche.

L'ours leva la tête au bruit de la fermeture à glissière, un brin d'herbe lui pendant de la gueule. Sans me préoccuper de la faible lumière, je levai la caméra et pressai sur le bouton.

Nous nous dévisageâmes ainsi pendant une minute pleine, puis une autre ; je voyais ses côtes se soulever au rythme de sa respiration. Quand il baissa la tête pour saisir une nouvelle bouchée d'herbe, j'entendis ses dents crisser. Poussant sur l'aviron, je m'approchai tout doucement d'encore un mètre – plus près qu'il n'était raisonnable ou sensé.

Je ne sais pas, aujourd'hui encore, jusqu'où je me serais hasardé, si j'aurais touché le bord et abandonné le canot à la dérive pour m'avancer droit sur l'ours et poser la main sur son dos afin de sentir les muscles durs sous la fourrure. Je ne le saurai jamais, parce que, avant d'avoir risqué ce dernier pas, je franchis une limite qu'il avait fixée, une frontière de son espace, et il se tourna pour me faire face. L'ours roula un moment d'un pied sur l'autre, comme s'il essayait de prendre une décision, puis il pivota soudain sur lui-même, pour exploser en deux bonds allongés, élastiques, et disparaître dans la forêt.

Je me figeai, guettant le craquement de branches brisées qui suit généralement une retraite précipitée, mais j'avais beau tendre l'oreille, je n'entendais rien. Rien que le bourdonnement de mon sang dans les oreilles. Et si l'ours s'était arrêté à quelques mètres dans les fourrés qui bordaient la plage, et écoutait lui aussi, épiait, totalement immobile depuis les ténèbres engloutissantes ?

J'aimerais pouvoir rapporter quelque profonde révélation de ma communion avec l'ours – que, pendant un instant, tout autour de moi parut impossiblement sombre et lumineux en même temps, comme si je voyais l'eau, les rochers et les centaines de formes de vie composant la forêt et la mer comme une radieuse incandescence, qui n'était pas le produit de la lumière mais un aspect de sa propre circulation d'un élément vers le suivant, chatoyant comme la fourrure de l'ours –, mais je ne peux rien dire de tel. Après que l'ours eut disparu, je ne fus qu'un homme dans un canot, la nuit, qui s'était aventuré à la légère trop près d'un animal en train de brouter paisiblement, et qui lui avait fait peur, en prime.

Par sa fuite, l'ours des glaciers avait montré qu'il était un ours comme les autres, avec les traits de caractère et les réactions de n'importe quel membre de son espèce. Ce n'était, après tout, qu'un banal ours noir, sans rien de plus nettement inhabituel que la couleur de sa fourrure, et je réalisai qu'en trouver un et le photographier n'avait sans doute jamais eu vraiment d'importance. L'important, évidemment, c'était l'expérience de la quête et la relation qui s'était formée pendant ce temps. L'important c'étaient les choses vues et faites sur les traces de l'ours bleu.

Je ne l'avais jamais pleinement compris avant de commencer à écrire cette histoire, avant de me mettre à décortiquer ma vie jusqu'à cet ultime soixantième de seconde où l'obturateur est tombé, capturant l'image de l'ours bleu. Jusqu'alors, je ne m'étais jamais rendu compte à quel point dans une vie chaque événement et chaque rencontre, énorme ou minuscule, mène au suivant, puis au suivant, par un enchaînement aussi précis qu'un esprit d'horloger ou que le retour du saumon. Puissions-nous tirer profit des leçons qui nous indiquent notre valeur et notre place à chaque instant, jusqu'au moment ultime où il est temps d'écrire :

Fin

REMERCIEMENTS

Je suis l'obligé de tous ceux, et ils sont nombreux, qui m'ont aidé à terminer et à enrichir ce livre.

Gladi Kulp, de la Bibliothèque historique de l'État de l'Alaska, a déniché pour moi de nombreux documents pendant mes recherches. Kurt Dunbar de Bellingham, Washington, m'a évité plusieurs erreurs flagrantes. Wayne et Marie Ivers de Yakutat, Linda Daniel de Juneau et Bruce Dinneford, du Département de la Pêche et de la Chasse de l'Alaska, m'ont fait l'amitié de relire des parties du manuscrit. Je remercie également John Hyde et Kim Heacox d'avoir partagé avec moi leurs souvenirs de Michio, et Curtis Hight de m'avoir aidé à mieux comprendre les circonstances de sa mort.

Parmi les nombreux naturalistes, biologistes, chercheurs et scientifiques dont les travaux ont éclairé ma modeste compréhension des systèmes naturels de l'Alaska, Richard Carstensen, Robert Armstrong, Greg Streveler, Fred Sharpe et Beth Matthews m'ont prodigué leur savoir avec une disponibilité constante.

Je dois une reconnaissance particulière à Warren Frazier, qui, pour un boxeur, fait une sage-femme très convenable, et à Dan Halpern, dont les encouragements furent décisifs.

Enfin, et ce n'est pas le moins important, je tiens à remercier Leta Schooler et Schooler Farms of Hawaii d'avoir réglé les factures.

TABLE

Cet ouvrage a été composé par
Graphic Hainaut (59163 Condé-sur-l'Escaut)
et imprimé par la Société Nouvelle Firmin-Didot
Mesnil-sur-l'Estrée
pour le compte des éditions Plon
Achevé d'imprimer en novembre 2002